广东改革开放30年研究丛书

广东省哲学社会科学“十一五”规划2007年度规划特别委托项目

党建工程的排头兵

—— 广东党的建设30年

李　萍　王丽荣　主编

廣東省出版集團

广东人民出版社

·广州·

图书在版编目（CIP）数据

党建工程的排头兵：广东党的建设30年／李萍，王丽荣主编．—广州：广东人民出版社，2008.11

（广东改革开放30年研究丛书）

ISBN 978-7-218-05992-1

Ⅰ．党…　Ⅱ．①李…②王…　Ⅲ．中国共产党—地方组织—党的建设—成就—广东省—1978～2008　Ⅳ．D26

中国版本图书馆CIP数据核字（2008）第176556号

出版人	金炳亮
责任编辑	黎　捷　曾玉寒
装帧设计	张力平　陈小丹
责任技编	周　杰
出版发行	广东人民出版社
印　　刷	佛山市浩文彩色印刷有限公司
开　　本	787毫米×960毫米　1/16
印　　张	25
插　　页	1
字　　数	360千
版　　次	2008年11月第1版　2008年11月第1次印刷
书　　号	ISBN 978-7-218-05992-1
定　　价	50.00元

如果发现印装质量问题，影响阅读，请与出版社（020-83795749）联系调换。

【出版社网址：http://www.gdpph.com　　电子邮箱：sales@gdpph.com

图书营销中心：020-37579695　37579604】

总　序

汪　洋

中国的改革开放走过了30年的伟大历程。广东是中国改革开放的先行地区，在改革开放和现代化建设中一直走在全国前列，充分发挥了“试验田”、“窗口”和“示范区”作用。在纪念中国改革开放30周年之际，认真研究总结广东改革开放的成就和经验，有助于深化人们对改革开放重要意义的认识，对于全省人民深入贯彻落实科学发展观，继续解放思想，坚持改革开放，促进经济社会又好又快发展，夺取全面建设小康社会的新胜利，加快推进社会主义现代化，具有深远的历史意义和重大的现实意义。

第一，研究广东改革开放，要系统总结广东改革开放30年的伟大成就，进一步坚定深化改革、扩大开放的信心和决心。

30年来，广东历届省委、省政府团结带领全省人民，高举中国特色社会主义伟大旗帜，发扬敢为天下先的精神和“杀出一条血路”的勇气，解放思想，实事求是，与时俱进，开拓创新，推动经济社会发展取得了举世瞩目的巨大成就。

实现了从一个经济比较落后的农业省份向全国第一经济大省的历史性跨越。1978—2007年，全省GDP总量增长41倍，人均生产总值翻了四番，经济总量先后超过了亚洲“四小龙”中的新加坡、香港和台湾地区，已处于世界中等收入国家水平。目前，全省经济总量约占全国的1/8，源于广东的财政总收入约占全国的1/7，进出口总额占全国的近30%。

实现了从计划经济体制向社会主义市场经济体制的历史性转变。30年来，广东人民以改革创新精神推动着改革开放的伟大实践，率先创办经济特区，率先引进“三来一补”、海外的先进技术设备和管理经验及创办“三资”企业，率先进行价格改革，率先改革投资体制，率先进行金融体制改革，率先实行土地有偿转让，率先实行产权制度改革，等等，在建立和完善社会主义市场经济体制方面走在全国前列。同时，政治、文化和社会等领域的改革也取得了重大进展。

实现了从封闭半封闭向全方位开放的历史性转变。积极加强对外往来和友好合作，努力推进与港澳地区和内地省市区的区域经济合作，大力实施“走出去”战略，形成了多层次、多形式、多功能的全方位对外开放新格局。对外贸易不断扩大，1978—2007年，广东进出口总额增长近400倍，约占全国的30%；到2007年底，累计实际利用外资达到1945亿美元，约占全国的1/5；全省经核准的非金融类境外企业已超过1800家，业务遍及90多个国家和地区。

实现了从温饱向宽裕型小康迈进的历史性跨越。改革开放30年是人民群众得到最多实惠的时期。1978—2007

年，全省城镇居民人均可支配收入、农民人均纯收入分别增加了43倍和29倍，居民消费结构优化，公共服务明显增加，人民生活水平总体达到小康，珠三角地区率先达到宽裕型小康。经济快速发展提供了越来越多的就业岗位，大量的外来务工人员在广东安居乐业。社会保障体系加快向城乡居民覆盖，保障能力不断增强。教育、文化、卫生、体育等各项事业迅速发展。

30年来，广东充分利用毗邻港澳的地理优势，大力推进粤港澳合作，对香港、澳门顺利回归祖国并保持繁荣稳定发挥了重要的促进作用，为彰显“一国两制”伟大构想的成功实践作出了积极贡献。作为中国先发展起来的区域之一，广东十分注重推动国家区域发展总体战略的实施，努力帮助和带动中西部地区发展，为促进全国共同发展、共同富裕发挥了重要作用。

广东的实践雄辩地证明，改革开放符合党心民心、顺应历史潮流，方向和道路是完全正确的。只要坚定不移地推进改革开放，广东就一定能继续书写科学发展的奇迹，中国特色社会主义道路就一定会越走越宽广。

第二，研究广东改革开放，要深入概括广东改革开放30年的宝贵经验，进一步开创改革开放和社会主义现代化建设新局面。

广东作为全国改革开放的试验区，每前进一步都离不开党中央的亲切关怀和正确领导，都是坚定不移学习实践中国特色社会主义理论、坚定不移贯彻党的路线方针政策的结果。1992年春，邓小平同志视察南方发表重要谈话，要求广东“力争用二十年的时间赶上亚洲‘四小龙’”。2000年春，江泽民同志视察广东，提出了“三个代表”重要思想，要求广东“增创新优势，更上一层楼，率先基本实现社会主义现代化”。2003年春，胡锦涛总书记视察广东，提出了科学发展观的思想，要求广东抓住机遇，加快发展、率先发展、协调发展，在全面建设小康社会、加快推进社会主义现代化进程中更好地发挥排头兵作用。广东时刻牢记中央的重托，始终坚持以邓小平理论、“三个代表”重要思想为指导，深入贯彻落实科学发展观，坚定不移地用党的创新理论武装头脑、指导实践、推动工作，结合广东实际创造性地贯彻落实中央的路线、方针、政策，努力为全国的改革开放探索道路、积累经验、做出贡献。

坚持以解放思想引领改革开放，不断冲破不合时宜的观念束缚。我们深刻认识到解放思想是正确行动的先导，是扫除思想障碍、引领发展的“法宝”，是推动改革开放的强大动力。我们坚持一切从实际出发，求真务实，求新思变，积极将解放思想形成的共识，转化为政策、措施、制度和法规，把解放思想贯穿于改革开放和社会主义现代化建设的全过程。

坚持以经济建设为中心，推动经济社会又好又快发展。我们深刻认识到发展对于全面建设小康社会、加快推进社会主义现代化，具有决定性意义。我们坚持把发展作为党执政兴国的第一要务，牢牢扭住经济建设这个中心，坚持聚精会神搞建设、一心一意谋发展，不断解放和发展社会生产力。着力把握发展规律、创新发展理念、转变发展方式、破解发展难题，不断提高发展质量和效益，推动经济社会又好又快发展，为率先基本实现社会主义现代化打下坚实基础。

坚持以人为本，激发和保护人民群众的积极性和创造

性。我们深刻认识到全心全意为人民服务是党的根本宗旨，党的一切奋斗和工作都是为了造福人民。我们始终把实现好、维护好、发展好最广大人民的根本利益作为党和国家一切工作的出发点和落脚点，尊重人民主体地位，发挥人民首创精神，保障人民各项权益，走共同富裕道路，促进人的全面发展，做到发展为了人民、发展依靠人民、发展成果由人民共享。

坚持全面协调可持续发展，积极构建社会主义和谐社会。我们深刻认识到社会和谐是中国特色社会主义的本质属性，科学发展与社会和谐是内在统一的，没有科学发展就没有社会和谐，没有社会和谐也难以实现科学发展。我们按照民主法治、公平正义、诚信友爱、充满活力、安定有序、人与自然和谐相处的总要求和共同建设、共同享有的原则，着力解决人民最关心、最直接、最现实的利益问题，努力形成全体人民各尽其能、各得其所而又和谐相处的局面，为发展提供良好社会环境。

坚持统筹兼顾，以世界眼光谋划广东的发展。我们深刻认识到统筹兼顾是在新的历史条件下保证中国特色社会主义事业顺利推进的根本方法。我们统筹城乡发展、区域发展、经济社会发展、人与自然和谐发展、国内发展和对外开放，统筹个人利益和集体利益、局部利益和整体利益、当前利益和长远利益，充分调动各方面积极性。着力把握国内国际两个大局，树立世界眼光，加强战略思维，善于从国际形势发展变化中把握发展机遇、应对风险挑战，营造良好国际环境。

坚持加强和改进党的自身建设，充分发挥党的领导核心作用。我们深刻认识到做好各项工作关键在党。我们坚

持党要管党、从严治党，以提高执政能力和保持先进性为重点，贯彻为民、务实、清廉的要求，抓理想塑灵魂，抓班子带队伍，抓基层打基础，抓作风反腐败，全面加强党的自身建设，充分发挥领导核心作用，不断提高各级党组织的凝聚力、创造力和战斗力，为促进改革发展稳定提供坚强政治保证。

这些经验，既是广东历届省委、省政府带领全省干部群众锐意进取、开拓创新取得的宝贵精神财富，又是广东继续开创改革开放新局面必须坚持的重要原则。

第三，研究广东改革开放，要继续解放思想、坚持改革开放，努力争当实践科学发展观的排头兵。

改革开放是广东的魂。广东靠改革开放起步，也靠改革开放起飞；广东靠改革开放赢得今天，也必须靠改革开放开创未来。经过30年的快速发展，广东已经站在新的历史起点之上，改革开放面临着新机遇、新挑战和新任务。我们要继承和发扬改革开放初期敢为人先的精神和气魄，继续解放思想，坚持改革开放，努力争当实践科学发展观的排头兵，把广东建设成为提升我国国际竞争力的主力省，探索科学发展模式的试验区，发展中国特色社会主义的先行地。

一是继续解放思想，坚定不移地走在实践科学发展的前列。解放思想永无止境。要按照科学发展观的要求，打破阻碍科学发展的思维定势，加快转变发展方式，着力提高自主创新能力，积极建设现代产业体系，切实增强可持续发展能力，使速度、结构、效益相协调，人口、资源、环境相协调，消费、投资、出口相协调，城乡、区域发展相协调，促进经济社会又好又快发展。

二是不断深化改革，坚定不移地走在构建有利于科学发展体制机制的前列。以行政管理体制改革、财政和投融资改革、要素市场体系建设等为重点，统筹经济和社会事业改革，加快建立完善的市场经济体制机制，形成市场配置资源、企业自主发展、政府科学调控的良好格局。建立健全科学发展的综合考核体制，把贯彻落实科学发展观的目标要求转化为可考核的客观指标。

三是继续扩大开放，坚定不移地走在提高区域国际竞争力的前列。要树立全局和世界眼光，抢抓经济全球化和区域经济一体化的发展新机遇，加快构建粤港澳紧密合作区，加强与美国、日本、欧盟等发达国家和地区以及与东盟等新兴经济体的合作，加快完善内外联动、互利双赢、安全高效的开放型经济体系，不断扩大开放领域，优化开放结构，提高开放水平，增创广东国际竞争新优势。

四是着力改善民生，坚定不移地走在构建社会主义和谐社会的前列。要坚持民生为重，稳步实施城乡居民收入倍增计划，加快完善覆盖城乡惠及全民的社会保障网，切实解决住房、医疗、教育和食品安全等突出民生问题，使全体人民学有所教、劳有所得、病有所医、老有所养、住有所居，努力实现好、维护好、发展好最广大人民群众的根本利益，推进和谐广东建设。

五是以改革创新精神全面推进党的建设新的伟大工程，坚定不移地走在加强和改进党的建设的前列。要把党的执政能力建设和先进性建设作为主线，坚持党要管党、从严治党，以坚定理想信念为重点加强思想建设，以造就高素质党员、干部队伍为重点加强组织建设，以保持党同人民群众的血肉联系为重点加强作风建设，以健全民主集中制为重点加强制度建设，以完善惩治和预防腐败体系为重点加强反腐倡廉建设，使党始终成为领导改革开放和社会主义现代化建设的坚强核心。

广东有辉煌的过去、美好的现在，一定会有灿烂的未来。这次出版的《广东改革开放30年研究丛书》，对广东改革开放30年巨大成就、实践经验和未来前进方向等问题进行了系统总结和深入研究，内容涵盖经济、政治、文化、法律、城市、农村、科技、教育、社会、党建等10个方面，为全面深入研究广东改革开放做了大量有益工作，迈出了重要一步。在隆重纪念改革开放30周年之际，希望全社会高度重视广东改革开放问题的研究，希望有更多的专家学者和实际工作者积极投身到广东改革开放问题研究中去，进一步把广东改革开放的伟大意义、巨大成就、成功经验和前进方向总结好、阐述好、宣传好，为推动广东现代化建设迈上新台阶，开辟广东更加美好的未来作出更大的贡献！

（作者系中共中央政治局委员、广东省委书记）

目　　录

历程篇

实践篇

展望篇

历 程 篇

改革开放走过了30年波澜壮阔的历程。30年前，先行一步的广东以弄潮的勇气和实干的魄力，不负众望“杀出一条血路”；世纪之交，南粤大地在率先基本实现现代化的实践中落实“三个代表”重要思想，成为全面建设小康社会、加快推进社会主义现代化进程的“排头兵”。三十载磨砺，广东这片热土不仅在经济社会发展等方面成就卓著、走在前列，而且在党的建设方面积极探索、勇于创新，积累经验。

本篇回顾了30年广东党的建设的历程。从改革开放之初的拨乱反正，南方谈话后的体制大转轨，到全面建设小康社会，改革开放的洪流，考验着领导这场伟大社会变革的中国共产党自身。在前所未有的挑战与机遇面前，广东省委及各级党委始终保持了清醒的头脑，对党的建设不仅高度重视，从无懈怠，而且真抓实干，在改革和创新的实践中锻炼、提高，铸就30年党建的辉煌。

解放思想，实事求是；勇于进取，开拓创新。30年党建的历程，时时充满活力，处处焕发生机。站在新的历史起点上，回眸改革开放征程的宏伟画卷，党领导全省人民以一往无前的进取精神和波澜壮阔的创新实践，谱写着广东顽强奋进的壮丽史诗，广东党建的历程挥洒了其中最浓墨重彩的一页，奏响了改革开放恢宏乐章的最强音。

第一章
历史大转折　党建新起点
——从党的十一届三中全会到十四大

一、改革开放之初广东率先思想解放

“文化大革命”结束后，中央随即拨乱反正，清除“文化大革命”在各个领域的不利影响，进而召开十一届三中全会，将全党工作的着重点转移到社会主义现代化建设上来。这是一次伟大的历史转折，也是一次影响深远的思想大解放。在中共中央的统一部署下，广东开始有步骤、有计划地进行党的组织建设工作，全面整党。经过一系列艰苦、认真的工作，提高了各级党组织的战斗力和凝聚力，有力地保障了改革开放事业的推进，也坚定了人民对党的信任和对社会主义社会前途的信心。在此过程中，广东各级党组织解放思想、勇于任事、不惧艰难，为全国党的建设事业和改革开放事业开了好头，树了新风。

（一）拨乱反正整顿党的各级组织

1976 年 10 月，中共中央粉碎了“四人帮”，结束了“文化大革命”，我国随即进入了一个新的历史发展时期。这样，经历了建国初期的种种挫折，经历了“文化大革命”的十年浩劫，中国共产党必须凭借自己的智慧和力量，驾驶中国特色社会主义的航船驶出危滩险壑，全力以赴地开创新天地。

面对新的形势，全国上下开始总结历史经验，清除错误思想，转变发展模式。同样，广东也在中共中央的统一部署和领导下，逐步迈上了新的历程。

1. 揭、批、查：从整顿各级党组织工作中改进党风。

为荡涤“文化大革命”“左”倾错误的污泥浊水，正本清源，澄清理论上、路线上的大是大非问题，从政治上、思想上、组织上肃清流毒和影响，清除那些紧追“四人帮”，靠“造反”起家的“头上长角”、“身上长刺”的帮派骨干，夺回被他们篡夺的那部分权力，摧毁其赖以生存的帮派体系，同时让许多在“文化大革命”中挨整和“靠边站”的领导干部重新走上领导岗位，按照中央的统一部署，从1976年11月起，广东深入开展了揭、批、查“四人帮”的斗争，有领导、有组织、有步骤地在全省范围内清查了与“四人帮”阴谋活动有牵连的人和事。

广东的“揭批查”工作分为三个阶段：

第一阶段，从1976年11月至1977年2月。在这一时期，在中共中央和广东省委的部署下，广东全省各地放手发动群众，集中力量，深入揭发、批判、清算“四人帮”，开展“三大讲”活动，即大讲“四人帮”横行时党受其害、国受其害、身受其害的深仇大恨，大讲同“四人帮”斗争的经历，大讲同“四人帮”斗争的经验体会。从而在各个方面、各个领域清除“四人帮”的不良影响。

第二阶段，从1977年3月到1978年6月。这个阶段在继续发动群众在全省范围内揭发、批判、清查与“四人帮”篡党夺权阴谋活动有牵连的人和事的基础上，调整和加强省、地、市、县和各条战线、各个部门的领导班子，进行了部分冤假错案的平反工作，将许多在“文化大革命”中挨整和“靠边站”的领导干部重新安排到领导岗位。一批久经考验、经验丰富的老同志恢复原职。

第三阶段，从1978年6月到1979年9月。这个阶段把揭批“四人帮”与揭批林彪集团的有关问题联系起来，进一步将清查工

作引向深入。为此，从1978年秋天开始，广东省委开展了为期半年的整风。这次整风揭开了盖子，搞清了广东省在“文化大革命”中一些重大的问题，比如整叶剑英老帅的黑材料问题，迫害老干部问题，省委、省革委领导在“文化大革命”中的问题等，分清了是非。

这样，经过三个阶段，为期三年的严谨、细致的工作，广东全省清查了和“两案”有关的人员772人，其中有692人因错误性质较轻而免于组织处分；有16人因触犯刑律被判刑；不给处分，只作审查结论的20人；党内除名4人；有40人受到党纪政纪处分。[①]在这一过程中，对省委在执行路线、政策和作风方面存在的问题，也进行了初步清理，总结了经验，增进了团结，有利于工作的更好开展。

2. 落实政策，安定人心：纯洁广东各级党组织。

在揭、批、查“四人帮”的同时，广东开始平反冤假错案，落实各项政策。省委和各级党委按照中央关于实事求是、有错必纠的原则来平反冤假错案和落实各项政策。1978年6月，在中共广东省委四届一次常委扩大会议上，省委书记、省委纪检书记李坚真专门就落实干部政策问题作了专题发言，她强调，要坚持实事求是的原则，凡属冤假错案，应予以坚决平反；凡属应纠正的坚决纠正，错多少纠多少，复查结论可留可不留尾巴的坚决不留。1978年12月，十一届三中全会召开以后，广东开始全面进行拨乱反正、平反冤假错案的工作，包括复查建国后头17年干部案件和平反“文化大革命”中的大量冤假错案。省委要求各地坚定、慎重地做好清理“三种人”（跟随林彪、江青反革命集团造反起家的人，帮派思想严重的人，打砸抢分子）的工作，以达到纯洁组织、消除隐患的目的；做好知识分子的安置工作等等。

经过一系列的工作，广东解决了大约20万人的问题，认真落

① 参见中共广东省纪律检查委员会、广东省检察厅编：《广东纪检监察志》（1950—1995），广东人民出版社1999年版，第331～333页。

实了党的各项政策。在拨乱反正的过程中，广东结合本省实际情况，把揭批林彪、江青两个反革命集团的罪行，同整顿党的领导班子、整顿企业和整顿经济管理结合起来，力促国民经济的恢复和安定团结局面的维持。最终在政治、组织方面为经济的发展创造了有利的条件，推动了各地区、各部门发展的步伐。安定团结的政治局面的形成，又使工农业生产得到了初步的恢复和发展，文化、教育、科学研究等工作也开始走向正常。同时，“增强了党和人民的团结，调动了各个方面的积极性，为实现党的工作重点转移，齐心协力进行四化建设，创造了重要条件”①。

3.“先走一步”：广东省委、省政府实现了工作重心的转移。

在拨乱反正的基础上，广东开始有计划地将工作的重心转到经济建设上来。1979年2月15日，省委发出《关于认真贯彻落实中央工作会议和三中全会精神，联系实际，实现工作重点转移的通知》。《通知》要求各级党委要认真学习领会中央工作会议和三中全会精神实质，认清党的工作重点转移的伟大历史意义，联系实际，总结近年来农业上不去的经验教训，肃清“左”的流毒，认真解决阻碍工作重点转移的一些突出问题，改进工作方法和工作作风，加强经营管理工作，搞好生产责任制。同时，广东充分利用毗邻港澳、华侨众多的优势，积极开展对外经济技术的交流。省长习仲勋向中央提出：“我们的要求是在全国集中统一领导下，放手一点，搞活一点。这样做，对地方有利，对国家也有利，是一致的。”② 据此提出了试办对外加工贸易区的设想。

广东的设想得到了中央领导人的赞同。中央决定让广东在改革开放中先走一步，给予一些特殊政策和灵活措施。邓小平将对外加工贸易区定名为“特区”。他指出，中央没有钱，可以给些政策让广东自己去搞，并殷切希望广东“杀出一条血路”。叶剑英要求广

① 任仲夷：《改革、前进，开创新局面——在中国共产党广东省第五次代表大会上的报告》（1983年2月24日）。

② 《习仲勋、王全国同志在中央工作会议中南组的发言》（1979年4月）。

东认真搞好经济体制的改革，以此带动全国的改革进程。国务院副总理谷牧还要求广东“思想要更解放一点，要杀出一条血路，创造经验”。改革是一场深刻的革命，集中体现了中国共产党的智慧和勇气，是中国共产党在马克思主义指导之下进行的伟大实践，也是马克思主义理论中国化的一个具体的表现。因为中国只有吸收人类社会发展的一切文明成果，才能更好地赢得和资本主义的比较优势，立足于世界先进民族之林，发挥社会主义的优越性。

1984 年初，邓小平亲自来广东视察。通过一系列的考察和座谈，他再一次肯定试办经济特区的路子是正确的。其后，邓小平发表谈话时强调：“我们建立经济特区，实行开放政策，有个指导思想要明确，就是不是收，而是放。”“特区是个窗口，是技术的窗口，管理的窗口，知识的窗口，也是对外政策的窗口。从特区可以引进技术，获得知识，学到管理，管理也是知识。特区成为开放的基地，不仅在经济方面、培养人才方面使我们得到好处，而且会扩大我国的对外影响。”①

邓小平和党中央的认可和支持，坚定了广东改革开放的信心。广东开始在企业管理体制、财政体制、投资体制、金融体制等各领域加大改革力度，积极发展多种经济成分，培育和发展市场体系，并积极发展外向型经济。随着对外开放的不断扩大，到 90 年代初，广东已经拥有三个经济特区、两个沿海开放城市、四个经济技术开发区、六个高新技术区和近四十个经济试验开发区，形成了多层次、多形式、多功能的全方位对外开放格局。

（二）全面整党，将党建成经济大发展的坚强核心

广东改革开放之所以能取得巨大的成功，乃是因为有中国共产党的正确领导。正如邓小平在《目前的形势和任务》的报告中所指出的那样：“从根本上说，没有党的领导，就没有现代中国的一切”，“没有党的领导，就没有一条正确的政治路线；没有党的领

① 《邓小平文选》第 3 卷，人民出版社 1993 年版，第 51、51 ~ 52 页。

导，就没有安定团结的政治局面；没有党的领导，艰苦创业的精神就提倡不起来；没有党的领导，真正又红又专、特别是有专业知识和专业能力的队伍也建立不起来。这样，社会主义四个现代化建设、祖国的统一、反霸权主义的斗争，也就没有一个力量能够领导进行。这是谁也无法否认的客观事实。”同时，邓小平还指出："为了坚持党的领导，必须努力改善党的领导。"[①] 其后，小平同志还从改善党的组织状况、改善党的领导状况、加强党的纪律、搞好党风建设、健全党内民主生活、维护党的集中统一等几方面来进行坚持和改善党的领导这一新任务的论述，努力使中国共产党成为改革开放时期经济大发展的坚强领导核心。此后，从中央到地方都开始进行坚持党的领导、改善党的领导、提高党的战斗力等多方面的工作。

1. 十二大之后的全面整党。

1982年9月党的十二大召开。十二大站在历史发展的新起点，通过对建国后党的建设历史经验的全面总结，系统地提出了努力把党建设成为领导社会主义现代化建设事业的坚强核心这一党建新主题。而为了达此目的，必须进行全面整党的工作。此后不久召开的十二届二中全会即通过了《中共中央关于整党的决定》，对全面整党工作进行了部署，明确指出，这次整党的任务是统一思想，整顿作风，加强纪律，纯洁组织。具体而言，要达到以下目标：

第一，统一思想。就是进一步实现全党思想上政治上的高度一致，纠正一切违反四项基本原则、违反十一届三中全会以来党的路线的“左”的和右的错误倾向。第二，整顿作风。就是发扬全心全意为人民服务的革命精神，纠正各种利用职权谋取私利的行为，反对对党对人民不负责任的官僚主义。第三，加强纪律。就是坚持民主集中制的组织原则，反对无组织无纪律的家长制、派性、无政府主义、自由主义，改变党组织的软弱涣散状况。第四，纯洁组织。就是按照党章规定，把坚持反对党、危害党的分子清理出来，开除

① 《邓小平文选》第2卷，人民出版社1994年版，第266、268页。

出党。

这次整党的步骤是：从中央到基层组织，自上而下、分期分批地整顿。每个单位党组织的整顿，也要自上而下，先领导班子、领导干部，后党员、群众；基本方法是：在认真学习文件，提高思想认识的基础上，开展批评和自我批评，分清是非，纠正错误，纯洁组织。在整党过程中，自始至终都要加强思想教育，着眼于提高广大党员的思想觉悟。最后，中央明确规定，从1983年冬季开始全面整党，用三年的时间分期分批对党进行一次全面整顿。

2. 广东分期开展全面整党工作。

1982年9月，中共十二大通过了新党章，这是社会主义建设新时期党的建设纲领。1983年3月，中共广东省委发出通知，要求在全省党员中开展以学习新党章为主要内容的教育，使每个党员明确党的性质、宗旨、指导思想、最终奋斗目标和现阶段的任务，按照党章规定的党员标准，做一个合格的共产党员。这次新党章教育活动，为此后的全面整党打下思想基础。不久，广东省委发出了《关于组织全省党员认真学习〈中共中央关于整党的决定〉的通知》，要求全省各级党组织立即组织党员认真学习中央的《决定》，深刻领会整党的精神实质，为即将开展的全面整党打下思想基础。

在全面开展整党之前，省委根据中共十二大精神和中央指示，从1983年3月至10月，在省卫生厅和新会、河源、蕉岭、饶平、广宁、遂溪、屯昌、乐东等8个县及其机关、两个市属部局和10个国营企业单位进行整党试点。参加整党试点的党支部629个，党员9318人。

1983年11月12日，省委成立省委整党工作指导小组，林若任组长，王宁、李建安、杨应彬任副组长。指导小组下设整党办公室，具体负责日常工作。1983年11月15日，省委召开省直机关处以上党员干部动员大会，宣布广东整党工作正式开始。第一期整党单位主要是省直单位，分三批进行；第二期整党单位主要是市、地、县级单位，分两批进行；第三期是区、乡农村基层组织，分三批进行。每期整党都用了一年多时间，全面整党于1987年5月结

束，历时三年半。在整党期间，全省先后派出整党联络员（巡视员）近7万人次，协助各级党委搞好整党工作。

全省各级党组织认真贯彻执行中央整党决定和中央的一系列指示，从本省实际出发，抓住增强党性、提高党员思想政治素质的中心环节，认真学习文件，统一思想，对照检查，边整边改。最后进行组织处理和党员登记，纯洁组织。整党期间，通过党员登记和组织处理，对犯有各种错误和严重问题以及不合格的党员进行了处理。受到党纪处分的党员15426人，占全省党员总数的0.68%，其中开除党籍4996人，留党察看4039人，撤销党内职务515人，党内严重警告2828人，党内警告3048人，不予登记的9457人，缓期登记的9472人。

3. 广东农村整党工作成效显著。

1986年开始，广东重点进行了农村的整党工作。该年1月11日，广东省委发出《关于贯彻中央农村整党工作部署的意见》，要求各地注意严格掌握政策界限：（1）要把工作中的错误和个人以权谋私、违法乱纪区别开来。（2）要把应由上级领导负责或应由组织负责的问题，与基层党员本身的问题区别开来。（3）要把坚持共产主义教育和执行现行经济政策区别开来。

5月9日，省委召开全省农村区级整党工作座谈会，要求各地将整党活动深化：（1）市、地、县委要继续加强对区级整党的指导。（2）必须高标准、严要求搞好对照检查。（3）必须认真抓好县、区双重领导单位的整党。（4）认真抓好边整边改，从整改上把整党引向深入。（5）切实搞好领导班子建设。7月，省委召开农村整党工作会议，进一步布置搞好全省农村（乡级）整党工作。会议要求乡级整党要解决四个问题：（1）要解决如何适应农村改革形势，正确理解和贯彻党在农村的各项方针、政策的问题。（2）要解决增强党性、党纪观念，全心全意为人民服务的问题。（3）要解决党不管党的问题。（4）要解决党员中受小农经济思想束缚的问题，要把大力发展生产作为统一思想的一个重要内容。

广东农村整党工作以中央整党决定为指导，着重解决基层组织

和党员思想与改革开放新形势不相适应的问题。通过组织党员认真学习文件，总结经验教训，开展批评和自我批评，提高了党员贯彻执行党的基本路线的自觉性；在统一思想、整顿作风、加强纪律、纯洁组织等方面都收到较好效果。

4. “不拘一格降人才”——加强干部队伍建设。

在全面整党工作中，广东不仅完全贯彻中央的意见和决定，还以干部政策为突破口，进行了卓有成效的干部培养和管理工作。根据邓小平关于改革党的干部制度的思路，广东主要从三个方面加大力度，深化改革。

第一，切实提高现有领导干部的素质。作为执政党，现代化建设需要党的干部有较强的总揽全局、驾驭市场经济的能力。但实际上大多数干部还很不适应，甚至存在较大的差距。这就要改变重视用人、忽视育人的偏向，把培养教育干部作为一项事关全局的基础性工作抓好。广东的具体要求是，一要抓好“德”，二要培养“才”。即将干部培养成忠诚于马克思主义、讲党性、顾大局的社会主义接班人和有知识、懂业务的建设者。

第二，抓紧培养和不拘一格选拔优秀的年轻干部。广东始终能够站在保证党的政策的连续性、坚持党的基本路线不动摇的高度来抓好这方面的制度改革。破除论资排辈、求全责备、迁就照顾等陈旧观念，不拘一格选拔人才；把年轻干部放到关键的领导岗位上，或放到条件艰苦、情况复杂的环境中经受考验，放手让他们在实践中锻炼成长；扩大选拔任用领导干部工作中的民主，完善干部的考核、交流、升降、奖惩等制度，从而形成了优秀人才能脱颖而出的机制。

第三，广东还较早地形成了公开选拔领导干部的做法。1985—1986 年，广州市即选任了两名市外经贸副主任和广州大学校长；深圳市从 1986 年开始，先后进行了六批公开招考部门领导的工作。湛江、清远、中山等地亦采用过类似的办法。此外，广东还利用毗连港澳，华侨众多的优势，积极引进港澳人才、华侨人才和留学人员回国服务，引发了新一轮的海外人才及其智力成果的回归热潮。

5. 抓“班子”、“才子”——广东“四小虎”的人才战略。

广东的实践已充分证明，哪个地方人才辈出，哪个地方的经济建设和社会发展就搞得朝气蓬勃。以广东经济发展较快的“四小虎”——中山、东莞、顺德、南海为例，他们曾坚持在实践中考察培养干部的做法，既抓“点子”、“路子”，又抓“班子”、“才子”，为经济建设选拔了一大批精兵良将。其做法有如下一些特色：

第一，重用坚持改革开放并有政绩的干部。顺德在全面把握干部德才素质的同时，坚持重用锐意改革、积极开拓的“能人”，而不用四平八稳的“好人”。南海任用干部一看素质，二看政绩，三看主流。中山、东莞任用干部以改革分是非，以发展论功过，以政绩定取舍，坚决调整“老观念”、“老臣子”、“老样子”、“老落后”，大胆启用敢冲、敢闯、敢冒尖的开拓型干部。这些做法为四地的改革创新提供了源源不断的智力支持和活泼上进的实干风气。

第二，不拘一格使用和选拔干部。（1）从比较富裕的地区选拔干部到比较落后的地区任职。（2）从党政机关选调干部到基层任职。（3）从管理区选拔优秀农民干部到镇任职。（4）从镇村企业、私营企业、专业户、个体户中选拔优秀党员到管理区任职。（5）立足当地，面向全国，大量引进有用之才。

第三，建立激励机制，充分调动干部工作的积极性。东莞严格执行各种责任制，干部报酬与工作实绩挂钩，普遍建立岗位责任制，半年初评，年终总评，按得分兑现奖惩，为干部增添了前进的压力和动力；顺德实行企业与行政级别脱钩，鼓励企业“自我提拔”，打破企业中的“铁交椅”、“铁工资”、“铁饭碗”的传统思维，建立一种鼓励企业“自我提拔”的新机制，规定厂长（经理）可以根据企业业绩领取几倍于职工的工资；南海也曾开展树立先进典型，进行比学赶帮活动。这些激励机制的建立，培养了干部职工的竞争意识，促进了经济的较快发展。

6. 企业党组织的新建设。

在全面整党的过程中和结束后，广东省委、省政府还努力理顺企业党政关系，力图最大限度地发挥企业中党组织的政治核心作

用，为中国特色社会主义建设服务。这一措施是从 1984 年在国有企业中实行厂长负责制开始的。从此开始到 90 年代初，广东的企业党组织功能经历了三次变化。

第一次，是 1984 年初到 1986 年下半年，企业从党委领导下的厂长负责制变为厂长负责制，这是改革企业领导体制的初期。党中央、国务院下发的三个条例规定，党委对企业实行思想政治领导，厂长对企业生产决策和经营管理工作统一领导。这种领导体制改变了企业领导职责不清、权责分离的弊端，但经济工作和思想政治工作两张皮的现象仍然没有完全克服。

第二次，是从 1986 年 11 月到 1989 年上半年，这一阶段根据党中央、国务院对三个条例的补充通知精神，企业党组织的基本职能从思想政治领导转变为保证监督，厂长是企业的法人代表，处于中心位置，对企业全面负责。这次转变是在企业党组织缺乏内在动因和必要理论准备的情况下进行的，以至于在“党的工作业余化”的声浪中，许多企业的党务机构被裁并，党务干部被裁减，这导致许多企业党的工作无法正常进行。企业中不同程度地出现了“队伍散了、阵地丢了、思想乱了”的状况，这期间企业党组织的作用被降到最低点，企业党的工作处于困难的阶段。

第三次，是 1989 年下半年到 90 年代初。这一时期，党中央着手大力加强党的建设工作，在总结前阶段经验教训的基础上，明确企业党组织处于政治核心地位，从这时起，广东省企业党组织建设进入了一个新的发展阶段，企业党的工作也重新焕发了生机和活力。从此，企业党的建设工作思想混乱的情况得到了理清；企业党组织的自身建设和思想政治工作得到了加强；企业党务工作机构和党务干部队伍得到了充实，党务干部的积极性进一步调动了起来，党政、党群、干群关系进一步密切，企业生产和各项工作有较大起色。也是从这一时期开始，广东国有企业获得了较大规模的进步，既获得了巨大的经济利益，也保障了党组织的有力和政治核心作用。

在国有企业中大力发挥党组织政治核心作用的同时，广东也关

注“三资”企业中党组织的作用。在外商投资企业创办的最初几年间，中共广东组织就外资企业中如何开展党的工作的问题，进行了大量的调查探索工作。1984年2月15日，中央组织部《关于加强中外合资经营企业党的工作的几点意见》下达后，省委组织部于1984年10月在深圳市召开全省会议，明确了此项工作的指导思想，并结合广东实际，作出具体部署。广东省相当部分外商投资企业都陆续建立党组织并开展活动。1987年9月，省委组织部在佛山市召开了全省外商投资企业党的工作经验交流会，总结推广了广州市委、汕头经济特区党委、深圳市蛇口区党委、佛山市旋宫酒店党支部、白天鹅宾馆党委等16个单位的经验。1987年12月，省委办公厅转发了省委组织部《关于进一步做好外商投资企业党的工作的几点意见》，就党组织的任务、作用和活动方式，建立健全党的工作制度等问题，提出了具体意见，要求各地总结推广新经验，促进外商投资企业党的工作向前发展。1988年10月，省委下发《中国共产党广东省中外合资（合作）经营企业基层组织工作暂行条例》，明确规定了外商投资企业党组织的设置、地位作用、主要任务和工作方法等具体事项，使外商投资企业党的工作逐步实现制度化、规范化、科学化。

经过多年的探索，广东省搞好外商投资企业党建工作的主要体会是：（1）正确处理办好企业与在企业中开展党的工作的关系，提高对在外商投资企业做好党的工作重要性的认识。（2）正确处理与外方真诚合作和在合作中坚持原则的关系，充分发挥党组织在办好外资企业中的重要作用。（3）正确处理党的建设的一般要求和外商投资企业特殊环境的关系，从实际出发搞好党的工作。（4）正确处理面上工作与重点、难点的关系，坚持分类指导，把外资企业党的工作做细做实。（5）正确处理对外商投资企业党员干部严格要求和关心爱护的关系，建设好外资企业党的工作的骨干队伍。（6）正确处理上级党组织加强领导、企业党组织主动积极工作与有关部门协助支持的关系，上下各方共同努力，把外资企业党的工作不断推向前进。

总之，在改革开放初期，广东一方面坚持发展经济这个中心任务，进行多方面的体制改革和创新，一方面根据中央的统一部署和领导，进行有计划、有步骤、有层次的党建工作，努力将党建成经济大发展的坚定核心。这不仅保障了改革的成果，也保证了改革开放沿着中国特色社会主义的正确道路阔步向前。

（三）解放思想，广东各级党组织重视思想理论建设

中国共产党建设的全部经验归结到一点，就是把马克思主义的党建学说与中国共产党的具体实际相结合，始终保持理论的不断创新。然而，要使马克思主义系统地中国化，“乃是一件特殊的、困难的事业。这决不是如某些人所想的，只将马克思主义的著作加以熟读、背诵和摘引，就可成功的”。[①] 这要求我们必须把高度的科学精神与高度的革命精神相结合，善于应用马克思主义的方法，对中国社会历史的客观情势及其发展作科学的分析，从而指导中国革命和建设的实践。在马克思主义中国化的过程中，解放思想，实事求是乃是我们党始终坚持的理论精髓。

1．中央号召全党要敢“闯”敢“冒”。

正是老一辈革命家坚持了解放思想、实事求是的理论路线，当1978年《光明日报》开展关于真理标准问题的大讨论时，邓小平对之进行了充分的肯定。他指出这个争论很有必要，意义很大，它“是个思想路线问题，是个政治问题，是个关系到党和国家的前途和命运的问题”[②]。随后的十一届三中全会高度评价了关于实践是检验真理的唯一标准问题的讨论，“认为这对于促进全党同志和全国人民思想解放，端正思想路线，具有深远的历史意义。一个党，一个国家，一个民族，如果一切从本本出发，思想僵化，那它就不能前进，它的生机就停止了，就要亡党亡国。”[③] 要纠正历史上的

① 《刘少奇选集》上卷，人民出版社1981年版，第336页。

② 《邓小平文选》第2卷，人民出版社1994年版，第143页。

③ 中共中央文献研究室编：《三中全会以来重要文献选编》上，人民出版社1982年版，第12页。

错误，一定要思想解放，只有这样才能冲破错误的樊篱，重新走上正确的道路。

此后，邓小平反复号召全党思想还要更加解放一点，步子还要再大一点，要敢“闯”敢“冒”，否则就不可能走出一条新路、一条好路。邓小平的这些思想，一方面克服了全党长期以来“左”的僵化思想，提高了思想认识水平；另方面，为中国的深化改革，扩大开放，实现社会主义现代化，奠定了思想基础。邓小平这一思想很快贯彻落实到改革开放的前沿阵地——广东。

2. 打破条条框框，大胆拼闯。

1979年9月，国务院副总理谷牧指出，特区要有点孙悟空精神，受条条框框束缚不行，要搞活，步子要大一些。次年1月，中共中央政治局委员、中央秘书长兼中央宣传部部长胡耀邦在广东视察时指出，广东要打破框框，解放思想，千方百计想办法增加收入，每个生产队都要因地制宜，搞多种经营，要讲求经济效益。

在中央解放思想精神的指导和鼓舞之下，广东的改革开放事业底气更足，思想更加开放。广东各级领导机关普遍开展了关于真理标准问题的讨论，坚持解放思想。这对恢复和发扬实事求是、一切从实际出发、理论联系实际和群众路线的优良作风，对于促进各条战线的拨乱反正，实现工作重点的转移，加快四个现代化建设的步伐，起到了巨大的推动作用。而当改革开放进入到艰苦阶段，即遇到一些争论的时候，广东各级党组织坚持了改革开放的路线，并对全省党员进行马克思主义基本理论和改革开放性质及其重要性、必要性的教育，力求达到解放思想的目的。具体而言，主要有如下一些做法：

第一，坚持生产力标准、树立实践第一的历史唯物主义观点，做到理论联系实际。针对有人认为改革开放是“辛辛苦苦三十年，一夜回到解放前”，“创办经济特区，是请资本主义回来剥削”，“珠江三角洲搞的那一套，与资本主义没有什么区别”等问题，广东各级党组织积极摆脱这种“左”的思想的干扰，努力将帮助党员干部树立以是否有利于生产力发展作为改革成败的标准，认清社

会主义的本质，摆脱不符合发展形势的旧观念和理论束缚，敢想敢闯，探索适合当地实际的发展路子，并敢于借鉴包括资本主义社会创造的一切人类优秀成果为我所用，从而促进了外国资金、技术、资源、管理等各种经验的引进和发挥实际作用。同时，敢于从经济的发展中看到差距，富裕地区不自满，经济不发达地区不自卑，中间地带不甘居于中游，保证了各地思想不断解放，经济建设不断发展的局面。

第二，对改革开放中出现的问题进行客观论证，不夸大，不漠视，做到具体问题具体分析。改革开放是前无古人的事业，其间出现一些挫折是难免的，但改革的前途是光明的。因此，广东省委一直要求广大党员干部用马克思主义的辩证唯物主义和历史唯物主义的观点去分析问题，对遇到的问题作实事求是的论证，分清主流和支流，认准主要矛盾和次要矛盾，避免形而上学的一刀切做法。并力争通过改革开放去解决改革开放过程中出现的问题，以此来坚定党员干部坚持改革开放的信心和决心。这些主张促进了广东经济的进一步活跃和发展。

第三，结合国情，突出广东特色，找到适合本地发展的路子，做到因地制宜。就广东来说，其区位优势明显，而且海外华侨众多。因此，广东根据中央给予的特殊政策、灵活措施，结合自身的这些优势，找到了适合自己发展的高效途径。比如，在被誉为广东“四小虎”的东莞、顺德、南海、中山等地，地方党组织就在解放思想的指导下，根据自身的优势，结合党和国家的政策，找准了发展的路子，从而迅速崛起。早在1984年，南海县委就要求党员领导干部克服“五种旧思想”，树立“五种新观念”：一是克服固步自封思想，树立奋发进取观念；二是克服求稳怕乱思想，树立敢担风险观念；三是克服消极等待思想，树立认准就干观念；四是克服狭隘思想，树立整体利益观念；五是克服平均主义思想，树立多劳多得观念。东莞市委要求党员领导干部在对外开放中认真克服“难（国际市场难开拓）、怕（畏首畏尾）、等（等待观望）、满（小富即安）”四种思想倾向。中山市委要求党员领导干部“三不做”：不做四平八稳的“太平官”，不做当一天和尚撞一天钟的“混世官”，不做规行矩步的“守旧官”。顺德市委要求党员领导干部坚持实事求是，对不符合实际的东西做到“三个敢”：敢碰书本上或领导人说过的；敢碰文件上规定过的；敢碰已有的经验。正是靠“不唯上，不唯书，只唯实”的实事求是精神，改革开放以来，四市县创造了高于亚洲“四小龙”经济起飞时期发展速度的奇迹。

马克思主义的精髓是实事求是，毛泽东思想的精髓是实事求是，建设中国特色社会主义理论的精髓更是实事求是！因此解决实际问题就要打破框框、解放思想，联系实际的、具体的情况，最终做到实事求是。只有这样才能不断研究新情况、总结新经验、解决新问题。广东改革开放的历程，也是党的思想解放的历程。经过长期的教育和实践，在广东党员中树立了牢固的实践标准，特别是生产力标准的基本观点。逐步形成了一系列与改革开放、发展社会主义商品经济相适应的新观念，如“时间就是金钱，效率就是生命”的时效观念；“信息就是资源”的信息观念；“在竞争中求生存，在竞争中求发展”的竞争观念；“既要一轮明月，也要满天星斗”的多种经济成分共同发展的观念；“绿灯大胆走，红灯绕道走”的用好用足用活政策的观念，等等。在改革开放这场深刻的革命中，广东在无模式、无经验、摸着石头过河的探索中，勇于实验和拓荒，千方百计干出了一个辉煌的新局面。事实说明，广东各级党委敢于解放思想，在“无”中大胆试验、大胆拼闯，是特区建设，也是广东建设取得成功的重要经验。

二、脱贫致富前沿党建工作更硬

作为改革开放的前沿阵地和经济大发展的排头兵，广东面临着许多新问题新情况。一系列的富有挑战性的新事物的出现考验着党的执政能力，检验着党为人民谋福利的决心和魄力。这不仅需要各级党委加强组织建设，不断完善组织领导能力，更需要所有党员干部提高自身工作能力、适应能力、防腐抗变能力，与时俱进，在经

济大潮中锻炼成为合格的社会主义事业建设者。

（一）在“用足用活政策”中加强党执政能力建设

1979 年 7 月 15 日，中共中央、国务院批转广东和福建两省的报告，决定对两省的对外经济活动实行特殊政策和灵活措施，以充分发挥两省的优越条件，扩大对外贸易。1980 年 9 月 28 日，中央印发了《中央书记处会议纪要》，指出：中央在广东、福建两省实行特殊政策和灵活措施，目的是要充分发挥广东、福建两省的优势，使广东、福建先行一步富裕起来，成为全国“四化”建设的先行者和排头兵，为全国社会主义经济建设和体制改革探索道路，积累经验，培养干部。中央要求广东充分利用和发挥本地优势，尽快把广东的经济搞活，闯出一条道路，使广东成为我国对外联系的枢纽。中央授权广东省，对中央各部门的指令和要求采取灵活办法，适合的就执行，不适合的可以不执行或变通办理。中央这一纪要，进一步明确了中央对广东实行特殊政策和灵活措施的重大决心，同时，给广东以更大的独立自主权，让广东更加大胆地去干去闯。

1．特殊政策，灵活措施——广东省委领导经济体制改革。

中央赋予广东特殊政策和灵活措施的做法成为广东经济大发展的前提和保障，但这一政策的提出也考验着广东各级党组织在经济发展中的领导能力和面对新情况新问题的适应能力。为此，广东省委着力加强对经济工作的领导，成立了由省委书记刘田夫、王全国和吴南生组成的三人小组，还成立了经济工作办公会议制度，以协调解决各经济口各战线的工作关系，及时解决各战线之间不能协调解决的问题；研究和制定经济体制的改革、各项经济政策、扩大出口贸易和旅游事业的规划，拟订对外经济活动的方案、法律、条例等。

在广东的特殊政策、灵活措施实施一年后，中央指出，一年来实践证明，中央决定广东在对外经济活动中实行特殊政策和灵活措施是正确的。广东实行的经济体制改革，不但有利于加快广东经济的发展，而且有利于促进全国的经济体制改革。同时，给广东以充分的信任："对外经济活动中实行特殊政策、灵活措施和试办经济特区，是一项重大的改革，必然会遇到大量复杂的新情况，需要解决许多新问题。在这种情况下，要把工作做好，必须具有敢于实验、敢于创新的革命精神，凡是符合党的路线、方针、政策，对两省和全国经济调整和发展有利的事，就要大胆放手去干。"① 此外，中央还对广东更加放权，如要求中央各有关部门要贯彻执行中共中央有关政策，关照、支持广东的特区建设，坚决简化各种审批手续等。

中央给予的这些政策，对广东人民是很大的鼓舞和鞭策，也是广大干部群众工作的动力。但这一时期，广东许多干部反映一些地方还存在着"特殊政策不特殊，灵活措施不灵活，先走一步不先走"等情况。对此，1981年，任仲夷代表广东省委提出，在不违背党的路线、方针，不偏离四项基本原则轨道的前提下，对不适应现实情况的原有规定，允许灵活变通执行；确实利国利民的改革，如果从现有文件中找不到根据，可以试点，在试点中允许突破现有规定。在"变通"处理问题上，任仲夷就曾提出，要一计不成，再生一计，但要计计不离党的政策，计计不离国家、集体、个人利益，计计都要促进生产的发展。

2. "三个更加"、"三条方针"——广东省委领导经济建设能力突出。

在中央的鼓励下，广东省委还进一步提出了"三个更加"的发展思路，即"对外更加开放，对内更加放宽，对下更加放权"。具体而言，对外更加开放，主要是放宽利用外资的审批权，改革外贸体制，落实华侨政策，发挥华侨、港澳同胞在经济建设中的重要作用，打开对外开放的新局面；对内更加放权，主要是进行计划体

---

① 《中共中央、国务院批准〈广东、福建两省和经济特区工作会议纪要〉的通知》（1981年7月19日），中共广东省委办公厅编：《中央对广东工作指示汇编》（1979—1982），第161～162页。

制的改革，减少指令性计划，扩大指导性计划，增加市场调节比重。与此同时，扩大企业自主权，增强企业活力，进行物价改革，流通体制改革，财政、税收、金融体制改革，劳动制度改革和农业结构改革；对下更加放权，主要是在一定范围内对地（市）、县和企业下放计划权、基本建设审批权、对外经济贸易权、物价管理权、人财物权等。这些“放权”的举措扩大了地方管理权限，给基层政府以更多更大的权力，以此调动了基层干部工作的积极性和战斗性。

1984 年，广东省委明确了用足用活中央给予的特殊政策、灵活措施的“三条方针”：政策规定有许多条的，为了办成于国于民都有利的事情，要积极找出办事的政策根据，去扶持、去帮助，而不应找根据去下卡；政策规定本身允许灵活的，则应从有利于生产和搞活经济的方面理解，灵活执行，而不是相反；对于国于民确实有利的事，如果从现有文件找不到根据，可以试点，在试点中突破现有规定，并及时总结经验。这“三条方针”是以实事求是，一切从实际出发和发展生产力为标准的，是充分运用中央给予特殊政策和灵活措施的具体体现。这也体现出广东各级党组织在经济建设的具体实践中，进一步增强了应对现实经济环境的能力，提高了在经济建设中的领导能力。

在实施特殊政策、灵活措施的过程中，广东的经济获得了快速发展。统计资料显示，1984 年全省工农业总产值 535.5 亿元，6 年来平均年递增 10.3%，改变了广东省在十一届三中全会前 14 年间低于全国平均发展速度的状况。发展的经验充分彰显了广东各级党组织的执政能力和领导能力，从此以后，广东人民在省委的正确领导下，围绕“进一步解放思想，大胆改革，更加开放”这个主题，上承国家给予的特殊政策和灵活措施，结合广东的地缘、人缘优势，积极实践邓小平改革开放的理论，先走一步，勇敢地担当起了全国改革开放综合试验区排头兵的重担。而正是从这个时候起，广东也进入了新中国成立以来发展生机最旺盛、经济实力增长最快、人民得到实惠最多的黄金时期。

（二）在社会实践中推进党的思想建设

马列主义理论是我们党的指导思想，也是我们不断取得发展进步的保证。但我们在改革开放的过程中不能拿马列主义书本作为包治百病的灵丹妙药，这样会造成形而上学的本本主义，而应该结合中国的具体实际躬行马列主义。邓小平就指出："学马列要精，要管用的"，"我们改革开放的成功，不是靠本本，而是靠实践，靠实事求是"。[①] 所谓"学马列要精"，就是在内容上要精，掌握其精华，在思想上要精，掌握其精髓。内容上的精，就是反对不着边际的泛泛而论，反对没有重点的胡子眉毛一把抓。这要求各级党委把提高党员干部的马列主义水平作为一件大事来抓，要高度重视，列入重要议事日程，在工作部署上要做到长计划，短安排，有的放矢；思想上的精，就是把握住马列主义的精神实质，说到底，是要掌握实事求是这个精髓。"精学管用"重在理论联系实际，学以致用。

1. 重实践不争论——广东各级党组织重视理论联系实际。

马列主义具有鲜明的实践特征。我们学习它的目的，就是要用其立场、观点、方法，去研究、分析、解决政治生活、经济生活、社会生活中的现实问题。所以，理论联系实际是我们党的优良传统，学以致用是我们党的学风的重要特色。一旦正确理论被群众所掌握，就成为改造物质世界的强大思想武器。正如邓小平所指出的，马列主义理论从来不是教条，而是行动的指南，它要求人们根据它的基本原则和基本方法，不断结合变化着的实际，探索解决新问题的答案，从而也发展马列主义本身。

在广东兴办经济特区的过程中，虽然经济获得了大发展，人们得到了实惠，但也有许多的非议和不实之辞随之而来，对经济特区的特殊政策持怀疑态度。如，争论经济特区是姓"社"还是姓"资"的问题，争论特区要不要办、该不该办的问题，甚至有人将

① 《邓小平文选》第3卷，人民出版社1993年版，第382页。

之比作旧社会的租界。这些议论和争论给特区的工作增加了困难，建设发展也步履维艰。在这些争论炽烈之际，1984 年 1 月，邓小平来到南方。他先后视察了深圳、珠海等地，并分别题词：“深圳的发展和经验证明，我们建立经济特区的政策是正确的”，“珠海经济特区好”。他不仅充分肯定了兴办特区的决策和实践，也对其进一步发展提出了明确的要求。邓小平指出经济特区是个新事物，是允许犯错误的，因此，对经济特区的发展要坚持“不是收，而是放”的指导思想。同时，邓小平还明确了特区的地位、功能和作用。邓小平这些主张和思想为围绕着经济特区是非的争论画上了句号，也坚定了广东党员干部不争论、重实践的工作原则。

从此以后，广东各级党委努力在学以致用上下功夫，始终坚持两条原则：一是不搞形式主义，不搞“扯不断，理还乱”的无谓争论。尽管在姓“社”姓“资”问题上众说纷纭，压力颇大，有“香香臭臭又十年”之说，但广东始终坚持邓小平的不争论观点，坚持少争实干、多干少说、干了再总结、用社会实践来检验是非等做法。并以是否有利于发展生产力、是否有利于改善人民生活为标准，不唯书，不唯上，只唯实，坚定不移地沿着改革开放的路子前进。二是坚持实事求是。不论是经济建设还是党的建设，都从改革开放的实际出发，从广东的实际情况出发，解放思想，扎扎实实拿出可行的措施，把政策用足用活，最后以“三个是否有利于”来衡量成果，对的就总结经验，肯定提高，不对的就吸取教训，加以改正。

在重实践不争论宗旨的指导下，广东开始有更多的党员干部在发展经济大潮中具有弄潮的气魄和实干的精神。以珠海西区为例，这是一座正在迅速崛起的新型城市，但这座新城是在不要国家一分钱的情况下崛起的。珠海西区人正是凭着自己独特胆略和豪气提出了“今日借君一杯水，明日还你一桶油”，“积天下之人才、钱财、经验之才，开发西区”等口号，并实践着“大经济、大港口、大思维、大发展、大繁荣”的经济发展模式，从而迎来了珠海西区经济的腾飞。

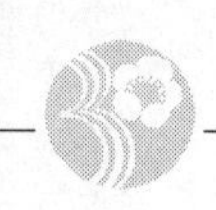

所以，在广东改革开放30年之际，国务院总理温家宝认为广东30年来在改革开放和现代化建设实践中形成的弥足珍贵的经验之一，即是“以解放思想引领改革开放，坚持‘不争论，大胆地试，大胆地闯’，不断冲破不合时宜的观念束缚，不断消除阻碍生产力发展的体制障碍”。

2. 抓好“三个基本”教育，提高党员思想理论水平。

在改革开放进入到80年代中期的时候，随着改革中出现的弊端，如走私贩私歪风、经济领域内的贪污腐败，以及资产阶级自由化的泛滥，引起了一些党员干部的迷茫和混乱，有些同志甚至不加分析地将之归结到改革开放上来，甚而对改革开放的正确方针产生了怀疑。为了统一党内的认识，坚定党员干部对改革开放的信心和决心，广东省委十分重视对党员干部进行马克思主义基本理论、党的基本路线和党的基本知识教育，也即是“三个基本”的教育，要求结合各种形式的学习和轮训，联系实际，总结经验，提高认识，并作出相应的对策。

第一，划清两种改革观的界限，坚持改革的社会主义方向。历史证明，在改革的实践过程中，确实存在两种不同改革观的斗争。就广东省的情况来说，公开鼓吹全盘西化的论调尚不多见，但是在如何发展经济问题上，有些地方和单位的经济指导思想不端正，离开中央的方针政策，企图靠倒卖洋货投机取巧筹集资金，因而一度出现了党政机关经商的混乱局面。广东省委以“汽车事件”为镜子，联系广东实际，引导广大党员干部以马克思主义的理论原则，从党性的高度去剖析那些“只要能赚钱，就是好干部”，“只要不把钱装入个人腰包，怎么干都行”，以及“我是为本地人谋利益，犯错误也光荣”等等似是而非的论调，使广东党员干部特别是领导干部进一步端正经济工作指导思想，从而更好地坚持改革开放的社会主义方向。

第二，坚持在对外开放中实行“有所引进，有所抵制”，“排污不排外”的方针。实行对外开放，一方面给我们的经济和社会生活注入了生机和活力，另一方面，一些意志薄弱者经不起资产阶

级腐朽思想和生活方式的腐蚀，甚至堕落蜕化，走上了犯罪的道路。是坚持对外开放，继续前进，还是就此刹车，退回到封闭的状态中去？省委选择了前者，坚持有所引进，有所抵制，并于1982年底提出了“排污不排外”的方针，从而保证了对外开放的健康发展。改革开放以来，我们正是这样以“有所引进，有所抵制”、“排污不排外”的方针，来教育党员、干部，并积极地开展对外经济文化交流。

第三，对出现的问题认真对待，严格掌握政策界限。在改革开放中出现各种问题时，省委总是引导人们运用马克思主义的立场、观点和方法，分别不同的情况，采取不同的方法去解决，并明确指出，在改革过程中出现的问题，只能通过改革去解决。例如，在我省这个地方，我们特别重视排污问题。但排污必须注意政策，严格掌握界限，决不能把不属于污的东西甚至是好的东西也当作污来排。同时，也加强了法制和管理，坚决打击经济犯罪活动和文化走私、贩卖、复制、播放黄色音像制品等等非法活动，这样做有利于促进社会主义事业的繁荣。

回顾广东改革开放的历程，也是广东各级党组织躬行马列主义、加强思想建设的历程，更是一个重实践不争论的历程。在这个史无前例的伟大事业中，广东不仅成功创办了深圳、珠海、汕头三个经济特区，还大胆地进行了一系列经济领域内的体制改革和创新，为探索发展社会主义商品经济，建设中国特色社会主义，作出了开创性的贡献。

（三）在商品大潮中加强党的纪律建设

邓小平曾指出：“政治体制改革同经济体制改革应该相互依赖，相互配合。只搞经济体制改革，不搞政治体制改革，经济体制改革也搞不通，因为首先遇到人的障碍。……我们所有的改革最终能不能成功，还是决定于政治体制的改革。”① 这段话清楚地表明，

---

① 《邓小平文选》第3卷，人民出版社1993年版，第164页。

经济体制改革要取得成功，必须要有政治体制的改革相配合，以强有力的政治体制来保障经济体制改革的成功和经济的进一步发展。

1. 在经济发展中加强对“人”的管理，纯洁党员队伍。

改革开放初期，偷税漏税、走私贩私、行贿受贿、执法犯法、敲诈勒索、贪污盗窃、泄露国家机密和经济情报、违反外事纪律、任人唯亲、打击报复、道德败坏等现象，在某些共产党员中屡有发生。这些党员的犯罪活动，引起了广东省委的高度注意，中央也尤其关注。邓小平、陈云都分别对广东一些地区的走私活动作出严厉惩罚的批示。邓小平批示“雷厉风行，抓住不放”。陈云则直接主张对严重的经济犯罪分子，“严办几个，判刑几个，以至杀几个罪大恶极的并登报，否则党风无法整顿。”1982年1月11日，中共中央发出了《紧急通知》，指出：“对于这个严重毁坏党的威信，关系到我党生死存亡的重大问题，全党一定要抓住不放，雷厉风行地加以解决，对那些情节严重的犯罪干部，首先是占据重要职位的犯罪干部，必须依法逮捕，加以最严厉的法律制裁，有的特大案件的处理结果还要登报。”①

对中央的指示，广东省委尤其重视，并认识到这种经济领域的违法乱纪行为严重地影响了广东改革开放事业的进一步发展。现实情况表明，越是要把经济建设搞上去，就越要管好“人”的问题，即抓好党的自身建设。为此，广东迅速成立了专门的领导小组负责打击走私贩私活动。1982年1月28日，任仲夷在省委召开的地市委书记和省直局级以上领导干部会议上提出：对广东省党风方面的严重问题要有一个清醒的认识，各级党委在贯彻落实中央《紧急通知》这个大的原则问题上，要同中央保持一致，要态度鲜明，立场坚定，不能稍有含糊和手软。要把重点放在打击走私贩私、贪污受贿等经济犯罪上。要制定完善的政策，建立和健全各项规章制度。② 在中央

---

① 中共广东省委党史研究室：《中国共产党广东历史大事记》（1949.10—2004.9），广东人民出版社2005年版，第334页。

② 参见《任仲夷论丛》第2卷，广东人民出版社2000年版，第254~259页。

和省委的共同努力下，广东打击犯罪的活动取得了重大成效。到1983年3月底，广东立案查处的经济犯罪案件，共涉及1.2万多人，其中党员5300人，国家干部4800多人。[①] 并依法严惩了原海丰县委书记王仲、副书记叶妈坎等人，从而保证了经济发展的良好局面，也给改革开放事业扫清了道路，坚定了干群坚持改革开放的信心。

在坚决打击各种犯罪行为的同时，广东省委也从根本做工作，加强对党员干部的管理工作。在这一时期，广东各级党组织进行了形式多样的“管人”的工作，努力发挥党员干部的先锋模范作用。其中之一就是开展“党员目标管理”活动。

实行党员目标管理是现代科学理论和方法在党员管理工作中的灵活运用。其做法主要是根据党章和党的中心工作的需要，对不同层次的党员，如农村的有职党员、无职党员、城镇机关党员、镇村企业党员、外出务工经商党员、两户一体党员等，企业中的工人党员、技术人员党员、管理人员党员等，提出不同的要求，确定不同职业、不同层次的党员的具体管理目标。管理目标一般每年制定一次，根据工作需要不断赋予新的内容。党支部对党员完成目标的情况，定期进行检查和评比，要求党员积极开展达标竞赛，并把新党员目标管理和“创先进支部、争当优秀党员”活动结合起来，与民主评议党员结合起来，使其相互促进。同时，所有的党员目标管理情况予以公开，处于群众的监督之下。这种管理方式在一定程度上约束了党员干部的行为，提高了党员干部的“党员”形象意识，减少了党员干部在经济领域里的不良行为。

2. 提出“两个坚定不移”——改革开放中两手抓。

在严厉打击经济领域的犯罪活动，保持党员队伍的纯洁先进，优化党风廉政的同时，省委也要求各级干部振奋精神，努力工作。凡是过去省委、省政府决定和指示过的事情，错了由省委、省政府负责，下面执行者没有责任。只要不搞违法乱纪和犯罪活动，工作

---

① 参见中共广东省委、广东省人民政府：《关于打击走私贩私等经济犯罪活动的情况和意见的报告》（1983年5月12日）。

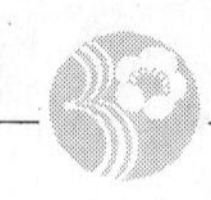

上还是允许犯错误的。对干劲足、闯劲大的干部应予鼓励。

同时，广东省委根据中央的指示精神，提出了“两个坚定不移”的发展策略：打击经济领域的违法犯罪活动，坚定不移；对外开放和对内搞活经济，坚定不移。明确指示了广东经济发展的方向，是既要打击犯罪，又要继续前进，坚持两手抓。这一提法和做法为广大党员干部指明了方向，坚定了其继续改革开放的信心和对腐败现象作斗争的决心。而群众也因此对党的政策和决心有了更清晰的认识，坚定了其对改革开放、对社会主义前途的信念和对共产党领导的真心拥护。

为了避免“一活就乱，一管就死”的恶性循环，省委还提出“对外开放，对内搞活，思想先行，管要跟上，越活越管，越管越活”①，必须做到执法更严、纪律更严、管理更严，用“三严”保证“三放”，并切实实施“有所引进，有所抵制”、“排污不排外”的方针，从而保证了改革开放发展经济政策的灵活性和坚持反腐败斗争原则的坚定性相结合，有效地防止了经济领域的犯罪和管理过死的不良局面。

此后，为了加强对经济领域犯罪活动的打击力度，确保对外越开放、经济越发展，纪律就越严格，广东开展了“两个从严”的活动，即一对领导干部从严，二对党政机关从严。在打击严重经济犯罪的斗争中，省里把涉及处级以上领导干部的案件都列为大案要案，由省委亲自组织或牵头查处。如原海丰县委书记王仲，原汕头地委常委、组织部长史横斌，原汕头地委常委、秘书长邢建坤，他们三人都是解放前参加革命的干部，资格老、影响大，但省委在查处这些案件时排除各方面的干扰、阻力和“说情风”，坚持对领导干部从严的原则，依法对之进行了严肃惩处。结果，王仲被判死刑，史横斌、邢建坤被判无期徒刑。

党政机关是我党执政的领导、指挥机关，机关干部中党员占了69%。党政机关能否统一步伐，保持廉洁，直接关系到我党能否经

① 《任仲夷同志在广东省三级干部会议上的总结讲话》（1982年4月1日）。

得起执政和改革开放的考验。因此，省委在抓党内纪律监督时，始终把党政机关作为重点对象，抓紧抓好。1986 年，针对我省党政机关大量经商办企业、少数人违法违纪的严重现状，省委、省政府召开省直机关端正党风工作会议，贯彻中央机关八千人大会精神，结合整党，认真整顿了党政机关和党政干部队伍。全省全面清理整顿了党政机关办的企业公司和违反规定发放的奖金、实物，省直厅、局以上机关单位清退的奖金、实物共计 83 万多元，厅、局级企业补交的奖金税共 41 万多元。

3. 民主评议制度——将党置于群众监督之下。

广东省委还根据实际情况开展了形式多样、行之有效的加强党的建设的办法。如从 80 年代中期开始的民主评议制度等，就在国内引起了较好的反响。1986 年，广东省委为了进一步推进干部管理的民主化、科学化、制度化，加速领导班子“四化”建设，而决定在当年下半年对县以上党政领导班子进行一次民主评议和民意测验，同时开展民主推荐干部的工作。具体做法一般采取“背靠背”方法，召开评议会或座谈会，评议近年来领导班子的政绩和每个领导成员的德、能、勤、绩。开展工作中注意突出以下重点：(1) 贯彻执行党的的路线、方针、政策，推进改革，开创新局面的情况；(2) 完成各项工作任务的情况，为群众办了哪些实事；(3) 是否坚持学习马克思主义基本理论和现代科学知识，并用以指导自己的工作；(4) 能否坚持民主集中制，发扬民主，深入实际，调查研究，联系群众，团结同志一道工作；(5) 对各种不正之风是否认真检查纠正，是否理直气壮地进行抵制和斗争。评议时既要坚持实事求是的原则，一分为二地看待领导班子和领导干部，同时又要敞开思想，广开言路，提倡“知无不言，言无不尽”。

广东的这一做法得到了中央的高度赞赏，是年 12 月 8 日，中共中央组织部转发了广东省委组织部《关于对县以上党政领导班子开展民主评议、民意测验和民主推荐干部工作的意见》，要求各省市参考，同时加了批语，指出广东省委组织部紧紧抓住这个环节，不仅有助于开拓选拔人才的视野和渠道，促进干部考核的科学

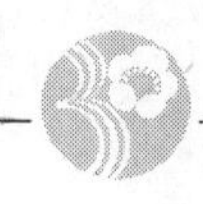

化、制度化，造成优秀人才脱颖而出的良性竞争环境，激励更多的干部为实现现阶段的宏伟目标奋发进取，而且符合政治体制改革的要求，大有益于健全党和国家的政治生活，保证社会主义物质文明、精神文明建设的顺利进行。

1988年9月，省委组织部又发出《关于提高干部工作透明度的意见》，落实民众的知情权。1988年10月，广东全省已经有11个市和60多个省直单位的领导班子，围绕廉洁问题召开了民主生活会。同年11月，省委、省政府发出《关于加强政务工作公开性的通知》，率先在全省建立政务公开制度。次年1月，省委再一次发出《关于建立民主评议党员制度的通知》。通知指出，建立民主评议党员的制度，是从严治党的一项重要措施，是通过制度建设加强对党员进行经常性教育、管理和监督的有效方法。《通知》要求全省城乡基层党组织要在农村整党后，及基层党支部和其他行业继续试点的基础上，普遍进行一次民主评议党员的活动，以后每年进行一次，形成制度。这一政策将执政党成员置于群众监督之下。其后，广东省委、省政府一再要求各地建立政务公开制，原则是要“公正、公开和监督”。而公开的内容应是与基层工作和群众生活关系密切，为人民群众普遍关注的事情。

此后，我省又普遍开展了民主考评干部、民主推荐干部、民主选举干部的工作。这些举措，为我省的政治发展奠定了坚实的基础。而近年来我省大范围地开展公选，实际上也是省委长期以来坚持改革和发展不动摇的思想在政治文明建设上的具体体现。

4. 以“四化”加强党的队伍建设。

加强领导班子建设，确保党和国家的各级领导权牢牢掌握在忠于马克思主义的人手里，这是新时期加强党的建设的关键，也是维护和巩固党的领导地位，坚持社会主义制度，使党的基本路线得以实现的根本保证。我省根据中央新时期的组织路线和领导班子建设的原则，结合广东的实际情况，采取各种措施，加强了对各级领导班子的建设工作，不断增强各级领导班子的战斗力和凝聚力，从组织上为我省的社会主义经济建设和改革开放事业提供了重要保证。

具体的做法主要有：

第一，按照干部“四化”要求，不断调整、充实各级领导班子。经过几年的调整，各级领导班子的年龄结构、知识结构和专业结构更趋合理，班子更加富有活力。到1990年底，117个县区党政领导班子平均年龄45.56岁，其中51岁以上的占24.5%，41~50岁的占54.6%，40岁以下的占20.9%；大专以上文化程度的占68.88%。

第二，发扬党的优良传统，加强领导班子的思想作风建设。一是抓领导班子学习教育，不断提高领导干部的马克思主义理论修养；二是抓领导干部的党性锻炼，不断增强领导干部的团结统一；三是抓肃贪倡廉，提高领导班子的凝聚力和战斗力。

第三，根据班子“四化”建设需要，逐步建立一支较好的后备干部队伍。为确保领导班子“四化”的实现，按照中央的要求，我省从1983年起，实行后备干部制度，建立了一大批后备干部名册，并在不断的滚动中加以调整充实，使后备干部队伍不但始终保持着一定的常数，而且素质也在不断地提高。各级党委在抓后备干部队伍建设时，注意把功夫下在培养上。后备干部名单建立后，根据“缺什么补什么”的原则，普遍采用送党校或其他有关院校培训，从机关选派到基层挂职或任职，从基层选调到机关综合部门工作，在本系统、本部门内轮岗锻炼，扩大分管范围，实行“压担子”等方法，对后备干部进行重点培养，使一大批后备干部增长了见识，丰富了经验，增长了才干。几年来，全省有数以千计的后备干部先后被提拔担任了各级领导职务。

实践证明，经济发展与党的建设相辅相成，相得益彰。一方面，经济的发展，社会的和谐进步，使广东党组织的凝聚力加强，形象更加高大。如在珠江三角洲，随着改革的有效进行，经济建设的大发展，党的凝聚力、战斗力不断加强，党员干部威信提高。基层干部深有感触地说，基层政权能给人民带来实实在在的利益，共产党真正有了凝聚力，党的执政地位自然而然地巩固了。另方面，党的建设事业又可以将共产党员的廉洁风气、开明作风传递给人民，使人民更加信任共产党，始终团结在共产党周围，从而更好地

促进经济的发展和改革开放事业的进步。在广东的经济特区和“四小虎”的发展历程中，我们都发现了这一点。

5. 深圳特区的“特色”党建。

广东的经济特区不是政治特区，经济上要特别灵活，政治上要特别严格。省委一再强调，一定要反对三个“特”：共产党员不能搞特权；共产党员不能搞生活特殊化；共产党员内，特别是领导干部中，不允许有特殊共产党员。特区内部一直保持“纪律要更严、执法要更严、党的生活要更严”的做法。深圳还形成了几个独具特色的党建方针：（1）思想建设的主要特色，是运用多种新载体，强化新时期思想政治工作，确立与市场经济相适应的观念。（2）基层组织建设的主要特色，是从实际出发，灵活多样，讲求实效，使组织设置与活动方式同企业市场运作协调。（3）党员队伍建设的主要特色，是教育党员正确处理市场经济中各种利益关系，加强党性锻炼，提倡奉献精神，发挥先锋模范作用。（4）制度建设的主要特色，是形成举报和投诉网络，使监督建立在广大的群众基础上，对市场经济负面所诱发的不正之风和腐败现象形成强大的约束机制。（5）领导班子建设的主要特色，是按照民主集中制的原则优化班子结构，增强团结，实行民主决策和科学决策，提高对经济工作的领导能力。广东经济特区建设发展的实践证明，加强党的建设，坚持和改善党的领导，是坚持改革开放，建设中国特色社会主义的根本保证。

6. “党风正，事业兴”——广东“四小虎”的党建实践。

在广东“四小虎”——中山、东莞、顺德、南海四县市，其各级党组织在改革开放中把党风和经济建设融为一体，既坚定不移地惩治腐败，又旗帜鲜明地支持保护改革，初步实现了“党风正，事业兴”的良性循环。他们的做法主要有以下几种：

第一，不断完善规定章法，用制度约束党员干部的行为。为使党员干部在商品经济的市场环境中经受考验，四市县各级党组织建立与完善了集体领导制度、民主评议干部制度、“两公开一监督”制度、经济活动中的若干规定、外事活动管理制度、建房分房制度

等，经常给党员干部“示黄牌”、亮“红灯”、敲警钟，促使党员干部保持清醒的头脑。

第二，坚决查处大案要案，维护正常的经济秩序。四市县各级党组织树立了“查案件、挖蛀虫、护改革、促经济”的指导思想。对各种违法乱纪案件，特别是经济上的大案要案，一经发现立即查办，从不姑息迁就。通过及时、准确地查处违纪案件，挖掉了“蛀虫”，保护了“大厦（经济）”。

第三，坚持原则，主持公道，保护党员干部改革的积极性。中山市委认为，没有惩处的保护是宽容腐败的倾向；不坚持具体问题具体分析，惩处失当则会挫伤党员干部的积极性。他们在实际工作中，对经验不足而出现的失误，上级主动承担责任；对背景、情理明显不合的举报，不轻易查处；对偶然发生的过失，主要是总结经验教训；对确属违纪的，查清事实再作处理；对坚持原则，行使正当权利受诬告、错告的，及时澄清事实，在群众中消除不良影响。经过努力，逐步形成了一种“好的冤不了，坏的跑不了”的风气。

第四，划清政策界限，促使党员干部放开手脚大干社会主义。顺德市委根据发展商品经济过程中新情况不断出现，而政策、纪律的具体规定有时滞后的情况，从实际出发，划清了几个方面的政策界限，如必要的招待同用公款大吃大喝的界限；承包人按合同应得报酬和供销人员按规定领取销售提存奖同非法收入的界限；因缺乏经验出现的失误同失职渎职的界限；按规定买产品自用同利用职权压价购买商品的界限；严格要求，大胆管理同乱惩滥罚，卡压群众的界限；按制度办事同附加条件办事的界限；企业进行正常的原材料串换、调剂余缺同投机倒把的界限，等等。违纪与否，界限分明，党员干部在工作时没有了后顾之忧。①

由此可见，作为改革开放的前沿阵地，广东党的建设任务更加

① 参见劳文浩、林存德、侯外林、吴琪：《广东“四小虎”对党建新路的探索——中山、东莞、顺德、南海四市县党建工作调查》，《中国党政干部论坛》1993 年第 2 期。

艰巨。在这一点上，广东省委及各级党委始终保持了清醒的头脑，对党的建设不仅高度重视，从无懈怠，而且真抓实干，成绩卓越。党的建设的有效开展保证了广东改革开放的胜利果实，不仅使人民的生活更加富足，也进一步树立了广东各级党委的威望，党员的形象更为高大。

三、历史机遇期迎来党建新起点

20世纪80年代末90年代初，由于资产阶级自由化思潮的泛滥，加之一些地方党员干部警惕不足，终至造成了1989年春夏之交的政治风波。在风波发生后，中央总领全局，坚决正确迅速地处理了这次事件，为社会主义事业的实践提供了良好的政治环境。在此之后，随着邓小平的南方谈话和中共十四大的召开，我国迅速进入了高速发展的时期，全党开始实践市场经济和中国特色社会主义的伟大事业，这一转变给广东发展带来了极大的机遇，也为广东党建事业的发展提出了新的要求。广东各级党组织在中共中央的正确领导下，开始了党建事业新一轮的建设，即全面建设时期。

（一）通过扎实工作，坚定群众信仰

1989年春夏之交，首都北京发生了一场政治风波。极少数人利用我们党在工作中的失误和人民群众对物价上涨，特别是对党内一些干部腐败现象的不满，煽动进行反党反社会主义性质的活动，给国家和人民造成了巨大的损失。这场风波也曾波及广东省部分地区。广州和深圳等地曾掀起了一些学潮，并出现了非法组织，甚至发生了围困、冲击党政机关的恶性事件。一些居民对事态的发展有些疑虑恐慌，于是出现了挤兑银行存款，抢购粮油、食盐等生活用品的行为，给社会的正常生产生活以及和谐的社会秩序造成了严重干扰。

1．风波之中保安定团结。

面对政治风波发生后的严峻形势，广东省一方面坚决拥护中央

的决策，将中央的意见作为自己行动的指南，另一方面立即采取有效措施防止动乱扩大，尽力维护安定团结大局。

广东省委要求各级党政领导充分认识到这场斗争的严重性，把工作做在前头，对出现动乱苗头的地方，采取坚决果断的措施予以遏止。是年5月20日，广东省委、省政府在广州召开干部大会，号召广大干部群众认真学习李鹏在首都党政军干部大会上的重要讲话，和衷共济，努力维护广东安定团结的局面，维护人民享有的改革开放的成果。林若、叶选平还要求各级领导干部要认真负起责任，带头学习，认识稳定大局的重要性、迫切性，并对干群做思想政治工作，统一认识；全省党员也应按照党的要求去团结群众，为稳定广东大局作贡献；各机关、企事业单位和工厂、街道、乡村的干部群众要坚守岗位，维护正常的生产、生活秩序，并以身作则，做好本职工作；教育战线的领导、党团组织，要与广大师生一起，共同维护学校的教学、生活秩序；公安干警要继续努力维护社会治安，坚决打击各种违法犯罪活动。

这次政治风波结束后，为了消除消极影响，广东省各级党委对参与这次政治风波的一些重点人物和重点事情进行了一次全面的清查、清理：（1）坚决取缔各种非法组织。（2）通过调查研究，切实地迅速地按清查、清理范围摸准情况，掌握底数。（3）严密查缉堵截，防止要犯外逃。（4）坚决打击犯罪分子的现行破坏活动。（5）加强案件审理。同时也要求内部清理工作不搞人人过关。经过一系列的有效工作，广东安宁团结的局面得以维持，人民群众的生命财产安全得到保障，改革开放的正确方针得到坚持，社会经济继续发展的势头亦得到保证。

2. 逐级抓，建立健全党建工作责任制。

为了吸取政治风波的教训，并为了更好地提升党组织的政治领导能力，1989年11月广东省委六届三次全会审议并通过《中共广东省委关于加强党的建设的决定》。《决定》认为广东党建的主流是好的，但也存在着不容忽视的问题：相当一部分基层党组织未能发挥战斗堡垒作用，有的软弱涣散，甚至陷于瘫痪；少数党员对资

产阶级自由化思潮抵制不力，为人民服务的观念淡化，未能发挥先锋模范作用；党内某些腐败现象已经严重地损害了党的形象，削弱了党的凝聚力和战斗力。

针对这种情况，《决定》要求全省各级党组织必须深刻认识在新的形势下加强党的建设的重要性和紧迫性，坚持不懈地抓好党的建设；全省各级党组织要从动乱中认真吸取经验教训，紧紧围绕党的基本路线大力加强党的建设；要认真坚持“两手抓”的方针，一手抓经济建设和改革开放，一手抓党的建设和思想政治工作，防止和克服“一手比较硬、一手比较软”的状况，防止和克服党不管党的现象；必须建立和健全党建工作的责任制。

此外，《决定》指出，以后广东的党建工作要从省委做起，一级抓一级，把工作责任落实到党的各级组织和每个党委成员；必须把抓党建工作的情况，作为考核各级党委和党委书记工作实绩的重要依据；必须努力建设一支强有力的党务工作队伍；必须树立先进典型，注意培养成绩显著的优秀党员和优秀党务工作者，发挥榜样的力量，推动全省党的建设。

在此之后，广东党建事业上了一个新的台阶，从省委到基层，各级党组织责任明确，任务清晰，重点突出。而且这一措施还有效地增强了每个党员的责任意识。

3. 查腐败，增强党风廉政建设。

在这次政治风波前后，广东省委以查处部分干部以权谋房的腐败现象为重点，来加强党风廉政建设，取得了积极的成效。1989年2月，省委书记林若通过派人调查发现，全省不少党员干部建私房和用公款装修住房问题已经发展到相当严重的程度：有的党员干部利用职权多占地皮；大部分建了私房的干部占地面积均超过国家规定的私房用地面积的标准；有的党员干部无偿使用公家的运输工具和施工力量；有的党政干部利用职权和工作之便压价购买建筑材料，严重损害了国家和集体的利益；有的党政干部动用巨额公款超标准装修个人住房；有的市、县领导用公款建造超标准单家独院式的高级住房；有的党员干部为了营建私房和装修住房大量贪污公

款，大搞权钱交易，索贿受贿；有的地方趁机向干部滥发建房补贴；有的党政干部利用职权向银行贷款建私房。

为此，省委决定在全省范围内开展以查处干部以权谋房问题的反腐败斗争。9月，省纪委、省建委、省检察厅、省国土厅出台《关于处理党政干部建私房及超标准装修住房问题的两个规定》。具体规定了处理党政干部建私房和超标准装修住房问题的政策界限和实施的步骤和方法。省委、省政府要求各级党委、政府，贯彻从严治党、从严治政的方针，坚决贯彻这一规定，经济上要"对号入座"，地方不搞土政策。应当给予党纪、政纪、法纪处理的，不能手软，决不让严重以权谋房违法违纪的人在经济上继续得到好处，决不能让应该受到党纪、政纪、法纪处理的人继续逍遥于纪律、法律之外。

经过全省各级党委、政府、纪委等两年多的艰苦努力，全省查处干部以权谋房的反腐败工作取得了很大的成效。合计收回应交、应补、应退、应罚款1.07亿元，收回地皮69万多平方米，收购私房488幢（套）。给予党纪、政纪处分的党员干部共607人，依法判刑75人。[①] 对此，广大的干群拍手称快。这一工作刹住了部分干部以权谋房的歪风，惩治了一批腐败分子，严肃了党纪、政纪、法纪，广大党员、干部受到了一次生动的党的宗旨、反腐倡廉的教育，增强了公仆意识、廉政意识、纪律观念和群众观念，密切了党群、干群关系，增强了干部、群众对惩治腐败，加强党风和廉政建设的信心和决心，得到了党内外广大干部群众的拥护和支持，也体现了党和政府反腐倡廉的决心和解决问题的能力。

党风廉政的制度建设，是党永葆青春活力、廉洁自律的法宝。为此，在广东省委的统一部署下，全省各地普遍建立了领导班子抓党风廉政建设的责任制、党政机关和党政干部保持廉洁制度，以及"办事公开、群众监督"等制度。同时，省委要求各级党委恢复和发扬理论联系实际、密切联系群众、批评与自我批评的三大优良作

① 参见《广东纪检监察志》，广东人民出版社1999年版，第963页。

风，恢复和发扬自力更生、艰苦奋斗、廉洁奉公等优良作风，反对主观主义、官僚主义、极端个人主义和“一切向钱看”的思想。各级党委要按照中央的指示和省委的要求，结合本地区、本部门的实际情况，切切实实地解决群众最关心的“热点”问题，为群众多办实事、好事，取信于民。经过一系列的制度建设，到1992年底，广东全省县以上党政机关普遍建立了机关保持廉洁的制度、领导班子抓党风和廉政的责任制。把抓党风廉政建设责任制的执行情况作为考察、评议、提拔干部的重要依据之一的规定，提高了各级领导干部不断抓廉政建设的自觉性。

经过80年代末90年代初一系列踏实的党建工作，广东党的队伍更加纯洁，战斗力更强。消除了群众的疑虑，坚定了群众对社会主义事业的信念，保持了干群、党群的良好关系。所有这些工作使1989年春夏之交政治风波的影响很快消除，安定团结的局面、经济繁荣的形势得到继续保持和发展，从而维护了社会的和谐安定与人民的幸福安康。

（二）“满眼春风一夜来”，南方谈话指新航

1984年1月，正当特区经济发展遇到很大阻力的时候，邓小平第一次来南方视察，并为深圳、珠海经济特区题词，肯定了特区的做法和实验。特区因此成为我国改革开放的实验场和“排头兵”，发挥了“四个窗口”（技术的窗口、管理的窗口、知识的窗口、对外政策的窗口）的作用，改革开放事业也继续朝着正确的方向迈进。1992年，在改革开放进入到一个更为关键的发展阶段的时候，邓小平不辞辛劳，再次来到了广东。

1. 小平要求广东改革开放胆子再大一些。

经过认真、全面的视察工作，邓小平再次肯定了改革开放的正确性和坚持进一步改革的决心。他说：“不坚持社会主义，不改革开放，不发展经济，不改善人民生活，只能是死路一条。”① 对此，

① 《邓小平文选》第3卷，人民出版社1993年版，第370页。

他要求广东在改革开放方面胆子要再大一些，凡是看准了的，就大胆地试，大胆地闯。深圳的重要经验就是敢闯，如果没有一点闯的精神、“冒”的精神，没有一股气呀、劲呀，就干不出新的事业。他还要求广东每年要总结经验，对的就坚持，不对就要赶快改正，新问题出来抓紧解决。针对广东的特殊情况，邓小平要求广东先走一步，力争用20年时间赶上亚洲“四小龙”。而在发展的过程中，也不可能总是那么平平静静、稳稳当当。“要注意经济稳定、协调地发展，但稳定和协调也是相对的，不是绝对的。发展才是硬道理。这个问题要搞清楚。如果分析不当，造成误解，就会变得谨小慎微，不敢解放思想，不敢放开手脚，结果是丧失时机，犹如逆水行舟，不进则退。”①

为了保证改革开放的有效进行，邓小平要求各地要坚持两手抓，一手抓改革开放，一手抓打击各种犯罪活动，这两只手都要硬。打击各种犯罪活动，扫除各种丑恶现象，手软不得。“广东二十年赶上亚洲‘四小龙’，不仅经济要上去，社会秩序、社会风气也要搞好，两个文明建设都要超过他们，这才是有中国特色的社会主义。”②

2. 小平多次强调党的建设问题。

在坚持改革开放，更大胆地实践改革开放，加强创新能力的同时，邓小平也要求各地将党的建设工作放到更加重要的位置，他说：“中国要出问题，还是出在共产党内部。”③ 综合言之，在南方视察的过程中，邓小平表达的党建思想有以下几个方面：

第一，全党要长期坚持基本路线不动摇。密切联系党的政治路线，加强党的建设，是中国共产党建设的一条基本经验。党的建设归根结底要受政治路线的制约。政治路线正确，党的建设就有了正确的方向。反之，党的建设就必然会受到损失。邓小平在谈话中以

① 《邓小平文选》第3卷，人民出版社1993年版，第377页。
② 《邓小平文选》第3卷，人民出版社1993年版，第378页。
③ 《邓小平文选》第3卷，人民出版社1993年版，第380页。

党的十一届三中全会以来的事实证明党的基本路线的正确性。他指出：在短短的十几年内，我们国家发展得这么快，使人民高兴，世界瞩目，这就足以证明三中全会以来路线、方针、政策的正确性，谁想变也变不了。他强调，要坚持党的十一届三中全会以来的路线、方针、政策，关键是坚持“一个中心、两个基本点”，“基本路线要管一百年，动摇不得”①。对于某些方针政策，“随着实践的发展，该完善的完善，该修补的修补，但总的要坚定不移。即使没有新的主意也可以，就是不要变，不要使人们感到政策变了。有了这一条，中国就大有希望”②。邓小平对党的基本路线的长期性的阐述，为在社会主义初级阶段党的建设确定了长期的基本发展方向。

第二，以“三个有利于”作为检验党的一切工作的标准。邓小平在谈话中提出改革开放的判断标准：“应该主要看是否有利于发展社会主义社会的生产力，是否有利于增强社会主义国家的综合国力，是否有利于提高人民的生活水平。”③“三个有利于”符合解放思想、实事求是的思想路线，是对实践是检验真理的标准的具体化，因而也是检验党的一切工作成效的标准。党的建设有自己的特殊规律，党建本身并不直接创造社会财富，但中国共产党作为一个执政党，党的方针政策直接影响社会发展，加强和改善党的领导效果，最终体现在是否能推动社会生产力发展上。党的组织建设、作风建设、制度建设，党的活动方式、领导方式，都对社会生产力、综合国力以及人民的生活有直接或间接的影响，因此也应当以“三个有利于”作为衡量最终成效的标准。如果不能做到“三个有利于”，党的建设就失去其社会意义，最终将导致党的执政地位的丧失。

第三，在党内斗争问题上要警惕右，但主要是防“左”。在党

① 《邓小平文选》第3卷，人民出版社1993年版，第370~371页。

② 《邓小平文选》第3卷，人民出版社1993年版，第371页。

③ 《邓小平文选》第3卷，人民出版社1993年版，第372页。

内思想斗争问题上，邓小平针对现实中存在的问题指出：有右的东西影响我们，也有“左”的东西影响我们，但根深蒂固的还是“左”的东西。有些理论家、政治家，拿大帽子吓唬人的，不是右，而是“左”。他联系党历史上的教训，认为：“左”带有革命的色彩，好像越“左”越革命。“左”的东西在我们党的历史上可怕呀！一个好好的东西，一下子被它搞掉了。邓小平强调，右可以葬送社会主义，“左”也可以葬送社会主义。中国要警惕右，但主要是防止“左”。邓小平对当前右和“左”的表现作了明确的界定，指出动乱就是右，把改革开放说成是引进和发展资本主义，认为和平演变的主要危险来自经济领域，这些就是“左”。这些论述为我们正确识别“左”与右的倾向提供了认识基础。

第四，在组织建设方面抓住培养接班人这个核心问题。正确的政治路线要靠正确的组织路线来保证。中国的事情能不能办好，社会主义和改革开放能不能坚持，经济能不能快一点发展起来，国家能不能长治久安，从一定意义上说，关键在人。邓小平强调，要按照“革命化、年轻化、知识化、专业化”的标准，选拔德才兼备的人进班子。他语重心长地说，我们说党的基本路线要管一百年，要长治久安，就要靠这一条。邓小平特别指出，要进一步找年轻人进班子；要选人，人选好了，帮助培养，让更多的年轻人成长起来；他们成长起来，我们就放心了。

第五，消除腐败，加强党的作风建设。改革开放以后，一些腐朽的东西附着进来了，一些丑恶的现象也随之出现。这种腐朽的东西影响到党内，腐蚀了不少党员干部，败坏了党的风气。这是在新形势下出现的新问题。邓小平针对这种状况指出；“在整个改革开放过程中都要反对腐败。对干部和共产党员来说，廉政建设要作为大事来抓。还是要靠法制，搞法制靠得住些。”① 这是当前加强党的作风建设面临的主要任务。

邓小平视察南方重要谈话发表后，在全国乃至全世界产生了巨

① 《邓小平文选》第3卷，人民出版社1993年版，第379页。

大的影响，极大地推动了我国改革开放和经济建设的进程，推动了我党加强党的建设的历史进程，是我党建设史上的一个重要的里程碑。邓小平南方谈话为即将召开的党的十四大定下了基调，也为广东改革开放的进一步发展指明了方向。广东在邓小平谈话精神的指引下，豪迈地投入到中国特色社会主义事业的伟大实践当中。

（三）贯彻党建的一条红线

中国特色社会主义事业是改革创新的事业，而改革开放是发展中国特色社会主义的强大动力，是贯彻党的建设的一条红线。在改革发展的新时期，尤其是在邓小平南方谈话之后，广东在改革创新思想的指导下，结合广东的实际情况，开展了进一步实践中国特色社会主义事业的伟大工程，力争早日实现邓小平为广东设定的改革开放的发展目标。

1. 廉洁自律。

解放思想是发展中国特色社会主义的一大法宝。邓小平在南方谈话中澄清了重大是非问题，要求全党思想要更加解放，解决了姓“社”、姓“资”的问题，讲清了计划和市场的关系，清晰了社会主义解放生产力，发展生产力，消灭剥削，消除两极分化，最终达到共同富裕的本质。邓小平的这些理论阐释，终于解放了人民发展经济的思想，明确了我们对社会主义的理解，这也增强了广东实践中国特色社会主义的使命感和紧迫感，树立了赶上亚洲“四小龙”的信心和决心。广东各级党组织积极实践这一思想，发扬“闯”和“试”的精神，在许多方面进行了大胆的借鉴和探索。

以廉政制度建设为例，广东就借鉴了香港和新加坡的某些做法。香港廉政是以其专门机构——廉政公署而闻名于世。廉署地位特殊，独立性强，直接向港督负责，不属于政府公务员系列；廉署机构设置科学高效，如防止贪污处，其职能是专门设法堵塞政府部门和公共机构在组织和行政程序上的漏洞，以减少贪污受贿的机会；廉署的在职人员要求高，训练有素，工薪福利也较好；廉署的职权独特，可以直接调查可能导致贪污或与贪污行为有关的任何

人；如果抗拒或妨碍廉署人员执行职责，属于违法；廉署采取“治标、治本、根除”“三管齐下”的方针，而把打击贪污分子的行动作为“三管”之首。新加坡廉政制度的优点，则是其制度规定严密、准确，反腐处罚迅速、简便，处罚犯罪严厉、彻底等。

改革开放以来，广东各级党组织和有关部门，多次派专人到香港和新加坡进行以廉政建设为专题的考察，取其所长，结合自身的实际，建立和健全了反腐保廉的机制，使党风廉政建设出现了一个崭新的局面。以深圳经济特区为例，1988 年 3 月，深圳经济罪案举报中心在全国第一家挂牌成立，被称为“检察工作贯彻群众路线的创举”。自此之后，深圳致力于激发党员和群众的参与感，建立起一个广泛而高效的举报投诉网络。以电话投诉网络为例，计有投诉党政机关和人民团体的电话 41 个（包括市长专线电话），投诉城市管理与卫生工作的电话 18 个，投诉交通、口岸管理的电话 49 个，投诉财贸金融的电话 22 个。这些电话在每个市场、交通要道、公共服务设施最显著的位置被标示出来。同时，深圳各级党组织还采取多种有效措施，抓好党内监督、行政监督、司法监督、社会监督、舆论监督等，形成一个强有力的约束机制，保证了党和国家机关的廉洁自律。

2．落实工作责任制。

科学发展、社会和谐是发展中国特色社会主义的基本要求。要保持科学的发展与和谐的进步，不加强党的建设是难以实现的。邓小平南方谈话以后，广东各级党组织更加注重党的建设工作。到 1992 年底，广东各地的党建工作取得了很大的进步。在思想认识上，各级领导班子，能够坚持做到“两手抓”，两手都要硬，特别是一把手抓党建工作的自觉性大大提高。大部分县、镇、村的一把手对党建工作的有关情况，包括领导班子的情况、下属党组织和党员队伍的思想状况、党建工作存在的难点和问题以及今后如何打算等，都了解得非常清楚。而且，各级党组织能够自觉地围绕经济建设这一中心来抓好党的建设。

从上到下普遍地建立健全了抓党建工作的责任制。各级党组织对抓党建工作普遍有明确的规定，对党建工作的要求、措施等有具体的制度，不是想抓什么就抓什么，上面给任务，下面就开个会去布置一下，而是规范化、制度化，给各级领导者一定的责、权、利，落实到人。据省调查组对全省12个市和省直机关调查了解，党建工作责任制执行的情况普遍反映比较好。粗略统计的结果，1992年底，党建工作责任制落实得好的单位大概占50%，较好的和一般的占46%，差的占4%。这一责任制的落实是在前期从省委开始“一级抓一级”党建工作责任制的继续落实和全面发展，而到这一时期，党建工作责任制已经基本得到了各级党组织的高度重视和认真贯彻，进一步明确了责任，提高了效率。

3. 重视农村党组织建设。

经过全面整党时期的基层组织建设，广东农村基层党组织提高了党员贯彻执行党的基本路线，积极投入改革开放，发展农村经济的自觉性。面对新的形势，广东省委继续紧抓农村基层组织建设工作。

1989年8月，省委组织部下发《关于进一步调整和改进农村党的基层组织设置的意见》，强调要理顺农村基层组织体制，更好地发挥农村基层党组织在农村经济建设中的领导作用和加强对党员的教育管理。经过调整和改进，到1990年，乡镇党的基层组织59541个，占全省基层党组织总数的42.5%，其中基层党委1644个，总支部2604个，支部55293个。

1990年8月，中共中央组织部、中央政策研究室、国家民政部、共青团中央、全国妇联等5个单位，召开全国村级组织建设工作座谈会，部署开展以党支部为核心的村级组织建设工作 。1991年2月，根据中央指示精神，广东省委发出《关于在全省农村开展社会主义思想教育工作的通知》，决定以2~3年时间，在农村分期分批地开展社会主义思想教育，抓好以党支部为核心的基层组织建设，推动农业生产和农村集体经济的发展。全省共组织4万多名干部到农村，在开展社会主义思想教育中，认真整顿农村后进党支部和抓好农村党支部书记的配备工作。

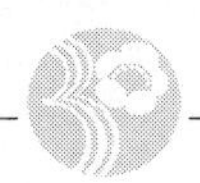

另外，广东省委还在农村开展了三期社会主义思想教育，以及工矿企业的“双基”教育活动。截止到1992年11月，根据组织部门的调查统计，在全省1644个乡镇中，党建工作抓得好的大概也是占了45%左右，差的占4%～5%。[①]省委切实贯彻了“思想教育是主线，经济工作是中心”这一指导思想，帮助群众脱贫致富，取得了较好效果，使农村基层组织建设大大加强，基层党组织的战斗力大大提高。

4．精神文明之花初绽。

邓小平在南方谈话中要求广东不仅经济要上去，社会秩序、社会风气也要搞好，两个文明建设都要超过亚洲“四小龙”。因此，在大力发展经济的同时，广东更加注重精神文明建设，使中国特色社会主义的实践落到实处。1992年12月，广东省制定了《广东省“八五”期间社会主义精神文明建设规划要点》，提出抓好党的基本路线教育，理想道德教育，除“七害”、树新风教育，民主法制教育，科学技术教育等等，把全省的精神文明建设推向了一个新阶段。经过不懈的努力，广东的精神文明建设取得了全面的进步：一是各级领导干部通过实践，加深了对社会主义精神文明建设重要性的认识，为改变“一手比较硬、一手比较软”的状况作出积极努力，取得了明显成效。二是树立社会主义文明新风，培育一代“四有”新人的工作，在更广阔的领域和更高的层次上取得了进展。三是创建文明单位的活动已经形成了点面结合、条块结合、城乡互相促进、向社会覆盖的新局面。四是加强了思想、文化阵地和教育、科学设施的建设，使传播和培养精神文明的“硬件”与“软件”建设配套发展。所有这些精神文明建设的活动，催生了广大干部群众积极向上的进取精神和勇于探索、实践创新的社会氛围，为改革开放提供了源源不断的动力资源。

① 参见张帼英：《以建设有中国特色社会主义理论指导党的建设——在广东党建学会成立十周年理论研讨会上的讲话》（1992年12月5日），《实践与探索——广东党建学会成立十周年纪念论文选编》，广东人民出版社1993年版，第3页。

作为全国改革开放的实验田和桥头堡，广东先走一步，一直起着为全国改革开放探路的作用。在这个前沿阵地上，广东省委和各级地方党委在中共中央的正确领导和支持下，一方面思想解放，敢闯敢冒，大胆实践，勇于探索，努力按照市场规律办事，促进了广东经济的腾飞，向全世界证明了改革开放的正确性；另方面，居安思危，戒骄戒躁，防腐抗变，密切联系群众，持之以恒地进行党自身的建设，提高了党的威望，把党建设成了现代化建设事业的坚强领导核心，为实践中国特色社会主义事业作出了卓越的贡献。

第二章
体制大转轨　党建迈新步
——从党的十四大至十五大

1992年，以邓小平南方谈话和党的十四大为标志，改革开放和现代化建设事业进入从计划经济体制向社会主义市场经济体制转变的新阶段。改革开放先行一步的广东，在邓小平理论的指导下，紧紧围绕党的基本路线，抓住发展经济的根本任务，根据江泽民同志对广东做出“增创新优势，更上一层楼”的重要指示，更大胆地改革、更全面地开放，提出力争20年基本实现现代化。20世纪90年代以来，广东在进一步加快经济建设步伐，率先基本实现现代化的征程中，党的建设紧紧围绕经济建设这个中心，从思想上、组织上、作风上全面加强和推进，不断提高党的执政水平和领导水平。世纪之交，以“三个代表”重要思想为指导，广东党的建设又一次思想解放、开拓创新，在新形势下各级党组织把握时代潮流，走在时代前列，努力提高各级党组织的凝聚力、战斗力和防腐拒变的能力，党的建设与经济、社会发展相互促进、交相辉映，从而把广东改革开放和现代化建设推进到一个新阶段。

一、在社会主义市场经济大潮中抓好党建

90年代，尤其是邓小平南方谈话以后，已独领风骚十几年的

广东春潮涌动，各级党组织始终坚持以马克思列宁主义、毛泽东思想特别是邓小平理论为指导，坚持“两手抓，两手都要硬”，经济工作和其他各项工作都取得了显著的成果，广东成为全国经济大省，这是体制大转轨的时代，加强党的建设取得的伟大成就。1992年10月12日至18日，中国共产党第十四次全国代表大会在北京召开，大会通过了江泽民作的《加快改革开放和现代化建设步伐，夺取有中国特色社会主义事业的更大胜利》的报告。十四大报告提出加强党的领导的重要战略思路，将邓小平建设有中国特色社会主义理论作为党的建设的指导思想，提出用建设有中国特色社会主义理论武装全党的战略任务。十四大以后，广东党的建设进入一个新的发展阶段，先后完成了党的思想建设、作风建设、组织建设的战略部署，坚定不移地沿着中国特色的社会主义道路勇往直前、勇闯新路，围绕社会主义市场经济加强党的建设，党的建设逐步形成总体部署、重点突破、全面推进的崭新格局。

（一）以中国特色社会主义理论武装全党

70年代末，党中央、国务院批准广东在对外经济活动中实行“特殊政策、灵活措施”，改革开放先行一步的广东出现了沧海桑田般的巨变。90年代初，广东在经济、社会发展的各方面已经走在了全国前列。这时的南粤大地，僵化的计划经济体制在商品经济的活跃发展下开始向社会主义市场经济体制转变，半封闭的内向型经济逐步开始被开放的外向型经济所取代。改革开放以来14年的实践，是建设有中国特色社会主义理论在广东的探索性实践，开创了广东发展史上的“黄金时代”。在这场“大胆改革、敢为人先”的伟大实践中，广东党的建设始终抓住变化中的突出问题，注意从思想、组织、作风建设的相互配套中去抓党的建设，从而为新时期党的建设新格局的形成奠定了基础，党的建设取得显著成绩。与此同时，一些亟待解决的问题也随着改革开放的深入和扩大，社会主义市场经济体制的逐步建立而凸显。有的党员理想信念不够坚定，影响了党在思想上、实践中的先进性；有的党员缺乏搞社会主义市

场经济的经验和驾驭全局的领导能力、领导艺术；有的党组织管理不严，纪律松弛，缺乏战斗力；有的党员经不起改革开放和市场经济的考验，腐化堕落；党员的监督机制也有待完善等。因此，在体制转轨的巨大挑战面前，党的建设任重道远。在改革开放和现代化建设的新阶段，党的十四大的召开，广东省各级党组织和广大党员备受鼓舞，坚持以邓小平建设有中国特色社会主义理论为指导，认真贯彻党的基本路线，紧紧围绕经济建设这个中心，抓住有利时机，加快改革开放和经济建设步伐。1993 年 5 月，广东省第七次党代表大会召开，大会提出为广东 20 年基本实现现代化而奋斗，号召全省党员解放思想，把党的建设的立足点转移到为经济建设服务的轨道上来；加强党风和廉政建设，更好地为经济建设服务。

1．思想解放仍是关键。

解放思想、实事求是党的思想路线，是推进改革开放和社会主义现代化建设的最重要准则。从实际出发，解放思想、更新观念，广东的改革开放迈上先行一步的轨道。南方谈话中，邓小平仍然反复强调要提倡实事求是，“不要提倡本本”，明确指出：“过去我们打仗靠这个，现在搞建设、搞改革也靠这个。”[①] 党的十四大报告贯彻了解放思想的要求，着眼解决实践中的新问题，指出“不仅要学习邓小平的战略思想和理论观点，更要学习他运用马克思主义立场、观点和方法研究新情况、解决新问题的科学态度和创造精神”。在改革开放和现代化建设的新阶段，解放思想，更新观念，突出重点，创造性地开展工作成为新形势下党的建设的基本要求。十四大之后，广东党的建设从实际出发，紧紧围绕经济建设这个中心，努力适应深化改革、加快发展特别是建立社会主义市场经济的新形势，进一步解放思想，坚持实事求是，在改革开放新的历史性突破来临的关键时刻，积极研究新情况，探索解决新问题。

90 年代初的广东，经济迅速发展，人民生活水平显著提高，在广东省第七次党代表大会的报告中，省委提出广东要力争 20 年

① 《邓小平文选》第 3 卷，人民出版社 1993 年版，第 382 页。

基本实现现代化，描绘了20年后广东的美好蓝图：全省经济发展总体上达到世界中等发达国家的水平，精神文明的水平更高。科学技术发达，经济实力雄厚，人民生活富足，民主法制健全，社会风气良好。正如省委书记谢非在省七大报告中指出的，广东要力争20年基本实现现代化，思想解放仍然是关键。

十一届三中全会以来的改革开放，正是解放思想，实事求是，勇于实践，勇于创新的伟大实践。在解放思想，实事求是思想路线的指引下，广东的改革开放尊重实践，尊重群众，既善于继承前人，又敢于突破成规，敢闯难关，敢冒风险。敢为天下先的广东为探索中国特色社会主义建设道路，为改革开放的起步和全面展开做出了重要贡献。党的十四大明确提出我国经济体制改革的目标是建立社会主义市场经济体制，改革开放迎来新的历史性突破。广东省委明确指出，改革要有大的突破，必须彻底冲破小农经济思想、传统计划经济观念和旧习惯的束缚。要善于把中央的方针政策同本地区、本部门的实际结合起来，大胆试验，积极开拓，创造性地开展工作。全体党员尤其是领导干部，要警惕以否定四项基本原则为主要表现的右，更要防止以否定改革开放为主要表现的“左”。共产党员要带头强化改革意识、市场意识、竞争意识和现代化意识，充分发挥主观能动性和创造性，敢闯、敢冒、敢试，勇于坚持正确的、纠正错误的，争当改革开放的闯将。各级党员、干部要增强贯彻党的基本路线的自觉性和坚定性，进一步解放思想，更换脑筋，树立建立社会主义市场经济体制的新观念。1993年10月，人民出版社出版了《邓小平文选》第三卷。以此为契机，中共中央作出关于学习《邓小平文选》第三卷的决定。广东各级党组织把学习《邓小平文选》第三卷摆在党的思想建设和干部理论教育的主要地位，做出了周密的学习安排，取得明显成效。80年代，顺德的经济发展取得令人瞩目的成就。进入90年代，面对着市场经济更加激烈的挑战，市委提出在社会主义市场经济条件下再创顺德经济新优势。结合学习有中国特色社会主义理论，顺德市委抓住改革中的重大理论和实践问题开展讨论活动，启发党员进一步解放思想，更

新观念，教育党员清除“左”的思想影响，从五个方面树立新的观念：一是破除计划经济意识，确立社会主义市场经济观念；二是破除小农经济意识，确立城市化观念；三是破除生产经营中的狭隘意识，确立规模经济和效益观念；四是破除“以工业为主”的意识，确立三大产业协调发展的观念；五是破除小富即安、自满自足的观念，确立现代文明和不断开拓进取的观念。思想的解放，新观念的树立，有力地促进了90年代以来顺德经济迈上新的台阶。

在改革开放和现代化建设事业进入从计划经济体制向社会主义市场经济体制转变的新阶段，广东省各级党组织坚持一切从实际出发，解放思想、实事求是，通过组织广大党员、干部学习社会主义市场经济理论，以实践为基础，在实践中不断探索摸索、不断总结、不断创新，破除“唯上、唯书”的观念，破除“恐资病”思想的束缚，破除因循守旧、怕担风险的思想，敢于坚持真理，修正错误，敢于解放思想，更新观念，顶住各种压力，思想认识水平不断提高，勇往直前地走自己的路，冲破传统计划体制旧框框的束缚，放开手脚，理直气壮地抓住经济建设这个中心，大胆地改革开放，发展社会主义市场经济。

2. 密切党群关系是重点。

执政党的党风问题，是关系党的生死存亡的重大问题。进入新时期以来，党中央对加强党风廉政建设和反腐败斗争的思路和政策是清晰、有力的，广东省委和各级党组织的态度是鲜明的，做出了积极努力，取得了明显的成绩。

改革开放以来，从主流看，我们党的党风是好的，党的路线、方针、政策符合群众利益，得到广大人民群众的拥护和支持。但同时也必须看到，党内以权谋私、贪污受贿、违法犯罪等现象呈上升趋势。加强党风和廉政建设，密切党群关系，这是关系到执政党的生死存亡和现代化建设事业兴衰成败的大事。要建设有中国特色社会主义，要建立社会主义市场经济体制，就必须从严治党，继承和发扬我们党密切联系群众的优良传统。1992年的南方谈话中，邓小平特别指出：“在整个改革开放过程中都要反对腐败。对干部和

共产党员来说，廉政建设要作为大事来抓。”① 1993年8月，中共中央纪律检查委员会第二次全体会议在北京举行。会议以反腐败斗争为重点，江泽民同志在大会讲话中指出：我们既要看到反腐败斗争是一项长期的艰巨任务，又要有现实的紧迫感，采取有力措施，坚决制止腐败现象蔓延的势头，把突出问题解决好。他要求各级党委和政府必须把反腐败斗争作为一项重大的政治任务进一步抓紧。

1993年5月，省委书记谢非在广东省七大报告《为广东20年基本实现现代化而奋斗》中特别强调了加强党风和廉政建设，明确加强党风和廉政建设，密切党群关系，这是关系到执政党的生死存亡和现代化事业兴衰成败的大事。省委按照中央部署，提出贯彻新形势下反腐败斗争的思路和方法：一是反腐败要紧密结合重大改革措施和行政经济决策的实施来进行；二是反腐败要抓好两方面的任务，一方面坚决惩处腐败分子，另一方面坚决克服各种消极腐败现象；三是反腐败必须加强法规和政策研究，及时规范行为；四是反腐败必须加强综合治理，既治标又治本；五是对广大党员、干部进行党的纲领、宗旨、理想、纪律和优良传统作风的教育，进行正确的人生观、价值观和道德观的教育，增强党员、干部抵御拜金主义、享乐主义和极端个人主义等腐朽思想侵蚀的能力。省委强调以高森祥等五个典型案例为反面教材，开展反腐败的遵纪守法教育，召开县委书记以上领导干部参加的经验交流会，注意总结反腐倡廉经验，立足于建立有效的制约机制，把建立反腐保廉有效机制的工作摆上重要议程，并雷厉风行地在全省开展党风和廉政建设情况大检查。

新的历史条件下，加强党的作风建设就是要坚持党的宗旨，继承党的优良传统和作风。省委认为，反腐保廉是党在新形势下加强自身建设的一件大事。发展市场经济、建设现代化的过程中，共产党人必须发扬党的优良作风，坚持把人民群众的利益放在第一位，吃苦在前，享受在后；坚持按公开、公平的市场经济原则办事，反

① 《邓小平文选》第3卷，人民出版社1993年版，第379页。

对“权钱交易”；坚决同各种腐败现象作斗争，模范遵守国法党纪；坚持密切联系群众，为群众排忧解难，帮助群众更快富裕起来，克服形式主义和官僚主义。党员干部在涉及经济利益分配时，要从经济发展大局着想，正确处理当前与长远的关系、局部与全局的关系、个人与集体的关系。当前反腐保廉的任务十分艰巨，决不能掉以轻心。要下功夫建立一种有效的约束、监督机制，遏制“权钱交易”、“以权谋私”。这项工作必须采取强化教育、健全法规、加强管理，严厉惩处腐败，以及随着经济的发展逐步实行以俸养廉等综合措施，努力保持为政清廉。改革开放以来，针对“经济要发展，纪律要松绑”的议论，省委始终坚持鲜明的态度，“越是对外开放，越是搞活经济，就越要加强管理”，一手抓改革开放，一手抓惩治腐败，坚持“两手抓，两手都要硬”的方针，切实加强党风廉政建设。

1993年9月21日，中共广东省委出台《关于深入开展反腐败斗争加强廉政机制建设的决定》。省委认为，改革开放以来，广东各级党委和政府坚决贯彻党的路线、方针、政策，坚持“两手抓”，在反腐保廉、精神文明建设中做了大量工作，积累了宝贵经验，大多数党员、干部是努力工作、廉洁奉公，得到群众信赖的。但对于腐败问题不能掉以轻心、任其泛滥，各级党委和政府，全省共产党员和各级干部，一定要充分认识深入开展反腐败斗争的重要性和紧迫性。根据中央要求，省委做出了反腐保廉的总体部署，领导干部必须带头廉洁自律，集中力量查办一批大案要案；紧紧抓住突出问题，刹住群众最不满意的几股不正之风。为进一步贯彻从严治党的方针，克服腐败现象，坚决清除腐败分子，省委明确当前反腐保廉要抓好三件事，一是领导干部要廉洁自律、以身作则；二是严肃查处一批大案要案；三是坚决刹住几股不正之风。同时，在建立社会主义市场经济体制的过程中要努力建立反腐保廉的有效机制，一是建立和健全反腐保廉的预防机制，做到加强廉政教育，以教保廉；重用德才兼备的干部，以清正廉洁作为选拔任用干部特别是各级领导干部的重要条件；加强各项制度建设，提高工作的透明度。二是建立和健全反腐保廉的监督机制。各项监督包括：建立和完善党政机关内部的监督机制；加强人大对政府和检察院、法院的工作监督和法律监督，加强人民政协对党政工作的监督；健全党的民主生活，加强党内监督；建立健全公开办事、公平竞争、群众监督的制度；加强舆论监督。深入开展反腐败斗争，建立和健全有效的权力约束机制。制定党政机关、司法机关、行政执法部门、经济管理部门及其工作人员职权条例，公之于众，接受社会的监督和约束；建立执纪执法检查制度；强化行政监察和执法检察；理顺决策、执行、监督机关的关系，建立权力相互约束的机制；加快机构和行政管理体制的改革，转变政府职能。省委强调，反腐败工作必须落在实处，建立和健全党政主要领导抓廉政建设工作的责任制；建立领导班子廉政工作责任制；加强检查督促，保证廉政建设工作责任制的贯彻落实；建立廉政工作责任制的奖惩制度。

广东省委还提出从严治党，增强党组织解决自身问题的能力。省委做出一系列具体部署，采取一系列重大措施，加强了法纪教育，加大了惩治腐败的力度，严肃查处了违法违纪案件，使腐败现象得到一定的遏制，从而较好地保证了改革开放和经济建设的健康发展。仅1993年，全省开除违法乱纪的干部460多名，其中副处级以上干部44名，有1名副厅级、3名处级干部被判死刑。随着改革开放的深入，市场经济运行中产生的负面效应还会继续使一些意志薄弱的党员干部难以抵制各种消极腐朽思想的诱惑和侵蚀。

1994年7月，省委常委扩大会议专门研究了“反腐保廉，以法治省”的问题，充分体现了省委坚定不移地实践邓小平建设有中国特色社会主义理论，坚持“两手抓”工作方针的决心。省委要求，全省各级党政领导干部必须保持清醒头脑，总结经验，吸取教训，进一步统一思想认识，加大反腐保廉工作的力度。根据当前存在的问题和面临的形势的要求，对党员干部要特别强调加强有针对性的思想政治工作，加强党性党纪教育，加强世界观的改造，增强党员干部的拒腐防变能力，保证反腐败各项要求和措施的落实；要坚持从严治党的方针，对党员干部要严格要求，严格管理，严格

监督，坚决惩治腐败现象，同时要进一步建立和健全党内的监督和制约机制，增强党组织解决自身问题的能力；在经济工作中，着眼于发展生产力，靠真本事、走正道来发展经济；要不断推进改革扩大开放，实现“两个根本性转变”，加强建立和完善社会主义市场经济体制，堵塞各种漏洞，减少和消除滋生腐败的条件和引发不稳定的因素。

（二）围绕发展社会主义市场经济加强党的建设

1939 年，毛泽东在《〈共产党人〉发刊词》中提出，把我们党建设好是一项“伟大的工程”。以毛泽东为核心的第一代中央领导集体，把马列主义的基本原理同中国革命的实际情况相结合，使我们党逐步发展成为一个全国范围的、广大群众性的马克思主义政党，团结和带领广大人民群众，取得了新民主主义革命的胜利，在我国建立起社会主义的基本制度并取得社会主义建设的巨大成就。在社会主义建设的新的历史性时刻，党的十四大确立了我国经济体制改革的目标是建立社会主义市场经济体制。在市场经济条件下，党的建设出现了一些新情况、新特点。为切实加强党的建设，党的十四届四中全会通过了《中共中央关于加强党的建设几个重大问题的决定》，指出新时期党的建设是一项“新的伟大工程”。《中共中央关于加强党的建设几个重大问题的决定》是我党在长期执政条件下加强党的建设的纲领性文件，对于加强和改善党的领导，把党的建设提高到一个新水平具有全局意义和长远意义。

1.“新的伟大工程”。

在改革开放和现代化建设发展的关键时刻，为了贯彻落实《中共中央关于加强党的建设几个重大问题的决定》，1994 年 9 月，广东省委专门召开了省七届三次全会，会议通过《中共广东省委关于贯彻〈中共中央关于加强党的建设几个重大问题的决定〉的意见》，分析了广东省党的建设所面临的形势和任务，并就广东省党的建设工作提出了意见。

《中共中央关于加强党的建设几个重大问题的决定》和江泽民

同志的讲话全面总结了十一届三中全会以来我党加强思想建设、作风建设、组织建设的基本经验，就民主集中制、加强党的基层组织建设、全面提高领导班子和领导干部素质等方面要认真解决好的几个问题，指出了进一步加强党的建设的目的、要求和措施，这完全符合广东省党的建设中面临的实际情况。省委认为，认真学习和坚决贯彻中央《决定》和江泽民同志讲话精神，对于进一步加强广东省党的建设，提高党的领导水平和执政水平，坚定不移地贯彻执行党的基本路线，推进改革和各项建设事业，力争20年基本实现现代化，具有十分重大和深远的意义。

《中共广东省委关于贯彻〈中共中央关于加强党的建设几个重大问题的决定〉的意见》分四个部分：（1）高度重视领导班子的思想作风建设；（2）进一步坚持和健全民主集中制；（3）认真做好培养和选拔领导干部的工作；（4）切实加强党的基层组织建设。

根据广东省党建工作面临的形势和任务，学习贯彻中央《决定》，广东省委认为必须着重解决好以下三个问题：一是要解决认识问题。要从现代化事业兴衰成败的高度，从广东面临的新任务、新形势的要求，从广东省党建工作的现状，充分认识加强党的建设的必要性和紧迫性。二是要有明确的目标和具体的措施，把工作抓实。要立足于抓素质、打基础；抓制度、立规矩。要有实际行动，讲究实效。三是抓落实的关键在第一把手。第一把手应当好第一带头人，对党的建设负起第一责任。各级一把手要对同级领导班子建设负责，并建立定期检查、考核制度，层层建立责任制。第一把手要成为贯彻民主集中制的模范，实行群言堂、集体领导，提高班子的凝聚力和战斗力。第一把手要带头严于自律。抓党建要从解决现实问题入手，从长远战略着眼。

2．新形势下党建总布局。

十四大以来，广东加快建立社会主义市场经济体制，在新的历史转折关头，改革开放先行一步的广东进行社会主义市场经济建设的魄力之大、力度之猛、劲头之足是非常令人振奋的。与此同时，广东各级党组织紧紧围绕经济建设，围绕建立社会主义市场经济体

制这一目标，加强和改善党的领导，党的建设工作周密部署，重点突出，配套推进，落实突破。省委的总体思路是，要在新形势下，加强和改善党的建设和党的领导，使党能够更好地领导建设有中国特色社会主义事业。“改革开放给党的建设注入新的活力，同时党的建设也遇到许多复杂情况。”因此，“党必须在改革开放的新形势下认识自己、加强自己、提高自己，认真研究和解决在自身建设中出现的新矛盾新问题”。

在总体思路的统筹下，广东省委着重考虑的一些具体问题包括：在新形势下，如何改善或改进党的领导，提高党领导改革和建设的能力，使党在建设有中国特色社会主义事业中更好地发挥领导核心作用；如何搞好党的基层组织建设，增强党的凝聚力与战斗力；如何进一步加强党风建设和廉政建设，增强拒腐防变能力，保持党和人民群众的血肉联系；如何确定不同党组织具体的职能，调整组织形式和工作机构，改进工作方式和活动方式；如何发挥党员的先锋模范作用。努力做到在思想认识上，各级领导班子，特别是一把手抓党建工作的自觉性必须大大提高，坚持做到“两手抓”，两手都要硬；抓党建工作的指导思想必须明确，各级党组织自觉围绕经济建设这一中心来抓好党的建设；从上到下普遍地建立健全抓党建工作的责任制；基层党的建设不断加强，基层党组织的战斗力不断提高，党员的先锋模范作用不断得到发挥。总之，省委认为，在实际工作中真正做到围绕经济抓党的建设，抓好党的建设促进经济建设。以加强县以上领导班子思想政治建设为重点，全面提高领导干部素质，抓紧培养选拔优秀年轻干部，认真抓好党的基层组织建设，努力深化干部制度改革。各项具体工作包括：

第一，以学习掌握建设有中国特色社会主义理论为重点，认真抓好党员教育和干部培训工作。

加强理论学习必须摆在党的思想理论建设的重要地位来抓。指导各地分期分批搞好党员、干部全面轮训，组织党员、干部学习和掌握建设有中国特色社会主义理论，增强贯彻执行党的基本路线的自觉性和坚定性。认真组织干部学习党章和《邓小平文选》第三卷，广东省广大党员尤其要深刻领会邓小平视察南方的重要谈话精神，这一重要谈话是《邓小平文选》第三卷的基本论点的归结和发展。全面掌握邓小平建设有中国特色社会主义理论，提高执行党的基本路线和党中央《关于建立社会主义市场经济体制若干问题的决定》的坚定性和自觉性，发挥工作的主动性和创造性。省委组织部长刘凤仪在全省党员学理论学党章座谈会上的讲话中指出，要从战略的高度认识“双学”活动的重大意义，提高工作的自觉性。在全体党员中开展“双学”活动是全面加强党的建设的基础，但“双学”活动仍是“贯彻落实中央关于加强党的建设各项任务中的薄弱环节”，必须切切实实把“双学”活动抓起来，做到持之以恒，争取更好的成效。同时，进一步落实“双学”的各项任务，全面提高党员队伍素质。为把“双学”活动引向深入，省委在全省党员中开展“学理论，学党章，为基层服务，为群众排忧解难”的“双学双为”活动。开展“双学双为”活动，实质上就是要在全体党员中进行一次深入马克思主义群众观点、群众路线、全心全意为人民服务宗旨的教育，进一步密切党同人民群众的血肉联系。

第二，抓好领导班子建设。

发扬党内民主，坚持和健全民主集中制关系到党和国家政治生活的全局，关系到党和国家的前途命运。在改革开放和发展社会主义市场经济条件下，民主集中制不仅不能削弱，而且必须完善和发展。十四届四中全会指出，建设一支高素质的干部队伍是党的建设新的伟大工程的关键性工程，是保证党和国家长治久安的根本大计。提出从中央到地方都要形成朝气蓬勃、奋发有为的领导层。要通过深化改革，建立一套符合时代发展要求的干部选拔任用机制和监督管理机制，为优秀人才脱颖而出和防止用人上的不正之风提供制度保证。推动全党对建设有中国特色社会主义理论的学习不断向广度和深度发展。要继续抓好党的作风建设，把反腐败斗争深入持久地进行下去。广东省委以贯彻民主集中制为重点，抓好领导班子的思想作风建设。省委组织部对各地贯彻执行省委关于执行加强县级以上党政领导班子思想作风建设决定的情况进行检查。要求对县

级以上领导干部集中进行一次党性党风教育。省委提出要继续把党的思想建设放在首要地位，以“三学”、“六抓”、“三健全”为主要内容，大力加强领导班子的思想政治建设，学理论、学党章、学楷模，促进各级领导干部不断提高思想政治水平；抓方向、抓纪律、抓服务、抓求实、抓团结、抓廉政，促进各级领导干部的思想、作风和工作进一步适应新时期的需要；健全民主集中制、健全规章制度、健全监督机制，使各级领导干部置身于严格要求、严格管理和严格监督之下，在改革开放的大环境中健康成长。

广东省委书记谢非在全省县委书记学习会上明确指出，在新的历史时期，我省的县委领导班子必须建设成为高举邓小平建设有中国特色社会主义理论伟大旗帜，自觉坚持党的基本路线，胜任领导改革开放和社会主义现代化建设的工作，得到人民群众衷心拥护，有凝聚力、号召力、战斗力的坚强领导核心。围绕这个总的目标，县委领导班子在思想政治方面必须做到六个坚持：一是坚持为人民服务的宗旨。对县委领导班子来说，坚持为人民服务的宗旨，集中体现在两点：第一是要勤政，第二是要廉政。二是坚持“两手抓”的方针。“两手抓”应成为各级党委，尤其是县委领导现代化建设和改革开放的一个重要指导思想和领导方法。三是坚持实事求是的思想路线。县委领导班子办事情做决策必须坚持实事求是，一切从实际出发，要有开拓进取的精神，不断解放思想，敢于打破陈规陋习，以“三个有利于”作为衡量是非得失的标准，创造性地贯彻执行上级的指示决定，创造性地开展工作。四是坚持密切联系群众的作风。为了密切联系群众，一切工作的出发点要立足于为大多数群众谋利益；县委领导班子必须深入基层、深入群众，善于做群众工作；提高办事透明度，接受群众监督。五是坚持艰苦奋斗的创业精神。县委一定要把艰苦奋斗作为领导班子建设的一条基本要求，坚决贯彻落实江泽民同志在中纪委八次全会上的重要讲话精神和中纪委关于党政机关厉行节俭、制止奢侈浪费行为的八条具体规定，使艰苦奋斗的优良传统在新形势下发扬光大。六是坚持依法办事的原则。要把加强法制建设、坚持依法办事作为县委领导班子思想政

治建设的一个重要内容，促使领导干部带头学法守法，提高依法管理的能力，善于运用法律手段和按照法律程序去解决矛盾、处理问题。1995年7月，广东省委书记谢非在广东省优秀县（市、区）委书记座谈会上就如何当好县委书记归纳了12个字——“为公、团结、求是、拼搏、实干、学习”，并要求将优秀县（市、区）委书记的经验向全省各地介绍推广。

广东省委副书记张帼英多次强调，抓好领导班子建设，必须努力造就跨世纪的优秀领导人才。针对当前年轻干部的状况提出五个要求：第一，加强理论学习，必须学习和掌握邓小平建设有中国特色社会主义理论。第二，更新知识结构。第三，树立正确的世界观、人生观、价值观。第四，培养高尚的政治品格和道德品质。第五，注重在实践中锻炼，增长自己的才干。省委要求大力选拔配备优秀年轻干部，加强和改进后备干部队伍建设，坚持在实践中培养锻炼干部，做好培养选拔优秀年轻干部工作。党政干部选拔任用要坚持“三个结合”，一是坚持选任干部原则与遵守工作程序相结合；二是组织考察与民主推荐相结合；三是上级监督与群众监督相结合。要有针对性地解决领导班子执行民主集中制过程中存在的和班子成员思想作风、工作作风方面存在的突出问题。因此，必须加快干部人事制度改革步伐，做好干部宏观管理工作，力求选准用好干部，加强和改进地方党委领导。

第三，加强和改进党的基层组织建设。

党的基层组织是党的全部工作和战斗力的基础，“基础不牢，地动山摇”。党的基层组织建设必须适应新形势新任务的要求，努力增强党组织的凝聚力、吸引力和战斗力，扩大党的工作的覆盖面。党的十四届四中全会的《决定》在党的基层组织建设的指导方针中明确规定：“必须用改革的精神研究新情况、解决新问题，运用已有的成功经验并进行革新和创造，改进基层党组织的活动内容和工作方式。”一是继续大力抓好农村基层党组织的建设；二是大力加强国有企业党的建设工作；三是抓好机关、学校、科研单位和街道的党建工作；四是抓好党员队伍建设。

在农村，省委要求贯彻落实《关于加强乡镇党委领导班子建设的意见》，增强乡镇党委领导经济工作的能力；以县为单位，对农村党支部情况进行全面分析，整顿后进党支部；研究和解决好乡镇企业党组织的设置和发挥作用问题。广东各地在加强农村基层组织建设中探索出坚持突出重点，全面推进的工作路子。实行机关部门定点包干与组派工作队驻点协助相结合，加强农村基层组织建设的责任不仅落实到工作队，而且落实到每个派出工作队的机关部门，从而强化了机关部门的责任；建立各级领导干部挂钩办点制度，1995 年以来，广东省有 2300 多省、市、县的领导成员于 2499 个农村管理区建立了联系点，并重点抓好 1300 多个后进党支部和 550 先进示范点。重视抓好乡镇党委的建设，过去在农村基层组织的建设中，较多地注意抓县委一级的领导责任和管理区一级的基层组织的建设，现在我省许多地方都重视抓好乡镇党委的建设，注意发挥乡镇党委这个“龙头”作用。至 1996 年，全省 22611 个农村管理区中，已有占 73.1% 的 16527 个农村管理区通过了检查验收，初步达到了中央和省委提出的“五个好”要求。1996 年 12 月，省委召开全省农村基层组织工作座谈会，推广学习东莞市长安镇党委的经验。省委副书记张帼英强调，乡镇党委是农村基层组织建设的“龙头”，是农村各种组织和各项工作的直接领导。加强乡镇党委建设，重点是抓好思想作风建设。有计划地搞好乡镇领导班子成员的教育和培训，教育乡镇干部增强群众观念和公仆意识，改进思想作风。帮助乡镇领导班子学会“两手抓”，提高领导水平。加强农村基层组织建设，乡镇党委的作用至关重要，必须认真抓好乡镇党委班子建设，选配好乡镇党委书记。

根据党的十四届四中全会的决定，结合广东省的实际情况，中共广东省委通过《关于进一步加强农村基层组织建设的决定》，确定工作重点：一是加强农村基层组织建设的指导思想、总体目标和实施规划；二是进一步明确农村基层组织的根本任务；三是切实抓好农村党支部领导班子建设和基层干部队伍建设；四是切实加强党员队伍建设，充分发挥共产党员先锋模范作用；五是认真搞好农村管理区一级组织的配套建设，增强基层组织的整体功能；六是各级党委要高度重视和切实抓好农村基层组织建设。1996年3月，张帼英同志在全省农村基层组织建设总结表彰大会上指出，要更扎实更有效地推进我省农村基层组织建设，在认识上，必须真正思想到位，感情到位，把农村基层组织建设好，以推进农村社会的全面进步；在工作方法上，要更好地实行分类指导。各地要根据不同类型支部情况，作出具体部署，提出工作目标，加强分类指导。在工作路子上，要坚持突出重点，整体推进。各地在落实“五个好”目标中有两个重点：一是认真选配好党支部领导班子，一是认真选好经济发展路子。在突出工作重点的同时，注意统筹兼顾，全面推进。在加强领导上，要进一步完善和落实“三项”责任制。一是县、乡镇党委抓农村基层组织建设工作责任制；二是机关部门定点包干和组派工作队驻点协助相结合的制度；三是各级领导抓点办点制度。1995年11月，中共广东省委表彰十个模范乡镇党委和十个先进企业党委。省委要求全省党的基层组织以十个模范乡镇党委和十个先进企业党委为榜样，在建设有中国特色社会主义理论的指导下，积极、全面、正确地贯彻党的十四大精神和省七次党代表大会精神，解放思想，实事求是，团结奋进，真抓实干，集中精力搞好经济建设。要从本地本单位实际出发，制定和完善经济发展、改革开放的目标和规划，并认真组织实施。要适应改革开放的新形势，围绕经济建设抓好党的建设，努力把基层党组织建设成为全面贯彻党的基本路线的坚强核心。要进一步加强与人民群众的密切联系，改进工作作风，加强调查研究，体察群众意愿，关心群众疾苦，听取群众批评，维护群众利益，帮助解决实际问题，尽心竭力为群众办好事实事，坚决反对一切损害群众利益的行为，真正把党的宗旨、优良作风和群众路线落到实处，为加快我省改革开放和现代化建设步伐做出更大贡献。

切实加强和改进企业党的工作。对企业，重点是总结推广国有企业在转换经营机制中党组织发挥政治核心作用的经验，研究解决股份制企业和企业集团党组织的设置及职能问题，直到各类企业党

组织改进工作方法和活动方式。注意总结外商投资企业党的工作的新鲜经验，研究解决主要问题。一是切实加强领导，搞好现代企业制度试点工作；二是认真落实党组织参与企业重大问题决策的实施，发挥党组织的政治核心作用；三是坚持党管干部的原则，建立现代企业新的人事管理机制。

加强教育和管理，抓好党员队伍建设，不断提高全体党员的素质。来自工人、农民、知识分子、军人、干部的党员是党的队伍的最基本的组成部分和骨干力量，同时也应该把承认党的纲领和章程、自觉为党的路线和纲领而奋斗、经过长期考验、符合党员条件的社会其他方面的优秀分子吸收到党内来。

第四，加强党风和廉政建设。

十四届四中全会指出，党的作风直接关系党的形象，关系人心向背，关系党的生命，必须把加强和改进党的作风建设摆在突出位置。提出加强党的作风建设，最根本的是保持与人民群众的血肉联系。所有党员干部必须真正代表人民掌好权、用好权，而绝不允许以权谋私，党内绝不允许形成既得利益集团。要结合新形势新任务，认真解决当前思想作风、学风、工作作风、领导作风和干部生活作风等方面存在的突出问题，努力培育符合时代要求的新作风。越是改革开放、发展社会主义市场经济，越要反腐倡廉。反对腐败，保持廉洁，教育是基础，法制是保证，监督是关键。要坚持标本兼治、综合治理的方针，通过深化改革，建立结构合理、配置科学、程序严密、制约有效的权力运行机制，不断铲除腐败现象滋生蔓延的土壤，努力从源头上预防和治理腐败，以反腐败斗争的实际成果取信于民。谢非同志在省委常委扩大会议上指出：当前反腐败斗争要实行“三个结合”。一是把完成反腐败的阶段性任务和建立反腐保廉机制的长远目标结合起来；二是把加强反腐败和精神文明建设结合起来；三是把反腐败斗争和深化改革发展经济结合起来。

3. 在市场经济大潮中加强党的建设。

随着社会主义市场经济体制的建立和逐步完善，党的建设出现很多新情况新问题。在社会主义市场经济条件下，对党员的党性、

党员标准有什么新的要求？在逐步建立现代企业制度的条件下，如何设置和健全企业党的组织，并发挥其核心作用以及党员的先锋模范作用？在社会主义市场经济迅速发展，党员流动性大的情况下，如何搞好对党员的管理？如何遏制权钱交易？等等。如果这些问题不能很好解决，就会造成党内思想的混乱，涣散党的作风，影响党的形象，削弱党的战斗力。所以，广东省各级党组织在建设社会主义市场经济体制的新形势下，提出要像抓经济工作那样抓党建工作，各级党委在抓好经济建设决策的同时，集中精力抓好党建；要根据经济建设的需要改进党建工作，班子建设要适应经济建设的要求，党员队伍的素质要适应经济发展的需要。广东省委副书记张帼英指出，党建工作为经济建设服务，就要围绕发展社会主义市场经济，不断改进和加强党的思想建设、组织建设和作风建设。党的建设为建立社会主义市场经济体制提供坚强有力的组织保证。

第一，加强思想建设，使全体党员、干部的思想逐步与建立社会主义市场经济体制相适应。教育和引导党员、干部解放思想、更新观念，是党的思想建设的首要任务。实践证明，加强思想建设也是推动我省改革开放和经济不断上新台阶的强大动力。广大党员必须系统地学习社会主义市场经济理论，把马克思主义的思想路线贯彻到工作中去，及时总结经验，在改革开放和经济建设中大胆探索和解决新形势下的新情况、新问题，不断促进社会主义市场经济的发展，与此同时，进一步解放思想、更新观念。

第二，加强组织建设，为各级党组织在市场经济条件下发挥战斗力奠定坚实的组织基础。在经济体制转变的新形势下，要围绕发展社会主义市场经济开展基层党组织建设，要按照经济发展的需要设置基层党组织，要改进基层党组织的活动，充分发挥基层党组织的战斗堡垒作用，要改进党员教育管理工作，发挥党员的先锋模范作用。干部选拔和基层党组织建设，是组织建设的主要内容，也是组织工作的关键。在新形势下，要按照领导社会主义市场经济的要求配备各级班子，要按照新观念选人用人，要改进选人的方式和方法。

第三，加强作风建设，增强各级领导班子在组织和发展市场经济中的凝聚力。坚持不懈地抓好党风和廉政建设，这是社会主义市场经济健康发展的重要保证。要坚持“两手抓，两手都要硬”的方针，切实加强党风廉政建设，惩治腐败，取信于民，为改革开放和经济建设健康发展清除路障。但是，由于产生腐败现象的原因复杂，特别是产生腐败现象的土壤和条件还不可能在短时期内铲除，广东的党风廉政建设和反腐败斗争任务还很重。为深入开展反腐败斗争，加强我省廉政机制建设，中共广东省委通过了关于深入开展反腐败斗争加强廉政机制建设的决定。

改革开放以来，广东的经济建设和各项事业都取得了巨大成就，广大党员在中国特色社会主义理论指引下，发挥先锋模范作用，带头贯彻落实党的基本路线，在深化改革开放和力争20年基本实现现代化的实践中，带领广大人民群众艰苦奋斗，开拓前进。1994年6月30日，省委书记谢非在优秀共产党员表彰大会上发表发挥共产党员的先锋模范作用的讲话。他指出，要发挥共产党员的先锋模范作用，必须深刻学习和领会建设有中国特色社会主义的理论，从根本上提高贯彻执行党的基本路线的自觉性和坚定性；要发挥共产党员的先锋模范作用，必须把树立社会主义、共产主义远大理想和干好本职工作结合起来，在平凡的岗位上创造不平凡的业绩；要发挥共产党员的先锋模范作用，必须一身正气，是非分明，嫉恶如仇，坚决与党内腐败现象和社会丑恶现象作不懈的斗争。要发挥共产党员的先锋模范作用，必须时刻把人民群众的利益放在第一位，在群众遇到危难时能够挺身而出，迎难而上，显示共产党人全心全意为人民谋利益的本色。谢非特别强调，广东省处于改革开放的前沿，正面临着用5年时间建立起社会主义市场经济的基本框架，用20年时间基本实现现代化的历史任务，特别需要广大党员立足本职，无私奉献，广大党员发挥先锋模范作用，就能提高党的凝聚力和战斗力，我们的事业和社会进步就有了最可靠的保证。

十四大以来广东省党的建设的实践证明，在建立社会主义市场经济体制中，党的建设要围绕经济建设进行，经济建设必须依靠党

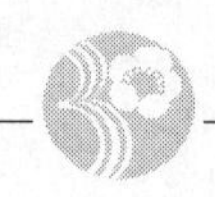

的建设作保证。实现经济发展的战略目标，必须依靠党的正确领导，必须在政治上、思想上、组织上、作风上全面加强党的建设。随着社会主义市场经济体制的建立和逐步完善，党的建设出现很多新情况新问题，我们必须解放思想，大胆探索在社会主义市场经济条件下党建工作的新思路，围绕经济建设抓好党的建设，不断研究新情况、解决新问题，开创党建工作的新局面。

二、世纪之交全面加强党的建设

新旧世纪交替之际，我国改革进入攻坚阶段，发展处于关键时期，要带领全国人民克服前进道路上的各种困难和风险，实现宏伟的目标，关键是把我们党建设好。面向新世纪，广东省第八次代表大会提出了广东省率先实现现代化的目标，党的建设高举邓小平理论伟大旗帜，继续坚持解放思想、实事求是的思想路线，以改革和创新的精神建设党，坚持新时期党的建设的总目标总要求，以广东省力争率先基本实现现代化的总任务统揽全局，通过提高党组织自身建设的水平，不断提高领导水平和执政能力，令人鼓舞的党的建设新局面有力保证了广东改革开放和各项事业的持续健康发展。

（一）在邓小平理论指引下的伟大工程

面向新世纪，江泽民提出要继续推进党的建设这项新的伟大工程，将新时期党的建设新的伟大工程的总目标高度概括为："把党建设成为邓小平理论武装起来、全心全意为人民服务、思想上政治上组织上完全巩固、能够经受住各种风险、始终走在时代前列、领导全国人民建设有中国特色社会主义的马克思主义政党。"跨世纪的党建工作始终围绕这个总目标，全面加强党的思想建设、组织建设、作风建设，特别是要着重解决好提高党的执政水平、领导水平，增强全党拒腐防变、抗御风险能力这两大历史性课题。世纪之交，广东党的建设工作继续发扬广东人"敢为天下先"的精神，根据新的实践和新的发展，积极探索符合时代要求和具有广东特色

的党建工作新路子。

1. 继续推进党建新工程。

1998 年 5 月 22 日至 5 月 27 日，广东省第八次代表大会在广州举行。李长春同志作《增创新优势，迈向新世纪，全面推进广东现代化建设》的报告。省八大就党的十五大报告的学习贯彻，结合广东跨世纪的发展做出了具体部署。

实现广东迈向新世纪的宏伟目标，关键在于坚持、加强和改善党的领导，进一步把全省各级党组织建设好。1997 年 9 月，中国共产党第十五次全国代表大会在北京举行，十五大对面向新世纪的中国共产党的建设作了重要的论述和部署。江泽民提出要继续推进党的建设这项新的伟大工程，特别强调："全党要按照新的伟大工程的总目标，从思想上、组织上、作风上全面加强党的建设，不断提高领导水平和执政水平，不断增强拒腐防变的能力，以新的面貌和更强大的战斗力，带领人民完成新的历史任务。"所以，党建工作必须紧紧围绕新时期党的建设总目标，坚持从严治党的方针，从思想上、组织上和作风上全面加强党的建设，增强各级党组织的战斗力。围绕党的建设的总目标，解决好提高领导水平、执政水平和提高拒腐防变、抵御风险的能力"两大课题"。

广东省七大以来，全省党的建设取得新成绩，扎实推进党的建设的新的伟大工程，加强党的建设迈上新台阶，党员队伍素质不断提高。全省党组织的思想建设、组织建设和作风建设进一步加强，各级领导班子增强了驾驭全局和领导现代化建设的能力，农村基层组织建设取得成效，企业党组织强化了政治核心作用，对非公有制经济组织的党建工作进行了积极探索。全省党员队伍壮大、结构改善、素质提高。党风廉政建设进一步加强，反腐败斗争取得阶段性成果。党的统一战线工作在改革开放中加强和发展，党领导的多党合作和政治协商的基本政治制度建设有了新的进展。

世纪之交，切实加强党的建设，不断提高党组织领导现代化建设的能力和反腐防变的能力，才能为全面推进广东现代化建设提供根本保证。省委在实践中认识到新时期我省党建任务的艰巨性、复

杂性，注意把党建工作特别是各级领导班子建设摆在重要的位置。通过干部培训、典型教育、民主生活，有针对性地解决每个时期领导班子思想政治建设中出现的突出问题。重点抓了县以上领导干部廉洁自律、查处大案要案、纠正部门和行业不正之风这三项工作；结合深化改革和依法治省，加强廉政监督机制建设，使反腐败斗争不断取得新的成果。省委还采取向基层派驻工作队、领导抓点和机关单位重点帮助等措施，大力加强基层组织建设，增强了基层党组织的战斗力。为了从根本上保障我省改革开放和各项建设事业顺利发展，社会稳定和全面进步，我们必须继续加大力度，坚持党要管党和从严治党。

面向新世纪的党建工作，首先必须强调坚持不懈地用邓小平理论武装党员干部。邓小平理论是指引我们建设有中国特色社会主义的伟大旗帜。各级党组织必须把认真学习和掌握邓小平理论作为加强自身建设的基础工程来抓，切实加强领导，制订规划，精心组织，持之以恒。县以上领导干部尤其要增强学习的自觉性和紧迫感，做学习、掌握和运用邓小平理论的带头人。其次，把各级领导班子建设成为领导现代化建设的坚强核心。大力加强干部队伍建设特别是各级领导班子建设，是加强和改善党的领导，增强党组织战斗力的关键。必须努力把全省各级领导班子建设成为政治坚定、团结实干、开拓创新、廉洁为民，能够胜任跨世纪历史重任的坚强领导核心。再次，切实增强基层党组织的战斗力。基层党组织是党的全部工作和战斗力的基础。必须努力探索在新的历史条件下加强和改进基层党组织建设的有效途径，把全省基层党组织建设成为能够坚决贯彻党的路线方针政策，团结和带领群众开拓前进的坚强战斗堡垒。深入持久地抓好党风廉政建设和反腐败斗争。必须特别强调，党风问题的核心是党和人民群众的关系问题。各级党组织和广大党员特别是党的领导干部，必须牢记全心全意为人民服务的宗旨，保持和发扬党的艰苦奋斗、密切联系群众的优良传统和作风，正确行使人民赋予的权力，当好人民的公仆，带头做到廉政勤政，为民爱民。要把为人民谋利益作为一切工作的出发点和落脚点，密

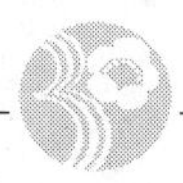

切联系群众，防止主观主义、形式主义、官僚主义和虚报浮夸，大力提倡说实话、办实事、鼓实劲、求实效。切实减少应酬活动，精简文件会议，厉行节约，制止奢侈浪费，反对讲排场、摆阔气。关心群众疾苦，严肃查处侵害群众利益的违法违纪行为。反腐败是关系党和国家前途命运的严重政治斗争。必须从战略和全局的高度，认识我省反腐败的复杂性、艰巨性和长期性，深入持久地开展反腐败斗争。继续坚持党中央确定的反腐败的指导思想、基本原则、领导体制和工作格局，做到党委统一领导，党政齐抓共管，纪委组织协调，部门各负其责，依靠群众的支持和参与，坚决遏制腐败现象。坚持标本兼治的方针，进一步加大治本力度，抓好反腐败各项任务的落实。坚持不懈地搞好领导干部廉洁自律工作，县处级以上干部要带头自重、自省、自警、自励，带头同各种腐败现象和不良倾向作斗争。对广大人民群众深恶痛绝的吏治腐败、司法腐败等现象，必须坚决遏制和整治。进一步加大查处大案要案的力度，重点查处发生在党政领导机关、司法机关、行政执法机关、经济管理部门以及县处级以上领导干部中的违法违纪案件。坚决把腐败分子清除出党，绝不姑息养奸。坚持纠建并举的方针和谁主管谁负责的原则，深入开展纠正部门和行业不正之风工作。切实加强对党员干部的理想、宗旨和作风教育，筑起拒腐防变的思想道德防线。全面贯彻执行中央关于加强党内监督的五项制度，建立健全权力监督约束机制，把党内监督、民主监督、法纪监督、舆论监督和群众监督有机结合起来，特别要强化对领导干部的监督。积极探索新形势下遏制腐败问题发生的途径和规律，不断铲除腐败现象滋生的土壤。各级党委要加强对纪检监察工作的领导，旗帜鲜明地支持纪检监察机关正确履行职责。各级纪检监察机关和广大纪检监察干部在加强党风廉政建设和反腐败斗争中肩负着重大责任，要恪尽职守，坚持原则，敢于碰硬，为严肃党纪政纪作出积极贡献。

2．加强领导班子建设，造就高素质干部队伍。

加强党的建设，必须把加强领导班子建设作为重点来抓。在推进社会主义市场经济体制改革的重要时期，要保证中央重大决策的贯彻落实，调动各方面的积极性，处理好可能出现的各种矛盾，对各级领导班子是一个严峻的考验。加强党的建设，无论是提高全党的理论水平，提高党的执政水平，提高党驾驭社会主义市场经济的能力，提高拒腐防变的能力，关键都在于提高各级领导班子的水平和能力。所以，在“增创新优势，更上一层楼”，把广东改革开放和社会主义现代化建设事业全面推向新世纪的关键时刻，省委确定“把全省各级领导班子建设成为政治坚定、开拓创新、团结实干、廉洁为民，能够胜任跨世纪历史重任的坚强领导核心”作为党的建设的重点，同时全面贯彻落实《1999—2003 年全省党政领导干部建设规划实施方案》，始终抓好加强领导班子建设的工作。

1998 年 11 月召开的中共广东省委八届二次全会通过的《中共广东省委关于加强各级领导班子思想政治建设的决定》，针对当前广东省在部分领导干部中存在着理论素养、领导水平、工作作风和工作方法不适应形势要求的问题，指出加强各级领导班子思想政治建设，是一项刻不容缓、极为紧迫的重大任务。加强各级领导班子思想政治建设，主要采取了以下措施：

一是坚持用邓小平理论武装头脑，坚定正确的政治方向。深入学习邓小平理论，坚持理论联系实际的学风，进一步建立和健全学习培训和考核制度，坚决贯彻执行党的基本路线，自觉维护党中央的权威，保证中央政令畅通。

二是保持良好精神状态，不断开拓创新。进一步解放思想，更新观念，求真务实，真抓实干，明确责任，完善激励机制。

三是坚持贯彻党的民主集中制，增强领导班子的团结。坚持集体领导，实行民主科学决策；加强对领导干部执行民主集中制的教育和监督；严格党内生活，搞好领导班子的团结；一把手要做贯彻民主集中制的表率；要处理好党委、人大、政府、政协之间的关系。

四是廉洁为民，密切与人民群众的联系。牢固树立群众观点，坚持党的群众路线；加强廉洁自律，自觉拒腐防变；建立和完善反腐保廉的监督约束机制。

五是选好配强各级领导班子，在实践中锻炼干部。把各级领导班子选配好；大力培养选拔优秀年轻干部；加快干部制度改革步伐，扩大民主、完善考核、推进交流、加强监督。

省委强调必须切实加强领导班子建设，努力提高各级领导班子驾驭全局、领导现代化建设的本领。省委的具体要求包括：

第一，各级领导班子要把学习邓小平理论作为加强自身建设的基础性工程来抓。加强领导班子建设，必须坚持用邓小平理论武装头脑，努力提高领导干部的思想政治素质。邓小平理论是指引我们建设有中国特色社会主义的伟大旗帜。省委要求通过一系列制度来保证邓小平理论的学习贯彻。要建立领导干部学习档案，对干部的学习情况严格考核，并把考核结果作为评选先进、确定年度考核等次和选拔任用的依据。凡是在任期内连续两次不服从组织安排到党校学习的干部，不能提拔使用。

第二，要以高度的政治责任感做好培养选拔优秀年轻干部工作。各级党委和组织部门要采取各种措施，加强对年轻干部的理论培训和实践锻炼。对经过实践证明是特别优秀的年轻干部，要大胆破格提拔，敢于委以重任。要拓宽选人渠道，加大工作力度，选拔一批40岁左右的优秀年轻干部到市厅党政正职岗位上，选拔一批35岁左右的优秀年轻干部到县处正职岗位。同时，要注意培养选拔优秀女干部和党外干部。要注意从高等学校、科研院所和大企业集团等单位选拔一批年纪较轻、知识层次较高的优秀人才充实到各级党政领导班子。

第三，逐步建立健全监督约束机制，切实加大对领导干部和干部选拔任用工作的监督力度。各级党委和组织部门要认真履行对领导干部的管理监督职责。要实行一把手对本地区、本单位党风廉政建设负总责的制度，本地区、本单位的领导干部出了问题，视具体情况，追究一把手的责任。同时，要进一步加强对选拔任用干部工作的监督，要建立健全用人失察责任追究制度，要追究有关人员的责任。

第四，以实施综合配套改革为突破口，积极推进干部制度改

革。围绕解决干部能上能下的问题，重点推进干部选拔任用制度的改革。主要措施是：逐步扩大公开选拔、竞争上岗的层次和范围，规范公开选拔、竞争上岗的程序和方法；进一步扩大公示制、"两票制"、"投票表决制"的试点范围，并逐步向面上推开；继续实行委任制、干部试用期制和部分领导职务聘任制；严格执行定期考核制度、完善实绩考核办法；研究探索领导干部任期制，试行领导干部待岗制，继续加大干部轮岗交流的力度。省委提出，要从大力推进公开选拔领导干部、普遍实行竞争上岗、加强后备干部队伍建设、加大人才引进力度等方面入手，构筑具有广东特色的人才高地。

努力建设各级领导班子，是省委始终十分关注并不断推动解决的重大问题。大力加强领导班子的思想政治建设，提高领导干部的政治素质，把一批批群众公认是执行党的路线并具有政绩的干部及时选拔进各级领导班子，改善各级领导班子的年龄结构、知识结构和专业结构，增强领导班子整体功能，提高各级领导班子驾驭社会主义市场经济的能力，为我省贯彻党的基本路线，全面开创改革开放和现代化建设新局面提供了有力的组织保证。

3. 探索党的基层组织建设新路子。

党的基层组织是党的全部工作和战斗力的基础。省委明确，在朝着率先实现现代化奋斗的关键时刻，必须继续全面推进党的基层组织建设，以农村和国有企业为重点，加强分类指导，不断增强党组织的战斗力和社会影响力。

农村基层党组织建设要贯彻党的十五届三中全会精神，按照中央要求，紧紧围绕深化农村政策，发展农村经济，维护农村稳定，深入扎实地开展创建"五个好"村党支部、"六个好"乡镇党委和农村基层组织建设先进县活动。采取分级负责、分层培训的办法，在三年内对全省镇、村干部轮训一遍，保证受训率达90%以上，尤其要抓好村党支部书记任职资格的培训，受训率达100%。要结合推行公示制、任期制、两票制，选好乡镇党委书记和村党支部书记，加强镇、村领导班子建设。要对贯彻《村民委员会组织法》

中出现的新情况新问题进一步调查研究，提出正确处理改制后的农村党支部与村委会的关系的指导意见。

国有企业党组织要深入贯彻党的十五届四中全会和省委八届四次会议精神，以确保国有企业的改革和发展为出发点和落脚点，加快国有企业改革和发展中更好地发挥企业党组织的政治核心作用。

加强非公有制经济组织党的建设是一项紧迫的任务。省委要求各地广泛深入调查，总结实践经验，进一步研究如何在非公有制经济组织建立党组织，开展党的活动，做好党员发展、管理工作，发挥党组织和党员的作用，加强个体、私营等非公有制经济组织党的建设。

进一步加强党员教育、管理和发展工作，大力提高党员队伍的整体素质。针对党员管理、教育方面存在的突出问题，建立健全对党员严格要求、严格管理、严格监督的制度。不断完善对流动党员、离退休党员的管理工作。改进党员教育形式，充分发挥党员电化教育的作用。坚持标准，保证质量，在生产一线和党的力量薄弱的地方做好发展党员工作。进一步做好基层党建带团建的工作，进一步加强组织党员队伍建设，努力提高党员管理教育和发展工作的水平。

十五大以来，省委关于党建工作的指导思想明确，在工作实践中全面推进党的建设新的伟大工程，党的建设取得了新的进展：一是坚持不懈地用邓小平理论武装全党，使党的思想建设有了新的加强；二是始终抓住领导班子建设这个关键，大力加强干部队伍的建设，使一大批优秀年轻干部已经和正在走上领导岗位；三是以农村和企业党的建设为重点，在加强和改进党的基层组织建设，提高基层党组织的凝聚力和战斗力方面取得了明显的进步。

（二）面对新挑战的“新整风”

世纪之交，在机遇和挑战并存的国际国内形势面前，我国的社会主义现代化建设能否迎接挑战、抓住机遇，关键在党，在于党能否搞好自身建设，这取决于在社会主义市场经济条件下，作为执政党的中国共产党如何保持自己无产阶级先锋队的性质，始终如一地

代表和维护广大人民群众的根本利益。为了全面提高领导干部尤其是县以上党政领导干部的素质，在全国县级以上党政领导班子、领导干部中用整风精神开展的以“讲学习、讲政治、讲正气”为主要内容的党性党风教育，是以江泽民同志为核心的党中央在新时期加强领导干部队伍思想政治建设，推进党的建设新的伟大工程的一次成功实践；是党在执政条件下，在改革开放和发展社会主义市场经济的环境中，提高领导水平、执政水平和增强拒腐防变、抗御风险能力的创造性探索。广东的实践证明，深入开展以“三讲”为主要内容的党性党风教育是新时期加强党的自身建设的创造性探索，对于提高领导班子和领导干部的思想政治素质，增强其解决自身问题的能力，增进领导班子的团结协作，切实加强领导班子和领导干部队伍建设，具有极其重要的作用。“三讲”教育是在和平建设时期就如何加强党的建设而进行的一个新的创造性的探索，包含着重大的理论创新和深远的实践意义。

根据中央的部署和要求，广东省从1999年4月开始，用两个半月左右时间，在省级领导班子和领导干部中开展“三讲”教育；接着在省直单位中开展；其后在地级以上市领导班子中进行，2000年上半年在县级领导班子中全面展开。

1. 党建中的“重中之重”。

1999年4月，胡锦涛在中央、国家机关领导干部大会上作了关于“三讲”教育的报告，强调要充分认识中央决定深入开展“三讲”教育的重大意义；指出它是我们党为迎接新世纪、完成新的历史任务所作的重要思想准备和组织准备；是从实际出发加强领导班子建设、提高领导干部队伍思想素质的重要任务；是推动全党兴起学习邓小平理论新高潮，从根本上加强全党的思想政治教育的新举措；也是对在改革开放和发展社会主义市场经济条件下，如何有效解决党内尤其是领导干部中党性党风方面存在问题的一次创造性探索。在“三讲”教育进行中，江泽民同志在广东考察工作及参加高州市领导干部“三讲”教育会议时，就如何切实加强党的建设及如何搞好“三讲”教育发表重要讲话。搞好“三讲”教育

作为新世纪初广东省党建工作的重中之重，省委要求严格按照中央要求做好工作，以整风精神开展“三讲”教育，努力做到确保质量，不走过场。各级党委要按照全国第三次“三讲”教育工作会议的部署和要求，继续把搞好领导班子、领导干部的“三讲”教育作为党建工作的重中之重，抓紧抓实抓好。

1999 年 4 月 5 日，中共广东省委在广州召开省级领导班子“三讲”教育工作会议精神，动员和部署我省省级领导班子、领导干部“三讲”教育工作。省委书记李长春做动员讲话，就开展“三讲”教育的重要意义，“三讲”教育要达到的目标要求和工作中的具体落实等问题传达中央精神，进行动员教育。

第一，开展“三讲”教育的重要意义。

深入开展“三讲”教育，是增创发展新优势，实现跨世纪奋斗目标的迫切需要，是加强领导班子和领导干部队伍建设，适应社会主义现代化建设事业要求的迫切需要。目前，在一些领导班子和领导干部中还存在着这样那样的问题，有的问题还比较严重，在高速发展中也积累了不少问题。这些问题虽然发生在少数领导班子和领导干部身上，但反映出我省一些领导班子和领导干部的素质与带领干部群众实现现代化不相适应的矛盾。因此深入开展“三讲”教育，有针对性地解决领导班子和领导干部在党性党风方面存在的突出问题，对于进一步提高我省领导班子和领导干部的思想政治素质具有重要的意义。

第二，高度重视，绝不走过场。

有的同志担心这次教育能不能真正解决问题，会不会走过场。这种担心是可以理解的，确实需要我们高度重视。我们有中央的正确领导和邓小平党建理论的指导，有开展“三讲”教育的一系列正确的指导思想和基本原则，有广大干部群众的关心、支持和积极参与，有各级党委的高度重视，特别是主要领导真抓实干、率先垂范，有试点单位的成功经验，一定会收到实效，防止走过场。

第三，“三讲”不是搞运动，搞“左”的一套。

有的同志担心“三讲”是不是又搞运动，搞“左”的一套，

这种担心是没有必要的。中央明确指出，这次“三讲”要始终立足于学习提高。要坚持按照“团结——批评——团结”的原则解决问题，严禁泄私愤，借机整人，决不允许重复过去政治运动那种“左”的做法。

第四，“三讲”教育查找问题不会否定改革开放的成绩。

中央对广东20年来改革开放和经济建设所取得的成就，从来是充分肯定的，但存在的问题不解决，就会影响、延缓我们的进一步发展。我们要认真学习理论，总结经验教训，整顿思想，改进作风，更好地推进我省的两个文明建设。

第五，“三讲”教育对省级领导班子和领导干部的目标要求。

省级领导班子和领导干部要充分认识开展“三讲”教育的重要性，发挥表率作用，为全省做出榜样。要结合广东的实际，将开展“三讲”教育与贯彻省委八届二次全会通过的《关于加强各级领导班子思想政治建设的决定》结合起来，发扬整风精神，切实推进理论学习、开展批评与自我批评、切实解决存在的具体问题等，努力提高省级领导班子和领导干部思想政治素质和驾驭复杂局面、解决实际问题的能力，使省级领导班子进一步成为政治坚定、开拓创新、团结实干、廉洁为民的坚强集体，领导干部做到思想上有明显提高，政治上有明显进步，作风上有明显转变，纪律上有明显增强。

第六，省级领导班子“三讲”目标要求的落实。

在教育中必须把握好以下几点：一是加强学习，提高思想政治素质。二是抓住重点有针对性地解决领导班子和领导干部在党性党风方面存在的突出问题。三是以整风精神，认真开展批评和自我批评，进行积极健康的思想斗争。四是充分发扬党内民主，坚持走群众路线。五是把开展“三讲”教育与干部考察工作结合起来。六是紧紧围绕全面贯彻党的基本路线，把开展“三讲”教育同推动当前工作结合起来。

2. “三讲”教育见成效。

1999年6月，中共广东省委八届三次全体（扩大）会议在广

州举行。全会的议题是，总结省级领导班子、领导干部“讲学习、讲政治、讲正气”教育工作，并对全省开展“三讲”教育工作提出实施意见。

全会由省委常委主持，中共中央政治局委员、省委书记李长春代表省委常委会向全会作了题为《以整风精神开展“三讲”教育，加强领导班子思想政治建设》的报告，中央“三讲”教育广东巡视组组长顾云飞作了重要讲话。全会审议并同意李长春所作的报告，讨论并同意《中共广东省委关于在全省县级以上党政领导班子、领导干部中深入开展以“讲学习、讲政治、讲正气”为主要内容的党性党风教育的实施意见》。

在中央“三讲”办、中央巡视组的具体指导下，省委对“三讲”教育阶段的工作做了精心周密的安排，省委、省人大、省政府、省政协以及省纪委领导班子的“三讲”教育按“思想发动、学习提高”，“自我剖析、听取意见”，“交流思想、开展批评”，“认真整改、巩固成果”四个阶段进行。为把省级领导班子建设成为政治坚定、开拓创新、团结实干、廉洁为民的坚强领导集体进一步奠定了坚实的基础。省委提出的整改意见抓住了在这次“三讲”教育中查摆出来的主要问题特别是群众关心的问题，针对性强，采取的措施切实可行。省级领导班子、领导干部“三讲”教育的收获主要是：（1）受到一次深刻的党的基本理论、基本路线的再教育，进一步坚定了政治信念和政治立场，增强了贯彻执行党的基本路线的自觉性和坚定性。（2）更加牢固地树立了全心全意为人民服务的宗旨，振奋了精神，增强了廉洁自律和接受群众监督的观念。（3）找出了领导班子、领导干部党性党风和工作上存在的突出问题，总结了教训。（4）普遍受到了一次党的优良传统作风的再教育。（5）增强了信心，明确了下一步改进工作的方向。省级领导班子、领导干部“三讲”教育已达到要求，接着采取自上而下、分期分批的方式，在全省县级以上领导班子和领导干部中开展以“三讲”为主要内容的党性党风教育，用整风的精神，认真解决好各级领导班子领导干部中存在的突出问题。中央党建领导小组副组长、中央“三讲”教育联席会议负责人张景全在阳江检查工作时对我省市县“三讲”教育提出了四点要求：“三讲”教育中，学习始终是首位，要继续狠抓不放；自我剖析是关键，必须保证质量，搞深搞透；要边学边改，边整边改，让群众感到鼓舞和实在；加强领导是保障，要负起责任抓好纲。

广东省的“三讲”教育，严格按照中央部署，紧密联系全省两个文明建设和改革、发展、稳定的实际，联系领导班子、领导干部的思想和工作实际，以整风的精神，认真检查和解决领导班子、领导干部在党性、党风和工作中存在的突出问题，成效显著。

第一，领导干部普遍受到了一次深刻的马克思主义教育，提高了学习理论、增强党性锻炼的自觉性，进一步明确了前进方向。增强了树立正确理想和信念的自觉性，坚定了建设有中国特色社会主义的决心和信心。大力弘扬马克思主义学风，联系实际学习理论，坚持把学习理论与总结实践经验结合起来；坚持把理论学习与调查研究、解决实际问题结合起来；坚持把理论学习与个人思想实际结合起来；坚持把理论学习与开拓创新结合起来；坚持把学习理论与借鉴外地成功经验结合起来。

第二，领导干部普遍增强了政治意识、大局意识、责任意识，提高了坚持党的基本路线和基本纲领、同党中央保持高度一致的自觉性。

第三，领导干部普遍受到了一次群众观点、群众路线的再教育，强化了坚持和实践党的根本宗旨的意识，促进了作风的转变和拒腐防变自觉性的提高，增强了全心全意为人民服务的宗旨观念和廉洁自律意识。

第四，领导干部普遍经受了一次严格的党内生活锻炼，团结协作、贯彻民主集中制原则的自觉性和解决领导班子自身问题的能力有了提高。

第五，领导干部特别是主要领导干部普遍增强了党要管党、书记带头抓党建的意识，提高了治党的能力和水平。

深入开展“三讲”教育，是贯彻十五大精神，深入学习邓小

平理论的一项重要举措；是新的形势和任务对领导班子和领导干部提出的迫切要求；是新时期坚持从严治党、加强干部队伍建设的重要措施；是坚持和发扬党的优良传统和政治优势的客观需要。通过“三讲”教育，领导班子、领导干部思想上有明显提高，政治上有明显进步，作风上有明显转变，纪律上有明显增强，我省的“三讲”教育为把各级领导班子建设成为政治坚定、团结实干、开拓创新、廉洁为民的坚强领导集体发挥了重大作用。实践证明，“三讲”教育活动，不但提高了广大领导干部尤其是县级以上干部的素质，是加强党的建设特别是领导班子建设、领导干部思想政治建设的一次创造性探索和成功实践，而且使我们党有机会系统地总结以往尤其是最近十年来的经验，对党的建设规律进行新的探索和理论思考，从而使党的建设在实践和理论上都获得了新的突破，把党的建设新的伟大工程大大地向前推进了一步。

3. 鼓舞人心的党的建设工作新局面。

进入新世纪，加强党的建设一定要高举邓小平理论伟大旗帜，紧紧围绕贯彻党的基本路线和全党全国工作的大局，认真落实党要管党、从严治党的方针，把思想政治建设放在首位，以领导班子建设和基层组织建设为重点，抓住机遇，乘势而上，努力开创党建工作的新局面。

第一，大力加强党的思想政治建设。党的建设最根本的是思想政治建设，“三讲”教育的实践表明：抓党的建设，首先必须抓党的思想政治建设，这是做好党的建设各方面工作的前提和基础。加强党的思想政治建设，必须推动理论学习和理论研究工作向广度和深度发展，要继续抓好用马列主义、毛泽东思想特别是邓小平理论武装全党的工作，帮助广大党员、干部努力掌握马克思主义的科学原理和精神实质，并用于指导自己的实际工作。

第二，适应新形势新任务的需要，进一步加强领导班子和干部队伍建设。各级党委要充分认识提高各级领导干部素质的极端重要性和紧迫性，不失时机地做好干部教育和培训工作，努力在提高领导班子和干部队伍整体素质上取得新的进展。抓紧培养选拔优秀年轻干部；加强领导班子建设，建设高素质干部队伍，进一步加快干部人事制度改革的步伐，着重抓好《深化干部人事制度改革纲要》的贯彻落实，在选拔任用干部的工作中坚持公开、平等、竞争、择优的原则；加强领导班子建设，注意增强整体合力，特别强调抓住贯彻民主集中制这个环节。

第三，进一步加强党的基层组织建设，扩大党的工作的覆盖面，增强党组织的凝聚力。全面推进农村基层组织建设，力争经过几年的努力，使农村基层组织的整体素质再上一个新台阶。国有企业党的建设要认真贯彻十五届四中全会精神，结合深化国有企业改革和建立现代企业制度的实践，保证企业党组织在改革和发展中充分发挥政治核心作用。在非公有制经济组织中开展党的工作是一个新领域，当前首先要着力抓好建立党组织的工作。要本着有利于开展党的工作的原则，从实际出发，实行分类指导，采取灵活多样的方式，积极探索有效的工作机制。

第四，大力加强党的作风建设，进一步密切党同人民群众的联系。要深入基层，深入群众，坚决反对官僚主义。要说老实话，办老实事，做老实人，坚决反对弄虚作假；要求真务实，埋头苦干，坚决反对形式主义。必须采取一系列措施使密切联系群众的优良作风真正落到实处。

第五，坚持标本兼治，综合治理，深入扎实地开展反腐败斗争。要坚决按照中央的要求，加强对党员、干部特别是对领导干部的教育、监督和管理，针对组织制度、工作制度、管理制度等方面存在的问题和薄弱环节，建立完善监督制约机制，加大反腐败的力度。

世纪之交，在邓小平理论伟大旗帜的指引下，广东省坚持以改革的精神全面加强党的建设，研究新情况，解决新问题，创造新经验，探索新路子，坚持真抓实干，狠抓落实，提高执政本领，巩固组织根基，继续推进党的建设的伟大工程，党建工作成绩斐然，为广东省的改革、发展、稳定提供了有力的保证。

三、继续推进党建新的伟大工程

随着改革开放的深入和社会主义市场经济的发展，我国进入全面建设小康社会、加快推进社会主义现代化进程的新的发展阶段。一方面，国内环境发生重大变化，社会经济成分、组织形式、就业方式、利益关系和分配方式日益多样化，新事物、新问题层出不穷；党和国家事业的发展，党的队伍状况发生重大变化，新党员大幅度增加，干部队伍新老交替不断进行，一大批年轻干部走上领导岗位，党面临着许多新情况、新考验。同时，随着冷战结束、经济发展和科技进步，国际环境发生重大变化，综合国力竞争日趋激烈，各种矛盾错综复杂，各种思潮相互激荡。这些深刻变化既带来机遇，也带来挑战。在新的历史条件下，我们党如何加强自身建设，是一个需要全党同志特别是党的高级干部深刻思考的重大课题。新世纪初的广东改革开放和现代化建设正处在一个新的发展起点上，面临着新机遇、新挑战、新任务，如何确保广东全面发展，加快率先基本实现社会主义现代化的步伐，在全面建设小康社会的进程中更好地发挥排头兵作用，“三个代表”重要思想作为统领全局、贯穿各项工作的根本指针，是广东更好地发挥排头兵作用的强大理论武器，是调动和凝聚全省人民力量，推动广东全面发展的持久动力。

（一）把握“三个代表”重要思想

2002 年 2 月，江泽民同志在广东考察工作期间，在听取了广东省委常委的工作汇报后发表重要讲话，指出：总结我们党 70 多年的历史，可以得出一个重要的结论，这就是：我们党所以赢得人民的拥护，是因为我们党在革命、建设、改革的各个历史时期，总是代表着中国先进社会生产力的发展要求，代表着中国先进文化的前进方向，代表着中国最广大人民的根本利益，并通过制定正确的路线方针政策，为实现国家和人民的根本利益而不懈奋斗。

2002年7月，江泽民同志在庆祝中国共产党成立80周年大会上发表重要讲话，讲话全面回顾和系统总结了我们党80年的光辉历程和基本经验，围绕在新的历史条件下建设一个什么样的党和怎样建设党这个基本问题，深刻阐述了“三个代表”重要思想的科学内涵。“三个代表”重要思想是对马克思列宁主义、毛泽东思想、邓小平理论的继承和发展，是加强和改进党的建设的强大理论武器，贯彻“三个代表”重要思想，关键在坚持与时俱进，核心在坚持党的先进性，本质在坚持执政为民。“七一”讲话进一步阐明了党在新世纪的历史任务和奋斗目标，是一篇马克思主义的纲领性文献，对进一步做好党和国家的各项工作，具有重大而深远的意义。

2003年5月31日，江泽民同志在中央党校又一次精辟阐发了“三个代表”这一重要思想，提出了许多新观点，进一步深化和拓展了“七一”讲话的内容，丰富了“三个代表”重要思想的内涵。江泽民指出，按照“三个代表”的要求抓党的建设，同新时期党的建设这一新的伟大工程的总目标总要求是一致的。推进党的思想建设、政治建设、组织建设和作风建设，都应贯穿“三个代表”的要求。要做到“三个代表”，关键在于建设一支能够适应新形势新任务新要求的高素质领导干部队伍，特别要培养和选拔好跨世纪担当重任的一批接班人。“三个代表”进一步回答了建设一个什么样的党和怎样建设党的问题，是在新的历史条件下，解决党的建设的两大历史性课题，永远保持党的先进性、战斗力和创造力的行动指南。

改革开放以来，我们党面临的环境、所处的方位、担负的任务和党员干部队伍的状况发生了很大变化。党历经革命、建设和改革，成为对外开放和发展社会主义市场经济条件下领导国家建设的党；党员数量大幅增加，大批年轻干部走上领导岗位。这种变化和挑战，既给党的发展带来了新的活力，也给党自身的建设提出了新的课题。以江泽民同志为核心的党的第三代中央领导集体在邓小平理论指导下，坚持从严治党，大胆实践，勇于创新，继续推进党的

建设新的伟大工程，“三个代表”重要思想就是党的第三代中央领导集体在继续推进党的建设新的伟大工程的过程中所取得的最新最突出的理论成果。“三个代表”重要思想在党的十五大规定了新时期党的建设的总目标的基础上更加明确地指出，我们建设党，根本上就是要把党建设成为能够始终代表中国先进生产力发展要求、代表中国先进文化前进方向、代表中国最广大人民根本利益的党。“三个代表”重要思想与马克思列宁主义、毛泽东思想和邓小平理论是一脉相承的，是马克思主义理论的新发展，是马克思主义中国化的最新成果。这一重要思想反映了当今世界和中国的发展变化对党和国家工作的新要求，是顺应时代发展、社会进步和加强党的自身建设的要求提出的新理论、新阐述、新概括，从根本上解决了在新的历史条件下建设一个什么样的党和怎样建设党的问题，是我们党的立党之本、执政之基、力量之源，是新时期党的建设的伟大纲领，是加强和改进党的建设、推进我国社会主义制度自我完善和发展的强大理论武器和行动指针。

（二）“三个代表”重要思想的贯彻

“三个代表”重要思想是加强和改进党的建设的根本指导思想。“三个代表”重要思想把党的建设新的伟大工程和中国特色社会主义伟大事业紧密联系起来，形成了新的历史条件下加强党的建设的指导思想，成为新形势下全面加强党的建设的伟大纲领。

1. 加强党建的新指针。

2000 年 7 月，广东省八届五次全体会议在广州举行。全会主要议题是，认真学习江泽民同志“三个代表”重要思想，分析我省改革开放、现代化建设和党建工作面临的新形势，研究如何按照“三个代表”的要求抓好我省党的建设和现代化建设各项工作。中共中央政治局委员、省委书记李长春在会上作重要讲话；省委副书记、省长卢瑞华，省委副书记黄丽满、刘凤仪就学习贯彻“三个代表”重要思想问题作专题发言。全会审议通过了《中共广东省委关于深入学习贯彻江泽民同志“三个代表”重要思想的决议》。

“三个代表”重要思想是我们党的立党之本、执政之基、力量之源，是江泽民同志在世纪之交的关键时刻，着眼我国改革开放和现代化建设的全局，继承历史，立足现实，前瞻未来作出的精辟论断；是深刻总结我们党近80年的历史经验和世界社会主义运动历史经验，紧密联系党面临的新形势作出的科学结论；是对党的性质、宗旨和历史任务的新概括，对马克思主义建党学说的新发展，对各级党组织和广大党员的新要求。“三个代表”集中体现了党的根本性质和社会主义的本质，具有丰富的思想内涵。只要我们始终坚持“三个代表”重要思想，就一定能够经受住各种复杂考验，把建设有中国特色社会主义的伟大事业不断推向前进。全省各级党组织和广大党员要把认真学习、深刻领会、全面落实“三个代表”重要思想作为一项事关全局的根本任务。各级党组织要加强对学习的领导，主要负责同志要亲自抓，带头学，要精心组织，周密安排，紧密结合实际，注重学习实效。

全省要在率先基本实现现代化的实践中落实“三个代表”重要思想。努力“增创新优势，更上一层楼，率先基本实现社会主义现代化”，这是党中央和江泽民同志对广东的殷切希望，是7000多万广东人民的共同心愿。努力实现这个宏伟目标，体现了“三个代表”的要求，必须以此作为全省今后一个时期的总目标、总任务。坚持以经济建设为中心，促进国民经济持续、快速、健康发展。大力建设有中国特色社会主义文化，促进文明法治环境的形成。始终坚持“两手抓，两手都要硬”的方针，把加强思想政治工作和精神文明建设摆在更加突出的位置。在实践中贯彻“三个代表”重要思想，必须切实转变工作作风，认真落实省委《关于切实加强调查研究的决定》和《关于建立健全县、镇（乡）党政领导干部密切联系群众若干制度的意见》。

按照“三个代表”的要求切实加强党的建设，扎扎实实抓好“三讲”教育，把广泛深入地开展“三讲”教育作为党面向新世纪加强自身建设的一项重大举措和长期任务。切实加强各级领导班子建设，造就一支高素质的领导干部队伍。大力加强党的基层组织建

设。坚持从严治党，进一步加强党风廉政建设，继续加大反腐败斗争的力度。

“三个代表”重要思想是指导新时期农村基层党组织建设的行动指南，省委要求按照“三个代表”重要思想加强党的建设，切实把农村基层党组织建设成为实践“三个代表”重要思想的坚强堡垒。各级党组织要以扎实的工作态度和作风，抓好农村基层党组织建设，提高农村基层干部队伍的政治素质，认真选好配强乡镇领导班子，建设好村党支部，理顺党支部与村委会的关系，充分发挥村党支部在农村工作和基层组织中的领导核心作用。在农村党员、干部中，深入开展“两思”教育和“三个代表”重要思想教育，要求党员富了不忘群众，牢固树立帮扶意识，真正代表最广大人民的根本利益。要求建立健全农村党员挂钩联系群众的制度，着重从资金、技术等方面进行扶持，帮助群众发展生产、科技致富，使农村党员真正身体力行“三个代表”重要思想，在农村各项工作中发挥先进性。在“三个代表”重要思想的指导下，农村基层党组织书记的选拔、培养，党员队伍的教育和管理，制度建设和典型引路工作成为农村基层党组织的工作重点，按照一类党组织上水平、二类党组织登台阶的工作，提出了三类党组织转化的措施，使后进党组织的比例不同程度地降低。在狠抓农村基层党建工作的基础上，还把农村党建工作作为考核领导班子的重要内容，把基层党建工作的好坏作为考核各级党委主要成员工作实绩的重要依据。“三个代表”重要思想对于如何发挥农村党组织和党员的作用进行了很好的说明，对农村基层党组织如何体现时代性，提高农村基层党组织的战斗力、影响力，提升农村基层党组织的整体水平提出了更高要求。

省八届五次会议号召，全省各级党组织要认真学习领会、全面贯彻落实江泽民同志“三个代表”重要思想，广大党员要身体力行、带头实践“三个代表”的要求，做自觉贯彻执行党的基本路线的表率，做加强学习、坚定理想信念的表率，做弘扬社会主义先进文化的表率，做廉洁奉公、拒腐防变的表率，为我省率先基本实

现社会主义现代化而努力奋斗。中共广东省委八届五次会议要求按照“三个代表”的要求切实加强党的建设。扎扎实实抓好“三讲”教育。把广泛深入地开展“三讲”教育作为党面向新世纪加强自身建设的一项重大举措和长期任务。

2. 改进党的作风建设。

江泽民指出：“抓住作风建设，就抓住了新形势下全面推进党的建设一个十分重要的环节，抓住了提高党的领导水平和执政水平，提高拒腐防变能力和抵御风险能力的一个十分重要的切入点。”[①] 作风建设是全面推进党的建设一个十分重要的环节。加强和改进作风建设是落实“三个代表”重要思想、保持党的先进性的必然要求。2001 年 9 月，党的十五届六中全会召开，会议全面分析了进入新世纪党面临的新形势新任务，认为加强党的作风建设是适时和必要的，全会着重研究了加强和改进党的作风建设的若干重大问题，审议通过了《中共中央关于加强和改进党的作风建设的决定》。

世纪之初，我国已进入全面建设小康社会、加快推进社会主义现代化的新的发展阶段，党所处的国内外环境和党的队伍状况都发生了重大变化。党要团结和带领全国各族人民，继续推进现代化建设，完成祖国统一，维护世界和平与促进共同发展，就必须始终代表中国先进生产力的发展要求，代表中国先进文化的前进方向，代表中国最广大人民的根本利益，围绕提高党的领导水平和执政水平、提高拒腐防变和抵御风险能力这两大历史性课题，全面推进党的建设新的伟大工程。《决定》明确了新形势下加强和改进党的作风建设的指导思想、主要任务和具体措施，提出必须按照“八个坚持，八个反对”的要求，紧紧围绕保持党同人民群众血肉联系这个核心问题，把党的作风建设提高到一个新的水平。

作风建设是党的建设的重要组成部分。我们党历来高度重视作风建设，在长期革命和建设的实践中，形成并坚持发扬了理论联系

---

① 江泽民：《论党的建设》，中央文献出版社 2001 年版，第 531 页。

实际、密切联系群众、批评与自我批评等优良作风。现在，党的作风总的是好的，但也存在一些亟待解决的问题。全会要求全党同志要居安思危，增强忧患意识，充分认识加强和改进党的作风建设，是全面贯彻党的基本理论、基本路线、基本纲领和实践“三个代表”重要思想的迫切需要，是开创改革开放和现代化建设新局面的必然要求，是党永远立于不败之地的重要保证。当前和今后一个时期，要抓住重点，集中解决党的思想作风、学风、工作作风、领导作风和干部生活作风方面的突出问题。

加强和改进党的作风建设，必须把思想作风建设摆在第一位。坚持解放思想、实事求是的思想路线和思想作风，是党顺应时代进步潮流、永葆先进性的根本要求。加强和改进党的作风建设，核心问题是保持党同人民群众的血肉联系。全会强调，坚持任人唯贤，是加强和改进党的作风建设的组织保证；加强和改进党的作风建设，要服务大局整体推进，从严要求，标本兼治。坚持一靠教育，二靠制度，从源头上预防和治理各种不良作风。

为传达学习党的十五届六中全会精神，中共广东省委举行常委会议，联系广东省实际，研究贯彻落实的意见。中共中央政治局委员、广东省委书记李长春主持会议并作了讲话，省委常委、副省长以及省人大党组主要负责同志参加了会议。常委会议认为，在进入新世纪的第一年，党中央召开全会，分析我们党面临的新形势新任务，着重研究并就加强和改进党的作风建设作出《决定》和重大部署，非常及时，十分必要，意义重大。为更好学习贯彻六中全会精神，省委提出：一是立即在全省掀起学习六中全会精神的热潮。省委常委要带头学，要在这次学习的基础上继续深入学习，省人大常委会、省政府、省政协党组也要分别带头学，各级党委都要带头学。二是省委将召开省委全会，进一步学习六中全会精神，研究广东贯彻落实的意见和措施。三是联系广东实际认真抓好贯彻落实。重点是要在加强思想教育，提高认识，明确方向的同时，把贯彻六中全会精神与解决群众关心的实际问题结合起来，切实为群众办好事、办实事。同时，要着眼根本和长远，加强制度建设，促进党的

作风建设的制度化、规范化。

2001年10月，广东省八届八次全体会议在广州举行。全会认真传达学习党的十五届六中全会精神，审议通过了《中共广东省委贯彻〈中共中央关于加强和改进党的作风建设的决定〉的意见》。

党的十五届六中全会通过的《中共中央关于加强和改进党的作风建设的决定》，以“三个代表”重要思想为主线，以邓小平理论和江泽民“七一”重要讲话精神为指导，着眼于党面临的新形势新任务，实事求是地分析了党的作风建设的现状，明确提出了加强和改进党的作风建设的指导思想和主要任务，充分反映了全党和全国人民的迫切愿望，是指导党的作风建设的纲领性文件。广东省委要求各级领导干部和全体党员，一定要认真学习、深刻领会、贯彻落实好十五届六中全会精神。

广东省各级党组织努力实践“三个代表”的重要思想，高度重视党的作风建设。改革开放以来，广东省各级党组织抓党的作风建设的措施是得力的，绝大多数党员干部能够经受住改革开放和发展市场经济的考验。但同时也要看到，我省党的作风方面还存在一些亟待解决的问题。这些问题，严重侵蚀党的肌体，损害党群干群关系，影响改革发展稳定的大局。全省各级党组织和广大党员干部，要正确分析和把握我省党风建设的形势，充分认识新形势下加强和改进党的作风建设的极端重要性、紧迫性和艰巨性、长期性，坚持讲学习、讲政治、讲正气，在推进党的思想建设、组织建设的同时，把加强和改进党的作风建设摆在更加突出的位置，切实抓紧抓好，不断提高党风建设的水平。加强和改进党的作风建设的重点是，集中解决党的思想作风、学风、工作作风、领导作风和干部生活作风方面的突出问题。主要任务是，按照中央《决定》提出的要求，突出抓好“八个坚持，八个反对”。主要目标要求是，在邓小平理论和江泽民“三个代表”重要思想指引下，全面贯彻《决定》提出的指导思想、主要任务、基本要求和落实措施，紧密结合广东实际，突出重点，整体推进，从严要求，标本兼治，把思想

作风建设摆在首位，以密切党同人民群众的联系为核心，以制度建设为保证，发挥领导带头的关键作用，扎扎实实地推进我省党的作风建设，在解决突出问题上取得新的明显成效，在制度化、规范化方面取得新的明显进展，使各级领导班子、党员队伍的精神面貌和工作状态出现新的明显变化。

努力加强和改进党的作风建设，必须坚持领导带头，率先垂范，把十五届六中全会精神落到实处。广东省的具体措施体现在：一是抓领导带头。各级领导干部一定要以身作则、身体力行，当好表率，做到“六个”带头，即带头刻苦学习、带头深入群众、带头执行民主集中制、带头开展批评与自我批评、带头严明纪律、带头艰苦奋斗。二是抓学习教育。要针对我省党风建设的实际和党员干部的思想实际，通过党委中心组学习、党员民主生活会、党校培训、讲座、报告会、加强媒介宣传等形式，集中一段时间，组织全省党员干部专题学习六中全会精神。三是抓解决实际问题。凡是中央和省委明令禁止的，要立即停止。凡是有条件做到的，要马上去办。对于一些涉及面广、危害性大，特别是严重损害商业信用和对外开放形象，以及行业不正之风等问题，要进行专门整治，逐一加以解决。对于涉及全局的深层次问题，要持之以恒，常抓不懈。四是抓制度建设。重点在加强干部学习和教育、深入调查研究、密切联系群众、深化干部人事制度改革、改革完善管理体制和制度、完善监督机制和各类责任追究制度、健全党委工作规范制度等方面进一步建章立制，并认真加以实施。五是抓党风建设促各项工作。要千方百计确保 2001 年预期经济目标和任务的完成，并做好 2002 年的准备工作；进一步做好加入世贸组织的准备工作；继续推进整治两个秩序，创造良好的发展环境；做好承办九运会的各项工作，展示广东改革开放的崭新精神风貌；抓党风，促政风，带民风；把贯彻六中全会精神同抓好农村“三个代表”重要思想学习教育活动结合起来，切实抓出成效。

“三个代表”重要思想准确把握时代特征，科学判断中国共产党所处的历史方位，围绕建设有中国特色社会主义这个主题进行的理论创新，为新时期推进党的建设提出了新的要求。面向新世纪，党必须加强执政能力建设，不断提高科学判断形势的能力、驾驭市场经济的能力、应对复杂局面的能力、依法治政的能力、总揽全局的能力。认真学习贯彻“三个代表”重要思想，才能使全党始终保持与时俱进的精神状态，把发展作为党执政兴国的第一要务，不断开创中国特色社会主义现代化建设事业的新局面。抓住机遇、加快发展，是邓小平、江泽民、胡锦涛等中央领导同志对广东工作的一贯要求和殷切期望，在“三个代表”重要思想的指导下，广东狠抓发展第一要务，把“三个代表”重要思想贯彻落实到经济社会发展的各项工作中去。新世纪之初，珠三角地区继续保持强劲发展势头，粤东的经济社会发展进入新的起跑线，粤西的发展潜力正逐步显现，粤北山区经济快速起步，形势喜人。省委以“三个代表”重要思想为行动指南，抓住机遇，乘势而上，开拓进取，扎实工作，推动广东经济发展再上新台阶，社会进步上新层次，人民生活上新水平。在中央的整体部署和领导下，广东省委坚持将“三个代表”重要思想贯穿于党的建设的全过程、落实到党的建设的各个方面，实现改革开放和党的建设的有机结合、相互促进，在全面推进党的建设新的伟大工程方面交出一份优异的答卷。

第三章
经济大腾飞　党建气象新
——从十六大至今

一、面对危机彰显执政能力

十六大以来，我国处在社会转型时期。随着改革的不断深入进行和社会经济的快速发展，各种新事物不断涌现，新的问题也大量发生，我国已经进入矛盾凸现和突发事件的高发时期。从现在起的很长一段时间内，我国都将面临突发公共事件所带来的严峻考验。这些突发事件都对广大人民群众的身体健康和生命安全构成了程度不同的威胁，对社会秩序和经济建设造成了严重的影响，给中国共产党和人民政府带来了严峻的考验。如何及时有效地应对各种突发事件，尽可能地预防突发事件的发生和最大限度减少已经发生的突发事件的负面影响，是建设中国特色社会主义的现实需要，是贯彻科学发展观和构建社会主义和谐社会的必然要求，也是加强党的执政能力建设的重要内容。及时、有效地应对各种类型的突发事件，关系到党和政府在人民群众中的威信和形象，影响着我国社会稳定和经济发展。这已经成为今后一定时期内中国共产党高度重视的问题。

（一）中流砥柱抗“非典”

2003年1月2日，广东人民一个无法忘记的日子。这一天河源市向省卫生厅报告了第一个非典型肺炎的病例。2003年6月6日也是广东人民无法忘怀的日子，这一天广东省卫生厅第119号《广东省非典型肺炎情况续报》发出：广东连续20天无新病例报告，无输出性病例报告，达到了从世界卫生组织的非典型肺炎疫情公布表上除名的条件。

这场病魔是对广东省委和省政府执政能力的一场考量。它关乎面临危机事件时作为执政党所具有的洞察力、判断力、决策力和统领能力。危难当头，省委和省政府从容应对、果断决策，一项项措施“步步到位，节节领先”，发挥了中流砥柱和主心骨作用。

危机显现省委、省政府的敏锐鉴别力。

敏锐鉴别能力是指人们迅速敏捷、全面准确地分清是非的能力，是对突发事件进行鉴别、分析和判断的能力，是领导干部思想观念、政治立场、能力素质和实践经验的综合运用。对事件的敏锐的洞察力来自于对各种知识的融会贯通，是多种能力交织的结果。作为党的领导干部应对突发事件必须具备敏锐的鉴别力。广东的“非典”就是对省委和省政府主要领导人执政能力的一场考量。2003年2月7日晚，时任省委书记的张德江接到一个紧急电话，向他报告疫情。张德江书记以其高度的判断力，敏捷地作出四点口头指示：一是救人；二抓防疫；三维护正常的生产和生活秩序；四向卫生部报告。与此同时，省委副书记、省长黄华华也指示卫生厅，立刻组织调集全省卫生力量，全力救治患者，着手查找病因和病源，确保病情不再扩散，对参加救治的医护人员做好防护措施。2月9日，广东省的书面报告送达中央。同一天卫生部副部长率专家来到广东。2月11日，省委主要领导人到省卫生厅现场办公，亲自部署抗击“非典”的方案。

危机彰显省委、省政府正确的统领力。

对史上罕见的“非典”疫情，省委特别强调我党相信群众、

依靠群众的一贯作风。省委特别指出："既然是天灾，就要发挥主流媒体的作用，把真实情况告诉群众，最大限度地减少社会恐慌。"紧接着省卫生厅、省政府相继召开新闻发布会，发布会还特别邀请了驻广东的领事馆官员参加，向社会详细公布"非典"疫情和预防知识。政府发布的准确信息传达到海内外，关键时刻起到了稳定民心的作用。2月12日傍晚，受境外传媒和伊拉克局势的影响，广州以及周边地区又开始了抢购大米、食盐、食油的风潮。省委当即作出部署，要求新闻媒体进行正面宣传，做好思想工作，有关部门确保物资的供应。13日晚，省委接到了胡锦涛总书记和温家宝总理的重要批示，连夜召集在深圳的省委主要领导召开特别省委常委会议，对维护全省社会稳定和认真搞好"非典"防治工作做了部署。省政府10个工作组先后奔赴全省各地，新闻单位发挥主渠道作用，立刻辟谣，抢购风很快停止。

危机中显现省委、省政府决策力。

"非典"蔓延时，全国很多并没有发生疫情的地区开始停课、停工。但广东省领导在广泛听取专家意见，认真分析有关情况后，得出结论："非典"在潜伏期不传染，只要落实好防疫措施，"非典"可防、可治不可怕。基于科学的分析后，广东省委独创了不停产、不停市、机关不停止办公，创造了一个奇迹：一个人口如此庞大的省份，"非典"疫情最严重的灾区，居然一切如常，这不能不让世界刮目相看。更为重要的是"四不停"进一步稳定了人们的恐慌情绪，对整个国家的稳定也起到了良好的作用。广东省委、省政府本着科学的精神对人民负责、科学判断，创造了风险决策的奇迹，突显了共产党危机化解的能力。省委、省政府正视困难，千方百计克服困难，努力在不利的境遇下探寻发展的路径。2003年春天的广交会，省委、省政府的领导亲自督阵，就防治"非典"疫情的措施再次作出部署，时刻关注交易会情况。这次广交会实行会内交易和会外交易相结合，仅广东团成交金额就达32亿美元。在党的正确领导下，2003年第一季度全省GDP达3627亿元，比2002年同期增长12.8%。"沧海横流，方显英雄本色。"在这场没有硝烟的战斗中，全省人民在看不见的战场上，与看不见的敌人进行了激烈的厮杀，展示了惊心动魄的战斗画卷，谱写了可歌可泣的英雄壮歌，铸就了感天动地的抗非精神。这是一种临危不惧，沉着应对的精神；实事求是，尊重科学的精神；无私奉献，顽强拼搏的精神；万众一心，敢于胜利的精神。

（二）突发事件赢民心

突发事件新闻宣传工作关系到社会稳定和人心安定，关系到人民群众的根本利益，关系到党和政府在人民群众中的威信。当公共危机出现后，公众往往强烈要求了解事情的真实状况，党和政府是公共问题的信息源，具有权威性。为了避免信息在传播过程中被歪曲，省委和省政府及时、真实地提供信息，争取公众的配合，尽快解决问题，维护社会稳定，树立党和政府的形象。危机信息的公开和披露，一方面及时、清楚地向公众公开危机的真实情况，使公众成为危机的知情者和处理者，既把谣言拒之门外，又尊重了民众的知情权；另一方面，由于省委和省政府告知了公众政府处理危机的方式、存在的困难，让公众也明确自己要担负的职责，使大灾面前党和政府的公共危机管理争取到了社会的支持。

从五年前抗击“非典”开始，到2008年的抗击冰雪，广东就越来越重视突发重大事件的信息发布。省委、省政府特别强调，一定要加强信息发布，让群众及时了解真实情况，安抚稳定他们的焦躁情绪。2008年春运期间，天气变化、车次预告、温馨提示等通过电波、手机短信传递到每一个角落，从根本上铲除谣言产生的土壤。

党的领导：中流砥柱破冰尺

冰雪连天，心系群众

2008年的春节牵动了广东和全国人民的心。80年一遇的极端气象灾害，让年年都面临春运大考的广东雪上加霜：京珠高速冰封，京广铁路中断，成千上万的人被滞留在火车站、公路上。新春

佳节在即，面对火车站几十万人流，公路上阻塞的老人孩子，这一切让经历过“非典”考验的省委和省政府又面临着又一重大难题。在大灾大难面前，党的领导发挥了中流砥柱的作用。党中央和省委沉着应对、科学决策、靠前指挥，展示了驾驭复杂局面的高超能力，各级党组织执行有力，党员干部冲锋在前，赢得了威信，赢得了民心。

重大突发性事件往往新发问题多，临时变化快，仅仅有正确的应对方向和方针还不够，需要领导干部在执行组织决定的过程中，根据实际情况，制定出有效的具体措施，保证正确方针的贯彻落实。同时，在执行操作中，要不怕繁难，深入一线，随时掌握新情况、新动向，保证应对及时得当。这次雪灾中，上至总书记，下到基层领导都亲临问题第一线，为赢得这场斗争的胜利起到了决定性作用。灾难来到时，总书记在广西当起“搬运工”，与执行任务的官兵一起将救灾物资搬上飞机；总理在贵州踏着冰雪，登山慰问正在抢修电网的工人。在广东，总理在火车站充满感情的问候话语温暖着人民的心。

首先，面对危机党的关怀和始终正确的领导。胡锦涛两次主持召开中央政治局会议和常委会议研究抗灾，温家宝总理两下湖南、奔赴广东指导抗灾。党中央、国务院一声令下，国家发改委、公安部、民政部、铁道部、交通部、民航总局、国家电监会等部委对包括广东在内的受灾地区倾力相助，中石化、中石油、南方电网等央企启动应急预案，无条件确保广东春运用油用电……省委、省政府沉着应对。省委两次召开常委会议，学习贯彻中央关于抗灾救灾工作的精神和温家宝总理考察的重要指示精神，对抗灾救灾作出正确、及时的部署，发出《告全省人民书》，号召全省人民行动起来，努力夺取抗灾救灾工作的全面胜利。中共中央政治局委员、省委书记汪洋和省委副书记、省长黄华华五天里三到广州火车站，并分赴东莞、深圳等地指导春运。1 月 31 日，随着京广线逐步恢复通车的消息传开，短短 20 多小时就有 20 多万人回流广州站。当天下午，汪洋主持召开省委常委会研究对策。从会场出来，他又赶往珠岛宾馆，参加一年一度的港澳知名人士座谈会。落座时，汪洋说：“现在我人坐在这里，心却在春运一线。”当晚8时许，他就冒雨赶到东莞东火车站。2月2日晚8时许，汪洋、黄华华顶着寒风，来到京珠北云岩服务区抗灾指挥部，召开专门会议研究措施。正是依靠党的正确领导，广东才从容应对，稳定大局，一举夺取抗灾救灾工作的全面胜利。京珠北——南北公路交通的咽喉，1.15万辆车、3.5万旅客被困，必须尽快打通。省委、省政府立下军令状，副省长佟星一直坐镇一线，全力破冰。鏖战11天，反复破冰600公里，壮举的背后，一串数字令人惊叹：省交通厅成立京珠北除冰组，出动人员4.2万人次；公安干警4000人上路疏导交通、维护治安。广州军区40多位将军参加战斗，3.7万大军上阵增援。一方面最大限度恢复运力，一方面挽留外来务工人员留粤过年，减轻春运压力。省委、省政府第一时间就作出了尽量挽留外来劳工在粤过年的决策。《省委、省政府告全省人民书》“诚恳地希望大家正视现实困难，留在广东、留在这片洒下了你们辛勤汗水的地方，过一个特别的春节”。“留下来吧，广东也是你的家。”省委、省政府拿出切实举措，安排好留粤人员春节期间的物质文化生活，比如减免外来工逛公园、景点的门票，街道摆年饭，企业发红包等等。据统计，仅2月5日至8日，全省景区减免外来工门票2200万元。真诚挽留，换来外来工的理解支持，逾1300万人留了下来，创下广东春运史的纪录。省委和省政府还千方百计保证煤电油运及生活资料的供应，尤其保障群众生活用电和重点地区、重点部门、重点行业的用电安全，稳定物价，加强治安，让老百姓过上一个快乐祥和的春节。

活跃在困难一线的各级基层党组织

党的坚强领导，必须通过各级党组织的强大执行力来实施，通过强大的组织动员能力来实现。在这次抗击雨雪冰冻灾害的战斗中，各级党组织坚决执行抗灾指令，领导干部和共产党员冲锋

在前。

在韶关，市委、市政府主要领导现场办公。市党政班子成员每天都有人24小时在现场值班，全力做好路面融冰、车辆分流、人员救助、安全宣传等各项应急工作。乐昌市组织835个党支部，出动6000多名党员，发放方便面、饼干、矿泉水等物资24100多箱，衣被近万件。在广州，市委书记、市长亲自在春运指挥中心指挥救灾。全市每天有约3万名党员，开展志愿服务活动。市公安局从机关抽调大批党员干部充实到一线，每天有6000名警力奋战在春运一线。在深圳，市领导将春运和春节期间保障工作办公会开到火车站。全市有8万多名党员投入旅客疏导、外来工留深过年安置、困难党员群众帮扶慰问工作中，为他们办好事实事超过1万件。东莞作为广东外来人口集聚最多的地方，市委、市政府作出决定：任何企业不得以任何理由拒绝本厂员工回厂，对已解除合同的员工由各镇（街道）和村（社区）负责安置……多管齐下，留下大批外来工。市领导与留下来的外来工一起包饺子、吃年饭，为他们中的新人举行集体婚礼，当证婚人。各有关部门的基层党组织也成为攻坚克难的坚强核心和战斗堡垒。广铁集团采取得力措施尽快恢复运力，抽调员工巡查线路，组织5000多名火车司机顶风冒雪，连续作战牵引列车。省国资委号召各省属企业在两小时内组织了100多支服务队，奔赴公路沿线，设立数十个服务点，捐赠御寒物品3万多件，饮料、食品80多吨。①

二、关乎执政党生死存亡问题

（一）保持党的先进性——提高党员素质的有效途径

加强党的先进性建设是工人阶级政党建设的永恒主题，也是未

① 段功伟、徐林：《党的领导：中流砥柱破冰尺》，《南方日报》2008年2月14日。

来世界政党发展的方向和必然选择。中国共产党是中国工人阶级的先锋队，是中国人民和中华民族的先锋队。作为代表中国先进生产力发展要求、代表中国先进文化前进方向、代表中国最广大人民根本利益的中国共产党，必然要与时俱进搞好自身建设，以保持党的先进性。党的先进性有三个具体要求：一是坚持党的先进性是坚持“两个先锋队”，把阶级性和群众性统一起来。二是党的先进性必须建立在马克思主义科学理论之上，理论上的先进是党的先进性的根本保证。三是党的先进性必须符合时代要求。

中国共产党是一个13亿人口大国的执政党。共产党在中国执政是历史的选择，是人民的选择。执政为民是时代的要求，人民的要求。而在新的历史条件下继续保持党的先进性，关系到党的执政能力的提高和执政地位的巩固，关系到党和人民事业的兴旺发达和国家的长治久安。

党的先进性是通过党员的先锋模范作用来体现的。当前我们社会正处于转轨时期，党在新形势下的任务对保持党员的先进性提出了更高的要求。这就必然要求全体党员适应这样的要求，在处理各项事务中发挥党员的先锋模范作用。但是，在党员队伍中也存在着与保持先进性的要求不相适应的情况。一些党员理想信念动摇，党员意识和执政意识淡薄，带领群众前进的能力不强，难以发挥先锋模范作用。一些党员干部事业心和责任感不强，思想作风不端正，工作作风不扎实，脱离群众的问题比较突出。一些党员理论水平不高，解决复杂矛盾的能力不强，有的甚至以权谋私、腐化堕落。一些党的基层组织凝聚力、战斗力不强，有的甚至软弱涣散、不起作用。这些情况的存在严重干扰了党领导的社会主义现代化事业的顺利进行。党的十六届四中全会提出在全党开展以实践“三个代表”重要思想为主要内容的保持共产党员先进性教育活动。这是用“三个代表”重要思想武装全党的重要举措，是提高党的执政能力、巩固党的执政基础、完成党的执政使命的重要举措。先进性建设可以是经常地、日常地进行，也可以集中一段时间、集中要解决的问题进行。坚持经常性教育与适当的集中教育相结合是我们党一

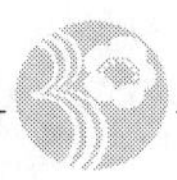

条极为成功的经验。

中共中央提出保持先进性要求后，处于改革开放前沿的广东很快出台了一系列的意见、措施、办法。按照中央的部署实行三个阶段的保先。把开展“三有一好”活动作为“提高党员素质”的载体；把固本强基工程和“十百千万”干部下基层驻农村作为“加强基层组织”的载体；把“十项民心工程”作为“服务人民群众”的载体；把“四个建设”（建设经济强省、文化大省、法治社会、和谐广东）作为“促进各项工作”的载体。这“四个载体”是广东省先进性教育活动的特色和亮点，对于找准和把握中央精神与广东省实际的结合点，扎实开展先进性教育活动，取得实效，具有十分重要的意义。广东着重从“四个载体”上找思路、找办法，使先进性教育活动与中心工作、日常工作紧密结合起来，把先进性教育活动的目标放到一个大平台上加以推进和落实，力求把教育活动搞出特色、搞出成效来。

提高党员素质的“四有”途径。广东在第一批保持共产党员先进性活动中，结合开放的前沿这一实际具体提出共产党员必须做到“有理想、有责任、有能力、形象好”（三有一好），胸怀全局、心系群众，奋发进取、开拓创新，立足岗位、无私奉献，充分发挥先锋模范作用，团结带领广大群众前进，不断为改革开放和社会主义现代化建设作出贡献。

广东省委希望通过“保先”活动达到提高全体党员素质，做到“三有一好”与时代发展同步，与群众感情交融，与责任义务相称，坚定共产主义理想，增强执政为民责任 ，提高促进发展能力，树立干净干部形象。其次，加强基层组织建设，加大力度推进固本强基工程，进一步巩固党执政的组织基础。组织“十百千万”下基层驻农村，通过“三查两建一发展”切实解决农村基层组织存在的问题，带领群众发展经济，奔小康致富。扩大党的工作覆盖面，街道社区党建工作切实得到加强，非公有企业“两个有”比例不断提高，机关、国有企业、学校及其他领域党建工作进一步得到增强。再次，建设和谐的广东。依法及时处理群众反映的问题，

确保群众合理的利益和要求得到妥善处理和解决。全心全意为人民服务，改进工作作风，真正做到权为民所用，情为民所系，利为民所谋，密切党群、干群关系。积极投身"十项民心工程"，做群众的贴心人，促进各项工作的顺利进行。

广东省委坚持联系实际，抓好学习培训。首先，针对党员的思想实际，针对部分党员存在的"无关论"、"重复论"、"无用论"思想，各地各单位把思想发动与学习培训结合起来，通过党组织主要负责人作动员、讲党课，邀请专家学者办讲座、做辅导，组织优秀党员作事迹报告，使党员走出认识误区，营造让党员动起来、学起来的良好环境。其次，联系党员工作生活实际，针对党员工作岗位、生活环境和条件各异的状况，全省开展"百万党员大讨论"、省直机关开展"百名厅局长谈党员先进性"活动，既提高了学习效果，又明确了各行各业党员保持先进性的具体要求；针对流动党员、离退休党员以及出国、下岗、危重病党员的实际情况，采取送学上门、打电话、结对子帮学、发短信和电子邮件等形式，力争使学习覆盖到每个党员；为了满足在职党员利用业余时间学习的需要，省委先进办开设网上电影频道，党员可以在网上免费观看革命故事片和党员教育片。据统计，第一批有101.4万党员参加了学习和培训，占应参加党员的99.8%；其中省委常委组织了9次集体学习，集中学习时间达48学时。

第一，坚持"情为民所系，权为民所用"。执政为民是马克思主义政党执政后的根本原则和执政本质。共产党执政规律深刻揭示：坚持为人民执政，坚持为人民执好政，党才能保持和巩固自己的执政地位，才能保持自己的先进性。在广东省保持共产党员先进性活动中，省委各级领导始终把执政为民放在首位。在第一批先进性教育中始终把民意放在第一位。各地各单位坚持开门搞教育，通过座谈会、发放征求意见表、在新闻媒体上发布通告和面访、下访、回访、信访、函访等多种方式，广开言路听民意。有的地方和单位通过开设"百姓论坛"、"百姓心声站"、"群众评议机关作风"等形式听取意见。下基层驻村干部走访了100多万农民群众，收集

了多方面的意见和建议。全省公安系统开展了“构建和谐警民关系——访万民听心声活动”，组织了10.4万名干警，走访18多万户居民听取意见。各地召开座谈会7.7万多场，发放征求意见表178万多份，征集到的意见建议113万多条。在整改阶段，各级党组织把群众意见最大、最希望办、能够办好的事情作为整改工作的着力点。

第二，用好“四个载体”，全面落实四个目标。广东省选取有效载体，整体而不是单一地落实“提高党员素质、加强基层组织、服务人民群众、促进各项工作”。这四项目标，确保先进性活动取得进展。一是把开展“三有一好”教育活动作为载体，提高党员素质。从2007年开始，广东省在党员中开展“三有一好”教育活动，要求党员做到有理想、有责任、有能力、形象好。胡锦涛总书记来广东视察时说“这个‘三有一好’提得好!”开展教育活动以来，各地各单位结合自身实际情况和行业特点，开展了“党员示范岗”、“争当岗位能手”、“访民情、解民困”、“结对子、送温暖、受教育、促和谐”等主题实践活动。有的地方和单位开展“接受传统教育、弘扬革命精神”、“争创三有一好，永保先进性”等主题鲜明的党日活动。卫生系统开展了“百万党员救治百名特困病人”活动，全省430多家医疗卫生单位、3.3万名党员参加，已救治特困病人6.2万多人。在教育活动中，涌现了勇斗抢劫歹徒牺牲的郑爱民，在扑救山火中不幸遇难的吉锡坤、吉俊锋，为了党和人民的事业鞠躬尽瘁的郭春园、廖绍秀等等。二是把固本强基和“十百千万”干部下基层驻村作为载体，加强基层组织建设。三是把“十项民心工程”作为载体服务人民群众。“十项民心工程”从2003年开始实施，成效显著。四是把“四个建设”作为载体，促进各项工作，把广东建设成为经济强省、文化大省、法制社会、和谐广东。2005年2月5日，新华社《国内动态清样》第324期刊登《广东选取有效载体推进保持先进性教育活动》一文，中共中央政治局委员、书记处书记、中组部部长贺国强同志作了重要批示，指出“广东选取有效载体推进保持先进性教育活动的做法很

好，使教育活动做到虚实结合、工农结合、干群结合，确保先进性教育取得实效”。

（二）固本强基——加强基层党组织的有效办法

加强党的执政能力的建设，是党的十六大提出的全局性、战略性和根本性的重大课题，是共产党的一项根本建设措施。胡锦涛总书记指出：“我们党是执政党，党的各方面建设，最终都应该体现到提高党的执政能力上来，体现到巩固党的执政地位上来。”党的十六届四中全会《中共中央关于加强党的执政能力建设的决定》进一步指出：“提高党的执政能力，关键在于搞好党的建设，不断增强党的创造力、凝聚力、战斗力。”党的基层组织建设是党的组织建设的重要组成部分，与党的执政能力建设息息相关。正是由于党的基层组织的战斗堡垒作用，才使我们党成为朝气蓬勃富有战斗力的队伍。党的基层组织是党执政的基石。只有基层组织的战斗力增强，党的执政地位才有坚实的地位和保障。

2003年3月，广东省委九届三次全会正式通过《中共广东省委关于实施固本强基工程全面推进党的基层组织建设的决定》，提出集中三年时间，在全省实施固本强基（“固为民之本，强执政之基”）工程，全面提高党员队伍素质，全面提高基层党组织的创造力、凝聚力和战斗力，使全省基层党组织政治更加坚定、组织更加坚强、作风更加务实、制度更加完善，真正成为实现党的事业的组织者、推动者和实践者。决议通过不久，胡锦涛总书记亲临广东视察，称赞为“看得准，抓得好”，并要求广东加强和改进基层党建工作，使基层党组织成为贯彻“三个代表”重要思想的组织者、推动者和实践者。

基层组织中的核心是党的领导干部。现代政党都十分重视党组织内部发现和培养骨干，并向政府部门输送本党精英。列宁曾经在十月革命胜利后不久就提到：“要研究人，要寻找能干的干部。现在关键就在这里；没有这一点，一切命令决议只不过是些肮脏的废

纸而已。”[①] 毛泽东早在延安时期已经认识到干部对革命事业的重要性，他在党的苏区代表大会上指出：“指导伟大的革命，要有伟大的党，要有许多最好的干部。”[②] 党员、党的干部队伍和党的各级基层组织是贯彻和落实党的路线、方针和政策的主体，是社会主义建设的组织者、推动者和领导者，是党的执政能力的体现者。加强党的执政能力的建设首先就要加强干部队伍建设。张德江同志讲固本强基工程的内涵，就是固为民之本，强执政之基。作为执政党，要巩固自己的执政地位，要长期执政，最根本的就是抓民心、顺民意，赢得人民的支持和信任。政党的阶级基础和群众基础，是政党赖以生存和发展的依托和条件。从中国的实际来看，中国共产党是为最广大人民利益奋斗的党，邓小平强调把人民“拥护不拥护”、“赞成不赞成”、“高兴不高兴”、“答应不答应”作为评价各项工作的准则。马克思主义认为，人民群众是推动社会历史发展的动力。社会发展的决定因素，是物质资料的生产方式，而生产方式的主体是人民群众。社会发展的历史首先是生产发展的历史，是从事生产劳动的人民群众的历史。正是人民群众在历史进程中的主体地位决定了政党的生存与发展和人民群众的拥护和支持是分不开的。人民群众是政党的力量源泉和胜利之本。政党作为一定阶级、阶层和社会集团利益的代表者，只有拥有坚实的阶级基础和广泛的群众基础，党和党领导的事业才能兴旺发达。

1. 抓灵魂夯实党的思想基础。

创新学习方法，开辟学习论坛，理论中心组学习制度不断健全。省委常委带头学习理论，带头到基层讲课、过组织生活，带头到学校作形势报告，坚持每月举办一期“广东学习论坛”。张德江同志亲自出学习专题，亲自备课讲课，有力地推动了理论学习的深入开展。坚持把开展专题学习与专题调研活动结合起来，2003 年以来先后围绕实施“十项民心工程”、加强党的执政能力建设、构

---

① 《列宁全集》第 42 卷，人民出版社 1987 年版，第 392 页。

② 《毛泽东选集》第 1 卷，人民出版社 1966 年版，第 267 页。

建和谐广东和维护社会稳定等专题进行了深入的调研，并把学习调研的成果运用到省委的决策中。各级党委理论学习中心组结合实际，组织了形式多样的学习活动，建立健全了“一把手”抓理论学习责任制度、调查研究制度、学习考核制度。

创新主题教育，注重党性锻炼，领导干部的素质能力得到提高。紧扣思想实际，提出“追兵就是标兵，对手就是老师”，科学发展的理念更加牢固。特别是在全省广泛深入地学习贯彻胡锦涛总书记两次视察广东重要讲话精神后，联系经济建设实际，深刻认识到科学发展是全面、协调、可持续发展，不是片面追求GDP，从而更加自觉地把经济社会建设转入科学发展的轨道，坚持自主创新，实施科教兴粤战略，大力发展教育、民营经济、县域经济，推动工业化、城镇化和农业产业化，推进城乡、区域协调发展，建设文化大省，不断增强发展后劲。在全面实施党的建设新的伟大工程中，更加注重加强党的执政能力建设，着力提高统筹发展全局、驾驭市场经济和应对复杂局面的能力。广东各级党委在实施固本强基工程过程中，重点加强基层班子建设。首先培训基层党员和干部。在职干部5年内轮训一遍。为全面贯彻十六大精神，落实中央“大教育、大培训”的战略部署，在落实《2001年—2005年广东省干部教育培训规划》基础上，省委组织部提出了大力开展干部“大教育、大培训”的实施意见，对干部培训作出了总体规划。广东省干部教育培训工作突出领导干部和中青年干部这个重点，并注意扩大培训覆盖面。目前全省在职干部总数近200万人，5年内，省、市、县（市、区）三级培训机构联动，每年抽调五分之一左右的在职干部参加各种培训，共轮训40万干部。力争经过5年左右的时间，全省在职干部普遍轮训一遍。

干部可望在家上网受培训。在培训方式上，按照“重要干部重点培训、优秀干部加强培训、年轻干部经常培训、紧缺人才抓紧培训”的原则，逐步形成完备的全员教育培训格局。每年计划选派80名县处以上领导干部参加中央及国家有关部委的培训，5年选派培训400人；每年选派约2000名县处以上干部、3500名公务

员参加省委党校（广东行政学院）的培训；还要加强各培训中心和干部院校、高等院校以及各市、县（市、区）党校的培训，确保完成5年轮训一遍的任务。同时，每年省选派优秀年轻干部出国（境）培训，准备在网上开设“远程大学”，逐步将信息转接到办公室、有条件的干部家庭，实现网上在线学习，今后每年通过网上接受各种培训人员应达4万人，5年约培训20万人。为提高培训质量，增强教育的针对性，建设一批示范性培训基地。

干部培训经费列入财政预算。广东省干部培训有着严格的制度保障：规定党政机关公务员教育培训经费，必须按照培训计划列入各级财政预算安排；县处以上干部5年内必须经过累计3个月以上的党校培训，其他干部的脱产学习，每年应不少于12天；县处以上干部实行政治理论水平任职资格考试制度，未能获得资格证书的不能任新职；列为县处级提拔任用考察对象的干部，必须具备3个月以上培训资格，未达要求的应当在提任后一年内完成。

除了对县级以上的干部培训以外，省委更注意对基层干部的培训。2007年内分级、分批开展集中培训，使广大农村基层干部和党员普遍提高了政策水平，增长了知识，拓宽了视野，增强了信心，取得明显成效。

除了加大对干部的培训外，广东还创新培养选拔方式，加强实践锻炼，干部队伍整体素质不断提高。大力实施“种苗工程”，2003年在全省范围公开选拔了98名优秀年轻干部担任县级党政副职，2004年从省直单位和珠三角地区公推选拔83名优秀年轻干部担任贫困、艰苦地区的县级党政副职。每年通过公开招考，选调优秀应届大学毕业生到乡镇培养锻炼，同时注意择优选拔在基层工作2至3年以上的优秀选调生到省直机关工作。加强和改进对干部的教育培训，特别重视做好境外培训工作，从1999年起连续5年共组织了298名处级以上领导干部到国外进行为期一年的进修培训，举办了7期“高级公务员公共行政管理知识”专题研究班，举办了省属国有（民营）企业领导人员出国研修班，培养了大批具有世界眼光和战略思维、懂经营、善管理、高素质的外向型领导

人才。

2. 构建和谐社区。

和谐社会是多元社会，是利益多样化的社会，是一个有能力解决和化解利益冲突，并实现利益大体均衡的社会。建立和谐社会是我们党根据马克思主义基本原理和我国社会主义建设的实践，根据新世纪新阶段经济社会发展的新要求和我国社会发展的新特点提出的重大战略举措，是巩固执政党社会基础，实现党执政的历史使命的必然要求。社会主义和谐社会的建立固然需要各个群体的努力，但是关键在党，党的基层组织是党的执政的基础，也是社会建设的基础，在构建和谐社会中起着十分重要的作用。

从城市看，街道社区是构建和谐社会的基本单元。随着我国城镇化进程的加快发展，建设和谐社区已经成为我国和谐社会的重要组成部分，能否在城市建设和谐社区，直接关系到我国和谐社会的实现程度。街道社区党组织是党联系群众的桥梁，是社会管理的细胞，在发挥党的利益整合作用方面具有特殊的优势。基层党组织对群众的利益的直接把握，为党联系群众、代表人民的根本利益提供了便利条件。

2003 年以来广东省街道党委改为街道党工委，全省 5854 个社区中有 5697 个建立了党组织，社区党组织的覆盖面达到 97.3%，有力地带动了“六好”平安和谐社区的创建活动。深圳在社区党建中率先走在了全国的前列。2006 年 4 月 18 日，深圳宝安区新安街道驻宝民社区第一次党代表大会隆重召开，选举产生了广东省首家驻社区党委——驻宝民社区党委。在不改变各驻社区单位党组织隶属关系、不干涉其内部事务的情况下，由各驻社区党组织和党员组成联合型党组织并成立驻社区党委，这是探索社区大党建突破性的尝试，较之一些社区推行的社区联席会议、社区党组织代表会议制度更进一步。建立驻社区党委，使调动驻社区所有单位党组织和党员参加社区建设有了组织保障。

随着工业化、城镇化进程的加快，越来越多的“单位人”向“社会人”转变，社区在经济社会中的作用越来越突出，社区党建

承载的任务也越来越重。在这种新形势下，迫切需要将社区内所有党组织和党员都聚集到社区建设中来。近年来，在各级党委、政府的重视和领导下，各职能部门齐抓共建，居民群众广泛参与，社区党的建设和社区建设取得了比较大的进展。以“双联双建”为载体加强社区党组织建设，以“双争双促”为载体加强社区党员队伍建设，把社区党建工作融合到搞好居民自治、加强社区管理的活动中去，深入到拓展社区服务、搞好社区治安的工作中去，渗透到繁荣社区文化、改善人居环境的实践中去。一是以社区党组织为核心的组织体系进一步健全，二是社区基础设施和服务功能进一步完善，三是社区工作者队伍建设进一步加强，四是社区文明水平进一步提高。社区建设目标是“创建自治好、管理好、服务好、治安好、环境好、风尚好的六好平安和谐社区，共筑安居乐业美好家园”。

城市社区社团党建工作取得新发展，全省已有七成以上的街道党委改为街道党工委，社区党组织的覆盖面达到90%以上。

3. 游子归“家”。

采取“四个三”工作法加强对流动党员的管理，使他们有“家”可归。广东是外来人口大省，也是流动党员比较集中的省，共有流动党员13万多名。广东省委增强管党意识和大局意识，高度重视流动党员管理工作，把它作为先进性教育活动和固本强基工程的重要内容来抓，认真贯彻中央《关于加强和改进流动党员管理工作的意见》和贺国强同志在东莞视察时提出的“四个切实”要求，制定了实施意见和具体措施。广东各级党组织按照中央和广东省委的部署，联系实际，开拓创新，实行“四个三”工作法，以完善管理体系为基础，以扩大管理覆盖为手段，以搭建服务平台为重点，以促进作用发挥为目标，全面加强流动党员管理，使基层党组织的凝聚力和号召力进一步增强，流动党员的先进性意识和先锋模范作用进一步发挥，有力地推动了科学发展，促进了社会和谐。

一是坚持“三建”，完善流动党员管理体系。一建党的组织。

各级党组织以固本强基工程为总抓手，切实加强新经济组织、新社会组织、城市社区等流动党员集中领域的党建工作，大力组建党组织，扩大党的组织覆盖面。通过加强系统管理、行业管理、挂靠管理、属地管理，采取园区式、驻村式、行业式、派驻式、独设式等方式，突出“抓大、抓特、抓行业”，探索“基层党委、党总支、党支部”三级党组织设置架构，组建成效明显。目前全省城市社区百分之百建立了党组织，“两新”组织50人以上有党员的提高到72%、100人以上有党组织的提高到64%。粤北山区许多流出地基层党委建立了流动党员临时党支部或流动党小组，使流动党员“离乡不离党”。二建服务机构。珠三角地区的县（市、区）普遍设立了流动党员服务中心，流动党员较多的街道（乡镇）、社区（村）普遍设立了流动党员服务站（点），为辖区党组织和流动党员提供党员教育、管理、就业、求助、帮困等基本服务，基本做到新流入的党员百分之百及时进站登记、进站登记的党员百分之百及时核实身份、核实身份的党员百分之百及时纳入党组织管理。目前广东省共建立流动党员管理服务机构4000多个。三建管理制度。广东各级党委特别是县（市、区）党委建立了流动党员管理工作责任制，把流动党员管理列入考核党委领导班子及有关领导成员工作实绩的重要内容。建立“流动党员活动证”制度，扎实做好活动证的发放和使用工作，为流动党员参加组织活动、取得组织的帮助和服务提供了保障。建立流动党员登记制度，设立外出和外来党员登记簿，采取进门店、进工地、进楼宇的“三进”方式，党员找组织、组织找党员、党员找党员的“三找”措施，对流动党员进行“拉网式”摸排梳理，全面掌握流动党员的数量、流向及表现情况，建立管理台账，实行动态管理。东莞市实行“凡进必登”，2008年以来在流动党员管理服务中心（站）新登记党员1285名，核实党员身份550名。

二是实行“三管”，实现流动党员管理全覆盖。首先是信息化管理。依托“中国共产党党务管理信息系统”网络软件，逐步建立了连接省、市、县（市、区）的流动党员信息管理网络，建立

起流动党员基本信息库。广东各级党组织利用信息网络的软硬件资源，及时向流动党员提供学习资料、党建信息，开辟网上理论研讨，设立流动党员“电子信箱”，及时解答流动党员问题。珠三角的一些市推行流动党员 IC 卡管理，把流动党员基本情况、参加组织生活、党员行为表现等信息“入卡”，实现了流动党员资源信息的共建共享。其次是一体化管理。加强协调沟通，整合管理资源，积极探索建立城乡一体的党员动态管理机制，使流动党员在广东任何地方都能及时接受学习教育、参加组织生活、享受应有权利。坚持学习培训一体化，外来党员与本地党员同学习、同培训，开展“结对子”、“一帮一”等活动，在学习中相互交流，共同提高。坚持主题实践一体化，组织外来党员与本地党员一起参加争创“三有一好”、“争当时代先锋”主题实践、主题党日活动，在实践中磨练党性、发挥作用，增强流动党员的归属感。坚持享受权利一体化，及时将流动党员编入当地的一个党支部，与当地党员享有平等的政治权利，行使表决权、选举权和被选举权。不少素质较高、表现突出的流动党员还被推选为支部书记或支部委员，有的还被推选为省、市、县（区）、镇（街道）党代会的代表。再次是人本化管理。坚持以人为本，对流动党员做到真正重视、真情关怀、真心爱护，让流动党员时时感受到党组织的关怀和温暖。广东省、市、县党委每年都发出《致流动党员的一封信》，制作体现党的先进性的台历、挂历、贺年卡等赠送给流动党员。坚持定期走访慰问流动党员，广泛开展“送学、送温暖”活动，了解他们的工作和生活困难，传递党的政策和声音。各级党委组织部门都设立了流动党员咨询服务专用电话，并向社会公布，建立接听、处理咨询电话工作责任制和登记制度，安排专人负责接听受理流动党员的咨询，做到事事有反馈、件件有落实。到目前为止，广东省、市、县（区）共接到咨询电话 1636 个，成为加强党员与党组织联系的重要载体。

三是提供“三帮”，为流动党员搭建服务平台。一帮提高技能。各级党组织充分利用党员管理服务机构，结合实施“广东省百万农村青年技能培训工程”和“广东省农民工技能提升培训计

划”，加强流动党员的技能培训。有的地方通过加强与劳动部门、群团组织、人才市场、劳动力市场等单位协调沟通，采取办班、讲座等形式，为流动党员创造免费或优惠培训机会。有的地方推行“菜单式”特色服务，根据流动党员的需要安排培训内容。有的专门印制专业技术培训小册子，免费发放给流动党员。仅2007年全省就为流动党员举办就业前培训3150多班次，培训党员63000多人次。二帮解决就业。粤北、粤东和粤西流出党员较多的地方，通过政府驻外办事处、联络处等机构，积极为流出党员联系务工企业和单位，提供信息、牵线搭桥、推荐就业。珠三角地区的各级党组织把外来党员的业务能力、工作资历等资料，直接提供给相关用工单位，缩短其到新单位后的试用期；党员失业时，由流动党员服务机构登记造册，通过优先推荐、定期召开职业推荐会等方式，积极为他们创造再就业机会。有的市利用社区劳动与社会保障工作站、职业介绍所等，积极为失业的流动党员提供信息，帮助再就业。三帮维护权益。通过出台政策规定、开通求助热线、提供法律援助、协调各方关系等，维护流动党员的合法权益，提高他们的社会和政治地位，较好地凝聚了党员，凝聚了人心。东莞市规定，凡被评为“十大非公企业党员敬业标兵”、“优秀共产党员”的流动党员，可以免费入籍东莞。有的市建立党员互助金制度，多渠道筹集资金，对生活困难的流动党员进行重点帮助。不少地方专门从财政安排预算，建立“流动党员之家”，免费为党员提供政策法规咨询和维权服务。2007年以来，广东省基层党组织帮助流动党员维权305宗，解决劳动纠纷1300多件，依法取缔“黑职介”近400家，帮助追回欠薪5000多万元。

四是实现“三促”，充分展现流动党员的先进性。一促作用发挥。广东各级党组织根据流动党员的特点，积极创新载体，在社区广泛开展“访万户、送温暖、促和谐”活动，了解社情民意，为群众排忧解难；开展“文明楼”、“平安社区”、“无毒社区”等活动，充分发挥流动党员在平安和谐社区建设中的模范带头作用。在企业广泛开展以“比学习、比技术、比贡献”，争创“三有一好”

为主要内容的“三比一创”活动，充分调动党员的积极性和创造性，支持企业改革，促进企业发展。在“两新”组织广泛开展“为党旗添光彩、为单位作贡献”，“我为企业发展献一策”，“党员示范岗”等活动，教育引导流动党员爱岗敬业增素质、立足岗位作奉献。二促干事创业。流入地党组织充分发挥外来党员的聪明才智和先锋模范作用，促进当地经济发展和社会进步。流出地党组织充分发挥外出党员的优势，积极鼓励他们返乡创业，并提供资金信贷、用地安排、用电用水、税收征收等方面的优惠政策措施，为流动党员带头致富和带领群众共同致富提供舞台。拓宽选人用人渠道，重点从党员经济能人中选拔村“两委”干部。2005 年村级组织换届选举，广东省共有 1.8 万名经济能人被选进村“两委”领导班子。三促争先创优。围绕推进固本强基工程的目标要求，在流动党员中深入开展争先创优活动，在每年的重大节日期间都评选表彰一批优秀党员，激励流动党员为单位的发展贡献聪明才智。

4.“十百千万”下基层。

广东经济发展的步伐不一，全面建设小康社会的重点和难点在农村。农村基层党组织是否发挥核心作用，对农村的改革、发展和稳定至关重要。为全面提高农村党组织的凝聚力、创造力和战斗力，为培养适合现代化发展的干部队伍，以增强党的执政能力为目标，广东省委从 2005 年起，连续四年组织“十百千万”干部下基层驻农村，每年 10 名以上省级干部、100 名以上市厅级干部、1000 名以上县处级干部、30000 名以上科级以下干部挂点驻村，一次性覆盖全省所有行政村。省委和各市、县、镇党委把这一工程列为党委大事，层层动员部署；省委九届五次全会对这项工作专门作出决定，并召开会议全面部署；省委每年还专题研究、总结这项工作，每一个有关党建的重大文件都强调要推进这项工作。时任省委书记张德江同志亲自提出和谋划这一工程，率先垂范，经常听取工作汇报，亲自抓点办点，三年来先后 7 次深入挂点村调研，指导工作。四年来累计选派 14.7 万名干部驻农村，帮助全省 21513 个村抓班子、强队伍、理思路、促发展、保稳定，在加强农村基层组织建设、夯实党的执政基础方面取得了显著成效。

5.“十项民心工程”的推出。

胡锦涛总书记2008年初视察广东时反复告诫我们：坚持立党为公、执政为民，做到权为民所用、情为民所系、利为民所谋，必须落实到关心群众生产生活的具体措施上来，落实到帮助群众解决实际困难的工作中去。在“七一”讲话中，胡总书记再次强调，坚持立党为公、执政为民，不能停留在口号和一般要求上，必须围绕人民群众最现实、最关心、最直接的利益来落实。

改革开放以来，随着经济社会的不断发展，广东省人民生活有了很大提高。特别是近几年来，省委、省政府高度重视，采取得力措施解决群众生产生活的实际问题，取得明显成效。但是，部分群众的生产生活仍存在不少困难。为深入贯彻“三个代表”重要思想，落实胡锦涛总书记视察广东时的指示精神，坚持立党为公、执政为民，全面建设小康社会，确保全省人民无饥寒，省委、省政府决定，在全省实施“十项民心工程”。“十项民心工程”包括全民安居、扩大与促进就业、农民减负增收、教育扶贫、济困助残、外来员工合法权益保护、全民安康、治污保洁、农村饮水、城乡防灾减灾等方面内容，基本上涵盖了目前广东省群众生产生活中存在的突出问题，反映了人民群众最直接的呼声，代表了人民群众最现实的利益。

“乐民之乐者，民亦乐其乐；忧民之忧者，民亦忧其忧。”实现人民的愿望、满足人民的需要、维护人民的利益，始终是“三个代表”重要思想的根本出发点和落脚点。在实践中贯彻落实“三个代表”重要思想，就要把维护好、实现好、发展好人民的利益放在第一位，这是做好改革发展稳定各项工作的重要保证。“十项民心工程”是广东省践行“三个代表”重要思想的精品力作，作为“服务人民群众”的载体，它起点高、立意高、标准高，力求从整体上解决广东省困难地区、困难群众所面临的困难和问题，其酝酿形成过程，渗透着省领导情系群众、心牵百姓的心血和智慧。它的根本宗旨在于确保全省城乡居民无饥寒、全民安康、全民

安居，其实施必将暖人心、稳人心、得人心，赢得人民群众的衷心赞扬与拥护。

到2007年底，省级财政共安排345亿元投入“十项民心工程”建设，取得明显成效。其中涉及全民安居工程、扩大与促进就业工程、农民减负增收工程、教育扶贫工程、济困助残工程、外来员工合法权益保护工程、全民安康工程、治污保洁工程、农村饮水工程、城乡防灾减灾工程等有关民生的方方面面的问题。

三、全面提升整合社会能力

（一）让网络承载更多的民意

中国社会正处于转型期，转型期多种矛盾和问题需要党作为政治中心予以协调和解决，以使得社会发展良性循环。现代政党的存在就是为了解决“新的社会政治秩序合法性危机，新秩序的整合危机，以及新秩序里大众参与危机”①。中国共产党是社会稳定的基础和保证，共产党政党权威的树立来自于它能彰显自己的执政能力，发挥出利益表达和利益综合的功能。萨托利指出：“政党是表达要求的管道。这就是说：政党首要而且最重要的是作为一种代表手段，它们是代表人民表达要求的工具或机构。”② 政党是社会和国家的中介，“它一端连着民众，因为只有得到相当一部分民众的支持，政党才能生存和发展；另外一端连着国家、政府、权力，因为只有掌握了权力，或对政府的运作施加影响，政党才有存在的价值”③。

我们经历了从计划经济到市场经济，从计划配置到市场配置的转变。计划经济时期，公众缺乏利益表达的动力，也缺乏利益表达

① ［美］安东尼·M. 奥勒姆：《政治社会学导论——对政治实体的社会学分析》，浙江人民出版社1989年版，第280页。

② ［美］萨托利：《政党与政党制度》，韦伯文化事业出版社2000年版，第44页。

③ 王长江：《政党现代化论》，浙江人民出版社2004年版，第39页。

的渠道和信息沟通的手段。政府的、党组织的计划执行和制定情况公众无处也无法参与决策。但是当今时代显著的变化是利益的多元化，信息高度发达，作为社会利益整合的执政党必须首先获得利益的信息，这是共产党加强执政能力的前提条件。这就要求在党和公众、政府和公众之间有足够的沟通渠道。通过这些渠道，公众的利益、愿望和要求及时、准确地得到反映，执政党才能有效地综合这些要求，执政党执政能力才能得到提高。执政党在当今利益表达呈现爆炸性增长的情况下，如果没有足够的、合法的渠道和途径让公众参与表达，就有可能对现有政权产生危机。

对利益表达和信息沟通渠道的开放是多方面的。广东省基本建立了以党政机关为主体的，包括学术组织、思想信息库、民间思想库、网络、新闻信息系统等在内的混合型信息传输体制，这极大地提高了执政党回应社会的能力。2008 年春节是百年不遇的严寒，南方的冰雪沉甸甸地拦截着京广、京珠大动脉，压着几百万的异乡人无法返家过年。广东人民每天都关注着电视报道：哪里的火车通了？哪里的汽车走了？火车站又发送了多少旅客？每天黑压压的人流聚集在广州火车站，牵动着广东和全国人民的心。这个时候网上各种各样的言论都纷纷出笼，有出谋划策的，有怨天尤人的，也有喊救救被堵在路上的孩子的。危机面前怎么办？广东省委利用了主渠道——新闻媒体每天直播春运。这个春节广东省委书记汪洋、省长黄华华代表中共广东省委、广东省人民政府给网友拜年了。这封信让广东网民感到亲切、感到温暖，更感受到省委、省政府对网络民意的高度重视。书记、省长在信中肯定了广大网民在发表主流舆论方面的积极作用，认为许多网民有知识、有思想、有热情、有锐气，积极为广东的发展出谋献策，成为推动广东现代化建设的重要力量。书记、省长在信中说，愿成为大家的网友，对于共同关心的话题，希望大家一起“灌水”、“拍砖”。这体现了书记、省长对待网络民意的开放心态。现在不少政府官员中仍然存在着一种错误的认识，认为网络民意“哪壶不开提哪壶”，专门跟政府找茬子。我们认为，网民发表的网络言论是最直白的，带着网民个人诉求和一

时的感情色彩，作为一个责任政府和服务政府，应容许网民说错话，冷静地去分析和处置网络民意，其中的相当一部分网络民意是合理的，代表着群众的诉求，政府要和网络建立一种谐振共鸣的良性互动，要早说多说主动说，最大限度地满足群众的知情权、参与权、表达权和监督权。

广东省委、省政府利用网络了解民意、民情已经成为与民众沟通的重要渠道。早在2003年1月，时任深圳市市长的于幼军就与著名网文《深圳，你被谁抛弃?》的作者“我为伊狂”平等交谈。交谈进行了整整两个半小时，从网文本身一直谈到深圳未来的发展。于幼军评价这是一次平等、坦诚、民主的交谈。而一位市长因为一篇网文与一个普通网友平等地进行一场面对面的交流畅谈一个城市的过去和未来，这在国内首开先河。网友“我为伊狂”自己评价这次交谈道：“我没想到深圳市委、市政府做出这么快、这么积极的回应。我感到欣慰和鼓舞。网上文章能引起政府部门如此大关注，不多见，在中国可能还是第一次吧！我特别注意到一些政府官员以普通市民的身份参与这次讨论，非常可贵。深圳市政府官员的危机意识和反省精神，也是我没有想到的。”

如今利用网络沟通民意、探查民情，已经成为广东省委、省政府联系群众的一个重要手段。深圳罗湖区社区家园网开通仅10个月，点击率超过220万次，收到1万多条问题和建议，使全区信访量大幅下降40.3%，如今，正得到越来越多市民喜爱，其影响已超越本区，向全市、省内外迅速扩展。2007年4月28日开通的网站，到2008年2月居民在上面投诉的问题，95%以上得到政府部门回应，75%以上已解决；它不仅使全区信访量大降，还直接或间接让全区群体性事件下降43.3%，92.9%的社会矛盾化解在基层。当地居民称它是“网络民意直通车”。

正如汪洋书记和黄华华省长在给网友拜年的信中所说：“随着信息技术的发展，互联网日益成为人们工作和生活的基本工具，也成为各级党委、政府联系广大群众的重要平台、听取社情民意的重要渠道。广东不仅是一个经济大省，也是一个网络文化大省。目前，广东的网民人数居全国首位。许多网民朋友有知识、有思想、有热情、有锐气，不但在各自工作岗位上奉献智慧与汗水，还通过互联网为广东又好又快的发展积极出谋划策，成为推动广东现代化建设的不可或缺的重要力量。在应对罕见的雨雪冰冻灾害天气过程中，许多网民的意见和建议成为了支持我们决策的重要基础。从某种意义上说，网络文化的发展势头影响着广东文化社会建设的水平，广大网民的思想活跃程度体现着广东经济社会发展的活力。互联网打破了传统社会架构下的沟通壁垒，使我们之间的直接对话、平等沟通成为可能。我们正在学习如何更好地使用互联网，也在学习如何与大家一起建设管理互联网，共同发挥好互联网在广东经济社会发展中的积极作用。我们愿意成为大家的网友，求计问策，接受监督。对于共同关心的话题，我们愿意和大家一起'灌水'；对于我们工作和决策中的不完善之处，我们也欢迎大家'拍砖'。广东的网络文化像广东的经济一样，需要科学健康地发展。我们希望广东的网络文化不仅总量大，而且质量高；我们愿意和大家一起努力，把互联网建设成为传播社会主义先进文化的新途径、公共文化服务的新平台、人们健康精神文化生活的新空间，逐步形成独具广东特色的网络文化，让广大网民成为广东经济发展、社会进步和改革创新的建设性力量，在网络文化建设和发展上走在全国前列。"

汪书记和黄省长还使用了时下盛行的网络语言，"对于共同关心的话题，我们愿意和大家一起'灌水'；对于我们工作和决策中的不完善之处，我们也欢迎大家'拍砖'"，这一下子拉近了和网民的距离。网友激动了，他们纷纷留言。网民"唯得贵"跟帖："高啊！居然用起了网络语言。说不定某某就是两位领导的'马甲'。希望你们有时间也常到南方论坛坐坐。祝新年快乐！"网民"×3337777"："看了这封信，我觉得汪书记、黄省长不是平庸的领导，而是政治思想过硬、素质过硬的领导。他们表现出的勤政、亲民的作风，令人钦佩。他们如此尊重网民，网民有什么道理不尊重他们呢？读了这封信，真令人如浴春风、精神振奋哪！官员率先使用互联网与民沟通，互联网打破了传统社会架构下的沟通壁垒，

使官与民之间的直接交流、平等沟通成为可能。上至决策者，下至各级公务员，他们在讲话中时常提及网络，将网络作为提取民意，沟通民众的一个重要平台，彰显了共产党对自己执政的信心。”

为了更好听取网民的意见建议，汪洋、黄华华在2008年4月的一天邀请了26位网友代表面对面座谈。信息网络的发展为人们参与社会公共生活乃至政治生活提供了崭新的广阔的平台，大大提高了人们社会政治参与的广泛性、平等性和主动性，深刻地改变了人们的社会政治参与模式，为现代公民社会的发育和完善提供了新的条件。在全球信息化浪潮中，我国网络社会也得到了迅猛发展。多年来广东网民以参与社会的热忱，以体察社会的思考，以维护社会公平正义的良知，积极参与网络公共舆论建设。网民的声音成为民意诉求的重要力量，成为党委、政府决策的重要参考，发挥了建设性作用。党的十七大明确提出要积极发展社会主义民主政治，充分利用好网络民主平台，对有效保障和实现人民的知情权、参与权、表达权、监督权，对推进中国特色社会主义民主政治建设具有重要意义。

各级党委、政府已经开始顺应网络社会发展的特点和规律，以开放的视野、平等的心态、法治的理念对待和推进网络社会建设，构建充满活力、和谐有序、建设性的网络民主平台。党委、政府开始把网络社会的呼声作为民意诉求的重要信号，及时吸纳到决策中。同时，也通过网络这个平台，及时传达权威的信息，特别是在应对突发公共事件中，更需要通过网络及时将自己的声音传达到全社会。通过党委、政府与网络社会的良性互动，构建起二者之间制度化的沟通渠道和机制。

广东省是网络大省，目前有网站24万多个，网站域名数量142万多个，网民3344万人。网民作为特殊的社会群体，已成为一种社会影响力越来越大的新的社会力量。许多网民朋友知识丰富、思想活跃、社会责任感强、敢说真话实话，积极为广东省经济社会发展建言献策，不少意见都成为党委、政府科学决策的重要依据。最近开展的解放思想学习讨论活动，也得到了广大网民的热烈响应，大家踊跃为破解广东科学发展的难题献计献策，有力地促进了学习讨论活动的深入开展。

毫不夸张地说，2008年的4月17日，对于中国的网络思想界一定是一个特别的日子，网络民主在广东被旗帜鲜明地提了出来。省委书记、省长与如此众多的网友面对面座谈，在中国的政治发展史上可谓第一次，在中国的网络发展史上也同样写下了崭新的一页。网络意味着民间声音，思想解放从网络问计，也就是发掘民间智慧，发动社会力量，促使思想解放从纯粹的政治层面扩展到社会层面，以便取得社会共识。

广东开展的思想解放运动已进入讨论调研阶段，省委书记、省长问计网友，正是利用网络这一开阔平台调研社会思潮，集纳民间智慧，讨论广东发展的重要举措。而广东网友以他们的活跃思想、理性、批判性和建设性向社会阐释了他们的表达欲望，以及他们为广东发展殚精竭虑的参与态度，从而让多年来广东公民社会的发育、生长得到了一次较为集中的成果展示，使得广东的思想解放运动进入了官方与民间有机互动的新阶段。

阳光述职，领导接受网友“拍砖”

“治安不好，经济搞得再好有什么用?”“为什么教师工资这么低?”……4月12日，广东省湛江市下辖11个县（市、区）的党委书记，参加了一场特殊的述职。述职前报告和经济社会发展数据上网发布，述职全程电视和网络视频直播，述职后当场投票，结果向全社会公开。当晚，考核结果公布，有两位“一把手”优秀票明显偏少，并且被投了不称职票。

从2007年开始，湛江下辖11县市区的一把手每年都需要向市委全委会做一次述职，2008年则与奥一网、南都数字报和碧海银沙网合作，让述职更加透明公开。整个述职过程分为大会述职、书面评议、分组汇报、大会投票五个环节，述职人发言的时间被限定在15分钟。这也就意味着县委书记必须在15分钟内介绍自己和自

己所带的班子在过去一年中的所作所为，尽量表现，争取一个满意的成绩。述评结束以后，结合分组讨论的情况，考官们最终将填写决定考生们命运的阅卷分。湛江市委制定的县委书记年度工作述职评议票上，将项目列为经济发展、民生、社会稳定和和谐、党的建设等六项，引人注目的是生态文明建设、工作创新作为六项中的两项被单列出来。考官们可以在每个项目后评上满意、基本满意和不满意，最后得出一个总分，优秀、良好、及格或者不及格。

书记述职是一种党内的监督和考核方式。而湛江把这种监督的范围扩大了，把述职同实行党务公开、群众监督紧密结合贯通起来，以更开放和活跃的方式，通过媒体网络吸引公众参与，使党委“一把手”工作进一步置于群众监督之下，同时引领广大党员收获了求智于民、问计于民、取德于民的深刻教益。让权力在阳光下运作，是贯彻落实党的十七大精神，健全民主制度、丰富民主形式、拓宽民主渠道的一次解放思想的有益探索，极具创新精神。

（二）利用“外脑”和“内脑”科学决策

执政能力是执政党的整体素质在执政实践中的综合体现。总体上说，中国共产党的执政能力指的是党领导人民当家作主，动员和组织人民群众依法管理国家和社会事物，管理经济和文化事业，维护和实现人民群众的根本利益，执政能力的建设是一项综合要求。对于执政者来说，执政的过程就是作出决策并给予实施的过程，提高决策能力是执政能力建设的重要内容。《中共中央关于加强党的执政能力建设的决定》对“改革和完善决策机制，推进决策的科学化、民主化”做了专门阐述，明确提出：“完善重大决策的规则和程序，通过多种渠道和形式广泛集中民智，使决策真正建立在科学、民主的基础之上。对涉及经济社会发展全局的重大事项，要广泛征询意见，充分进行协商和协调；对专业性、技术性较强的重大事项，要认真进行专家论证、技术咨询、决策评估；对同群众利益密切相关的重大事项，要实行公示、听证等制度，扩大人民群众的

参与度。建立决策失误责任追究制度，健全纠错改正机制。有组织地广泛联系专家学者，建立多种形式的决策咨询机制和信息支持系统。”

当今世界瞬息万变，知识经济迅速兴起，决策环境变得越来越复杂。与之相适应，广东省委、省政府正积极探索科学决策之路。2003年底，广东省委贯彻十六届三中全会《决定》的《意见》出台，经历了部门调研、专题组调研，向21个市、51个省直部门和27个中央驻粤单位广泛征求意见，召开部门协调会和专家学者座谈会进行协商论证，领导审阅，大会讨论等数个环节。作为指导广东省今后一个时期深化改革的指导性文件，《意见》的诞生过程注意了发扬民主、集思广益、广纳良言，历时3个月，六易其稿，是科学决策的生动体现，并为全省的决策做了很好的表率。提高科学决策的能力需要制度保障，近年来，调查研究、专家咨询、公示和听证等制度都越来越多地出现在广东的决策环节中。调查研究，这个“谋事之道、成事之基”，作为科学决策的重要前提，已成为广东重大决策的必需环节，成为被广为采纳的执政方法。如为摸清九大产业的家底，为下一步发展提供全面的、科学的决策参考，广东进行了全省工业产业竞争力调研；针对珠三角城市群建设中粗放分散、产业结构趋同，严重阻碍了城市群功能的发挥等问题，省委、省政府联同建设部等部门，历经一年的调研，制定了《珠江三角洲城镇群协调发展规划（2004—2020）》。

“海纳百川，有容乃大。”广东完善了专家咨询制度，尊重知识，重视人才，建立适应不同类型决策的智囊团，科学、合理、民主地使用“内脑”和“外脑”。从1999年开始，广东聘请省长“洋顾问”，从曾经掀起的三次“外脑旋风”来看，“洋顾问”的作用不可小觑；106名主要来自高校、研究所、省直部门的专家，成了省政府发展研究中心的第六届特聘研究员；2002年第49次省长办公会议上，广东省委、省政府正式确定了一项制度性工作安排——实施重大决策咨询研究课题的社会化招标。“2003—2004年度重大决策咨询研究课题”，首次尝试以直接购买研究成果的方式，

向社会“买脑”。

随着制度建设的推进，建言献策的渠道日趋完善，“拍脑袋”决策减少了，决策的科学性、针对性、可操作性加强了。集思广益是科学决策的关键，专家参与其中，为规划的科学性提供了保证；广泛的群众参与，使规划制定的整个过程都充满了民主的色彩，而这些都是提升决策能力的重大举措。①

四、民主政治建设气象新

党内民主是指党员在党内基于自身的性质、任务和宗旨，依据民主集中制的基本原则，对党的组织、体制和过程作出的民主的制度规定以及由此所形成的党内政治生活。今天，改革开放前沿的广东，其地位、作用、目标以及活动方式等都发生了很大的变化，这不仅为我们党发展党内民主创造了条件，同时也对我们广东的党组织如何更好地发展党内民主，保持党的先进性，保持党执政的合法性，增强党的执政能力，保持党的团结和统一以及推动社会主义政治文明的发展提出了更现实、更迫切的要求。广东该如何争创新优势，争当排头兵，是十六大以后全体党员交给广东党组织的一份试卷。党内民主的实现需要具备一定的物质条件，就党员本身来说需要基本生活条件的满足。就民主的过程来说，也需要基本的活动经费。广东经济的腾飞为党员实现党内民主提供了比较充裕的物质条件，为党员在社会地位较高的职业中就业提供了机会，使党员在实际政治和社会生活中得到锻炼，增强了自身的参与能力。同时，社会经济发展也能够支付和承担党内民主政治过程中所需要的大量资金和费用。同时广东经济发展为党内民主提供了稳定的社会经济环境，进而推进党内民主发展。

十六大以来，广东省以坚持和完善党的领导、加强党内民主、推进民主建设为主旨，积极而又稳妥地进行探索和实践，在民主政

① 慕容雪、剑鸣：《广东加强执政能力建设回眸》，《南方》2004 年第 9 期。

治的制度化、规范化、程序化建设上取得了长足进步，不少方面走在了全国前列，积累了一些有益的经验，具有先导和示范意义。

（一）决策科学化、民主化：海纳百川

2008年初，新省委书记汪洋到任后，提出“解放思想”课题，全省上下开展了热烈讨论和调研。事实上，从“十项民心工程”、“执政能力”到“和谐社会”、“争当排头兵”、“科学发展观”，广东省委每年围绕一个专题展开调研，充分听取专家和群众的意见，民主决策之风在广东已经形成。只有充分发扬民主，倾听群众呼声，才能不断提高执政能力。近年来，“调查研究”、“专家咨询”、“公示”和“听证”已经成为广东公民耳熟能详的名词，这些措施越来越多地出现在各级党委的决策过程中。为从制度层面保证决策的民主性和科学性，广东逐步形成了一套比较完善的制度和做法。就决策机制而论，凡重大决策均由省委领导班子集体讨论决定。广东省委九届五中全会作出决定：“完善重大决策的规则和程序，建立健全公众参与、专家论证和决策机构决定的机制。凡属党组织工作中的重大事项，应听取广大党员的意见；凡涉及经济社会发展全局的重大事项，要广泛听取社会各界的意见；凡涉及公民、法人或其他组织切身利益的重大问题，要向社会公告和听证；凡涉及专业性技术性强的事项，要认真听取专家意见或经专门研究机构充分论证。”

广东省委带头执行议事决策民主化，早在1999年，广东省委就颁布《关于加强调查研究的决定》，明确提出“三不”决策，即没有经过认真调查研究不决策，没有提出两个或两个以上方案优选比较不决策，没有经过咨询和可行性研究不决策。这项规定逐渐成为规范性操作。省委每年都结合中央的工作部署确定一个重大课题，组织省委常委进行专题调研；同时十分重视征求人大、政协和社会各界的意见，建立了专家咨询制度。在广东各级党委注重调查研究、公告和听证、借用“内脑”和“外脑”等“海纳百川”的方式越来越多。从确定省九大支柱产业的发展方向到制定《关于

加快建设科技强省的决定》、《广东省教育现代化建设纲要》，再到颁布《珠江三角洲镇群协调发展规划（2004—2020）》，都是民主决策的产物。

票决制：选人用人的民主

党的干部任用制度是党选拔优秀分子进入党的领导岗位，进行有效政治录用的制度保障。中国共产党十分重视干部的选拔、任用，“政治路线确定之后，干部就是决定因素”。由于历史原因和党建的特点，“党管干部”成为建国后干部工作的一个重要原则。作为党内最重要的事务之一，扩大干部选拔任用工作中的民主自然成为发扬党内民主的一个重要体现。广东省委的票决制选官开始于2002年通过的《新任地级市党政正职人选表决决定试行办法》，并在全国首次以省委全会审议、无记名投票表决的方式，通过3名地级市党政正职人选和推荐人选。党内民主的关键一环——最后决定人选的民主举措在广东付诸实践。实行票决制，有利于把党委常委会的领导核心作用与全委会的集体领导作用有机结合起来，有利于把充分的民主和正确的集中有机结合起来，从而提高领导层决策重大事项的民主性、科学性。事实上，早在票决制前，广东省委已经把票决制列入干部制度改革总体规划，并在市、县进行试点。在试点基础上，省委八届八次会议决定，今后广东省地级市党政“一把手”的拟任人选和推荐人选，均实行全委会票决制度。

2003年3月，省委九届三次全会将票决对象扩大到省政府组成人员和直属机构正职人选，对58名人选进行了票决。如此大规模和大范围的票决并将其制度化，这在当时各省区市中还没有先例。“下面，请省委常委投票表决4名地级市党政正职拟任人选和推荐人选”。2005年8月12日，广东省委常委会票决地方党政“一把手”，全委会闭会期间，省委常委每人一票，以票决形式决定任用重要干部，这是广东省推进党内民主的新突破，也是加快干部人事制度改革的又一新举措。此次省委常委会还讨论通过了

《省委常委会投票表决地级市党政正职和省直机关党政正职拟任（推荐）人选暂行办法》。在实践中，广东不断健全和完善常委会、全委会票决制，在全委会闭会期间，省委常委会讨论地级市和省直机关党政正职人选，一律由口头表决改为无记名投票表决。目前全省21个地级以上市和121个县（市、区）党委讨论干部任免均实行常委会票决制，对重要干部的任免实行全委会票决制。2008年汪洋书记到任后又大规模公开选拔干部。“这一次，组织上提名我为珠海市委书记人选，我深感其中的分量”；“阳江是一个充满希望的城市，到新岗位后如何实现好科学发展，我的初步想法是……”2008年2月29日下午，省委委员票决之前，16名市厅级党政正职拟任人选就拟任岗位作专题发言，令人耳目一新。

根据中央批复广东省的换届人事安排方案，省人大、省政府、省政协班子和省法检两长选举产生后，需适时对部分地级市党政正职进行调整配备，省政府组成部门行政正职应按有关法律规定在两个月内重新任命，省政府其他工作部门的有关正职因出缺和年龄等原因也需作调整。按照中央和省委的有关规定：新任地级市党政正职和省委、省政府工作部门正职的拟任人选和推荐人选，一般应当提请省委全会投票表决；全会闭会期间急需任用的，由省委常委会讨论决定，但在决定前应当征求省委委员的意见。书记与委员一样只有一票。在预告之前，曾有同志担心有关人员知道了空缺职位，会马上展开“拉票”。但经过讨论，大家认为参与推荐的都是省委全会成员，素质高，而且有100多人，所以“拉票”的成功率不高。于是，创举诞生了，广东走出了创新重要职位人选初始提名的第一步。这样，广东省需适时调整配备并提请省委全会票决的市厅级党政正职岗位共有10个：珠海、阳江、清远、揭阳市委书记，省人事厅、省安全厅厅长，省新闻出版局、省统计局、省旅游局、省知识产权局局长。加上后来转任书记的市长空缺，职位一共有16个。

适时调整配备这些职位，是省级领导班子换届后的一项紧迫任务。中共中央政治局委员、省委书记汪洋要求解放思想，以改革创

新的精神推进干部选拔任用工作，将真正能推动科学发展、促进社会和谐的优秀人才选拔出来，让党放心，让群众满意。党外人士认为这样选出来的干部“值得期待”，对广东这次选拔市厅级党政正职过程中所作的一系列探索，省各民主党派、工商联、无党派和民族宗教界代表人士都给予肯定。农工党省委会专职副主委魏光群说：“以前是出了结果后的任前公示，即使有不同意见可能也来不及落实，但这次公示前移则有足够的缓冲余地接受群众监督，使组织能够对群众反映的情况及时核实，该怎么样就怎么样，给选举工作的主动性打下基础。”步骤的变化是广东进一步解放思想的体现，这样选出来的干部经得住考验，值得期待。与会人员都说，在重要职位人选决定之前，召开民主协商会通报情况还是第一次。这体现了广东省委对民主党派、工商联和无党派人士的重视，是实现我国基本政治制度的有益探索。魏光群说，民进省委会副主委陶凯元成为省知识产权局局长拟任人选，是广东省委又一次把厅局长的重任交到了党外干部手上，充分体现了省委对共产党领导的多党合作和政治协商制度的有效落实。与这些优秀人才被选拔出来的结果相比，广东省在重要职位人选选拔方式上所作的体制机制创新，同样是一笔十分可贵的财富。可以说，没有解放思想，这些思想解放的好干部就选拔不出来。这次选人用人最大的创新，就是拓宽了重要职位人选的初始提名渠道。初始提名，是干部选拔任用工作的最初程序，在很大程度上决定了干部选拔任用的方向。但初始提名的主体、原则、范畴、程序等方面存在较大的不确定性，当前在干部选拔任用工作中出现的不少问题，往往涉及到初始提名的环节。因此，规范初始提名对于完善干部选拔任用制度，把好干部选拔任用“入口关”，选好用好干部具有十分重要的意义。

长期以来，初始提名权集中在党委主要领导手中，也就是说是由少数领导或个别领导负责初始提名。广东解放思想，从干部选拔任用的源头入手，大胆改革创新，实行全委会差额推荐，将集中于少数人的重要职位初始提名权“让渡”于全委会成员，从而扩大了党内民主，有效落实了省委委员对选用重要干部的知情权和监督权。党内民主是党的生命。只有不断扩大党内民主，我们的党才能永葆先进性，我们党的事业才能从胜利走向胜利。我们党要实行科学执政、民主执政、依法执政，不断提高执政能力，就要不断解放思想，努力推进党内民主，进一步带动人民民主；努力促进党内和谐，进一步带动社会和谐。

广东规范重要职位初始提名的可贵探索，是解放思想、推动党内民主建设的生动实践。我们要解放思想，以改革创新的精神推动干部选拔的体制机制创新，将更多善于推动科学发展、促进社会和谐的优秀干部选拔到重要岗位上，让党放心，让人民满意；为推动科学发展、促进社会和谐提供坚强保障。①

（二）党务公开化——党内民主实施

党员是党内民主的主体。党内民主的实质是党员对党内事物有知情权、参与权与管理权，这是党内民主的基础和前提条件。党内民主制度体系的建设是以保障党员民主权利为基础的，而民主权利的首要的、基本的是党员知情权，这就要求党务公开。广东省委决定从2006年第4季度起在全省各级党组织全面推行党务公开工作。广东省纪委、省委办公厅、组织部联合下发《关于推行党务公开工作的意见》，主要内容如下：

公开内容。从一般事项向党员群众最关注的事项延伸。中央和上级党组织要求公开的事项；本地、本部门对党的路线、方针、政策和上级党组织的决议、决定及工作部署的贯彻落实情况；本级党组织研究制定的重要决议、决策、政策、规定情况；干部选拔任用工作情况；党组织自身建设情况；领导干部廉洁自律和党风廉政建设情况；党员群众关注、经党组织研究决定的其他事项等。

公开类型。法定公开，即凡属党内规定要求公开的内容，都要在适当范围内以适当方式予以公开；主动公开，即对本级党组织制

① 引自《南方日报》2008年3月1日。

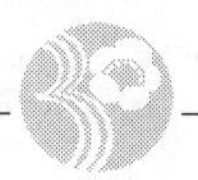

定的不涉及党和国家秘密的事项，主动予以公开；依申请公开，即对党员、群众要求公开的事项，经党组织研究，认为可以公开的，在一定范围以适当方式予以公开。

公开程序。党务公开一般程序分为提出、审核、公开和反馈。公开的内容、形式和范围事前必须经过审核，特别重大、敏感的事项由党组织领导班子集体讨论决定或报上一级党组织审核把关。关系群众切身利益的重大事项，一般采取分步公开，先公开初步方案或意见，听取党员、群众意见并修订后再公开。党内重大决策、重要干部任免和涉及党员、群众利益等敏感问题，根据实际情况，有的仅限于党内公开，有的按照先党内后党外的顺序公开。党务公开后，对党员、群众提出的监督意见和建议，党组织必须认真研究和整改，重大问题整改后再次公开。

公开形式。公开范围从党内向社会延伸。在党内公开的，主要通过党内会议、文件、通报、党员活动室和设立文件查阅处等形式进行公开；对社会公开的，主要通过党务公开栏、电子显示屏、新闻媒体、互联网站等渠道公开。积极探索其他有效的公开形式，方便党员、群众了解情况，加强监督。

公开时间。从事后向事前和事中延伸。要求做到党务公开时间与公开内容相适应，实行定期公开与不定期公开相结合，固定内容长期公开，常规性工作定期公开，阶段性工作逐段公开，临时工作随时公开，热点问题及时公开，重点事项适时公开。公开时限，注重从事后向事前和事中延伸。为了充分体现党员群众享有知情权、参与权、监督权，对有些关系重大事项实行预公开，对关系群众切身利益的大事采取分步公开，先公开初步方案和意见，听取党员、群众意见后修订再公开。阶段性工作实行逐步公开，重点事项适时公开，确保群众最大限度地了解情况。

（三）党代表常任制——拓宽参政渠道

中国共产党把马克思主义政党的代表大会年会制与党代表的常任制结合起来，形成了党代表大会常任制——一个必然可以使党内

民主得到重大发展的重大改革制度。党代表大会常任制是指，每次党的代表大会完成换届选举任务后，在党的委员会任期内每年举行一次代表会议，行使党的代表大会的职权。这期间，党代表的资格继续有效，不再重新进行选举。党的代表会议由党的委员会每年定期或不定期召开，听取和审议党的委员会和党的纪律检查委员会工作报告，讨论决定党的重大问题，对全委会及其成员的工作进行评议。马克思、列宁都主张年会制，年会制固然有利于实现党内民主，但是还有很大缺点；这种常任制和年会制结合，能够有效地弥补这些缺点，党代表大会常任制是我们党经过多年探索找到的发扬党内民主、拓宽党内民主渠道的一种重要形式，所以是对马列主义的新发展，也是我们党的创造发明。如果说党内民主是党的生命，那么党代表大会常任制则是维系党的生命的制度保障。党的十六大报告强调“扩大在市、县进行党的代表大会常任制的试点”。

十六大之后，一向注重制度创新的广东省委迅速作出反应，广东省委按照中组部提出的“党委领导班子要团结和谐、党建工作基础比较扎实、经济实力比较强”三个条件，部署从2003年2月起，在惠州市、深圳市宝安区、阳东县开展市、县（区）党的代表大会常任制试点工作。在党代会常任制试点中，三个试点单位积极探索党代会闭会期间发挥代表作用的途径和形式，为扩大党内民主，加强党的执政能力建设和先进性建设创造了鲜活的经验。

广东省于2003年11月确立了党代表大会常任制试点工作联席会议制度。党的代表大会制度是党的组织制度的重要组成部分。党的十七大作出了党代表大会代表实行任期制的重大决策，这对进一步激发党代表大会代表参与党内事务的积极性和主动性，充分发挥党代表大会代表的作用，扩大党内民主，提高党的执政能力和保持党的先进性，增强党的创新活力和团结统一，具有十分重要的意义。首先党代表任期制促进党员权利保障即通过制度化、规范化和程序化的政治过程，来输入党员的政治要求，再进行一系列的政治议程将党员的“众意”进行立法、决策、遴选政治精英等方面的转换。这是对党员政治权利最有力的制度保障。

党代表任期制的提出可以视为新时期执政党建设的一项重要的制度突破。在党章中只规定了党员的权利和义务，但从未对党代表的权利和义务有明确的要求。党代表更多的只是会议期间的一名与会者、讨论者，会后的一名传达者。至于参会期间的政治态度、讨论的积极程度和发言内容的深度，是不作任何要求的，会后的传达也是无法考量的。任期制是要做出如是的改进，即在规定的时间跨度的任期内，作为党代表有反映党员各种要求的责任义务，这正是代表制的本质内涵，不反映党员的要求也就没有履行好代表的职责。其次，党代表任期制提高了组织和党员的聚合力。再次，党代表任期制可以带动党内其他制度的发展。任期制可以逐渐理顺党代会、全委会和党委会领导体制，可以使党内选举制度更加趋于民主和开放。

（四）联合公选——干部人事制度创新

“公选”源于克服传统的干部自上而下的任用机制的弊端。也就是说，在选择方式上干部任用是“由少数人选人”以及“在少数人中选人”。这种高度集权的人事制度安排是在战争年代形成的，并延续至计划经济年代。无论是从政治角度，还是从社会发展的目标看，干部制度能否优化以及如何优化，对于中国政局的长治久安、对于现代化目标的实现来说都具有关键性的意义。这一问题处理得妥善与否，不但影响到党在人民群众心目中的形象，而且直接影响到党的统治能力和政府的执政能力。实行“公选”既拓宽了选人的视野，有利于选拔真正的优秀人才，也为能者提供了一个发挥本领的政治空间。通过公推公选产生的干部，他们一般都具有较好的群众基础，拥有相对充分的民意支持。经过竞争性演讲和答辩脱颖而出的干部所具有的反应能力、应对能力、掌握局面的能力正是目前干部队伍中普遍缺乏的素质。毋庸置疑，“公选”对于中国整个干部队伍的素质更新具有不可替代的作用。

2002 年 7 月，在党的十六大即将召开之际，党中央重新修订的《党政领导干部选拔任用工作条例》正式颁布。《条例》的一个鲜明特点，就是在干部选拔任用的推荐、考察、酝酿、讨论决定和监督等各个环节坚持了扩大民主的基本方向，进一步体现了扩大民主的要求。自《条例》实施以来，特别是党的十六大以来，随着干部人事制度改革实践展开，与《条例》相关的配套制度和措施密集出台，使《条例》在干部选拔任用的推荐、考察、酝酿、讨论决定和监督等各个环节所体现的扩大民主的要求进一步得到落实和保障。2004 年 4 月，中央颁布的《公开选拔党政领导干部工作暂行规定》和《党政机关竞争上岗工作暂行规定》对公开选拔和竞争上岗的适用范围、选拔程序、考试考察的方法、纪律和监督等作了规定，有力地推进了公开选拔和竞争上岗工作的经常化、制度化。《党的地方委员会全体会议对下一级党委、政府领导班子正职拟任人选和推荐人选表决办法》的颁布，将在多数省（区、市）积极探索，试行省级党委全委会表决市地党政正职人选的做法加以规范，使之定型为干部选拔任用工作的一项基本制度。

2001—2002 年广东拿出 20 名厅级干部公选。2003 年，广东省首次省、市、县协调，拿出 609 个职位，用联合公选的办法，选拔省市县管理的厅、处、科级干部，令人耳目一新。

经过 20 多年的改革开放，广东改革进入了整体推进的攻坚阶段，发展正处于全面提升的关键时期。在前有标兵、后有追兵的激烈竞争中，广东要实现加快发展、率先发展、协调发展的目标，需要有与之相适应的大批量、各类型的优秀人才。广东启动“种苗工程”，正是要通过公选，广纳贤才，把优秀人才集聚到党和国家的各项事业中来，为广东加快率先基本实现现代化提供强有力的组织保证；为各方面有才识、有品德、有志气的人才创造一个比试身手和挑战自我的机会；为将来选拔更高层次的干部，提供丰富的人才库存和宽广的选择余地。

干部人事制度改革以扩大民主为方向，主要落实群众在干部选任上的知情权、参与权、选择权和监督权。干部人事制度改革要体现代表最广大人民的根本利益，首先必须体现在扩大民主上。广东在竞争上岗和公开选拔中，特别注重群众的知情权、参与权、选择

权和监督权的落实。这两项改革在本质上是一致的，最显著的特征就是公开、平等、竞争、择优。竞争上岗可以讲是本单位、本系统的公开选拔，公开选拔也可以讲是面向全社会的竞争上岗。竞争上岗和公开选拔，首先体现的是公开，打破了过去干部人事工作的神秘化色彩，群众不但知道选什么人，而且了解选拔任用工作的全过程。只有公开，知情权才能到位。其次是参与权，竞争上岗和公开选拔冲破了“由少数人在少数人中选干部”的局限，凡是符合报名条件的都可以平等参与竞争上岗和公开选拔，大家都在同一起跑线上起跑，改变了在少数人中选人的状况。再次是大家不仅可以参与选拔，而且可以参与选择，这就是“选择权”，广东的两项改革中，群众投票量化计入到总分中去，实实在在体现了群众的选择权。最后是监督权，选拔干部的全过程都公开，监督权才能真正到位，不公开，讲监督是一句空话。这次两项改革中，所有干部全部实行公示制，省委、省政府机关近3000人，竞争1000多个正副处长职位，通过公示，发现有足以影响任职问题的仅占2‰。据对4000多名省直机关干部进行问卷调查的结果显示，对竞争上岗赞成和基本赞成的占91.5%。干部公选后，广东省统计局城市社会经济调查队对9个地级以上市3500名普通群众进行随机抽样调查，对竞争上岗和公开选拔持赞成态度的占90%。

在广东党管干部的决定权，更多的体现在党的干部路线方针政策的制定贯彻中，体现在党对干部工作的宏观管理和干部人事制度改革的推进上。实践证明，通过改革，由于有了广大人民群众的拥护，有了广泛的党内民主，干部人事工作实实在在体现了最广大人民的根本利益。

实 践 篇

改革开放30年，广东党建经过不懈努力，创造了许多宝贵经验。本篇以典型事例为线索，从点的角度展示广东党建在不同领域的亮点和风采。在新的历史时期，各个行业和领域的党建工作都遇到了新的挑战与课题，其中农村党建、社区党建、“两新”组织党建、国企党建和机关党建是矛盾比较集中、问题比较突出的几个领域。为了破解这些难题，广东各级党组织进行了艰辛探索，特别是近年来推出了一系列创新举措，取得了良好效果。固本强基工程、十百千万工程、“三有一好”教育、“六好”平安社区、“四好”国企党建、纪律教育月、万人评机关以及干部制度改革等等，都有力地推进了各个行业和不同领域的党的建设，已经成为广东党建的品牌工程。自省委十届二次全会以来，全省各级党组织又积极投入新一轮解放思想的大潮之中，为争当科学发展观的排头兵正在进行新的实践。下面，本篇从农村党建扎实推进、社区党建探索新路、“两新”组织党旗飘扬、国有企业党建新局面、机关党建谱新篇等五个视角，通过一些典型案例，展现广东党建30年特别是近些年来的创新实践。

第四章 农村党建扎实推进

农村基层党组织是党在农村全部工作和战斗力的基础，是农村各种组织和各项工作的核心，是党团结带领农民群众建设社会主义新农村的战斗堡垒。改革开放以来，在广东省委的正确决策下，广东农村基层党组织建设一步一个脚印，扎扎实实地向前推进，创新不断，成绩斐然①。

一、党组织成为农村发展致富领路人

党的建设要紧紧围绕党的政治路线来进行，这是中国共产党自身建设的一条重要经验。党的十一届三中全会决定党的工作重心从以“阶级斗争为纲”转向经济建设，这自然对党的建设提出了新的要求。适应新的形势，农村基层党组织首要的任务就是推动农村经济发展、带领农民致富。广东农村的基层党组织，正是这样做的。

30 年前，广东是一个典型的、比较落后的农业省份，长期以来，全省农村经济发展缓慢，农民收入不高。改革开放之后，广东农村发生了翻天覆地的变化。从农民收入看，2001 年，广东农村居民人均纯收入 3769.79 元，比 1978 年增长 18.5 倍，扣除价格因

① 本章未注明出处的资料数据，均采用广东省委组织部提供的内部资料。

素，年均实际递增7.2%。[①] 至2007年，全省农村居民人均纯收入已达5624.0元。[②] 从消费水平看，收入的不断增长为农村居民生活改善提供了坚实的基础。2001年广东农村居民人均生活消费支出2703.36元，比1978年增长13.6倍。据广东调查总队的农村住户抽样调查，2007年广东农村居民人均生活消费支出4202.3元，同比增加316.4元，增幅为8.1%，扣除价格因素实际增长4.5%。[③]

从消费结构看，1978年广东农村居民人均食品支出占生活消费支出的比重（恩格尔系数）为61.7%，1986年下降为58.8%，此后逐年呈下降趋势，表明农村居民在总体上摆脱了贫困。2000年农村居民的恩格尔系数首次降为49.8%，它标志着广东农民的消费结构已越过了一个质的界线。全省农村总体上实现了由温饱跨入小康的重大发展阶段转换。[④] 至2005年，广东农村居民家庭恩格尔系数下降为48.3%。[⑤]

广东农村发生的巨大变化以及农民收入的大幅提高，有多方面的因素。但其中一个极其重要的原因，就是广东农村基层党组织充分发挥了核心作用，成为农村发展、农民致富的领路人。下面几例，作为广东农村基层党组织的优秀代表，在带领农民摆脱贫穷、走上富裕之路的过程中，各有精彩，堪称典范。实践证明，农村富不富，首先看支部。农村党建工作只有与农村经济社会发展有机结合起来，才能实现农村党建与农村经济社会的互动和双赢。

---

① 广东省农调队：《摆脱贫困，解决温饱，实现小康——广东农村居民生活变迁纪实》，三农数据网，2002－11－26。

② 《2007年广东国民经济和社会发展统计公报》，广东省人民政府网，2008－2－29。

③ 广东调查总队农村住户抽样调查：《广东农民生活质量上升》，中国经济网，2008－3－26。

④ 广东省农调队：《摆脱贫困，解决温饱，实现小康——广东农村居民生活变迁纪实》，三农数据网，2002－11－26。

⑤ 《消费支出增长快，生活质量再提高——“十五”时期广东农村居民生活消费状况分析》，广东统计信息网，2006－4－6。

（一）深圳南岭村

南岭村是深圳市龙岗区布吉镇的一个小村庄，面积仅4.12平方公里。南岭村毗邻香港，交通条件和地理位置较为优越。但是，南岭村过去十分贫困，有“鸭屎围”之称。改革开放前，全村集体固定资产不足7000元，人均年收入不足100元，不少人为了谋生外逃到香港。改革开放以来，南岭村的经济在村党支部的带领下快速发展。正如中共中央总书记胡锦涛所评价的：“南岭村是改革开放以来经济特区农村面貌发生巨大变化的缩影，是坚持社会主义方向、走共同富裕道路的典型”。高楼林立，生机盎然的南岭村被人称为“华南第一村”、“中国第一村”，先后获广东省文明示范村、广东省模范村党支部、全国农村“三个代表”学习教育活动先进单位等多项殊荣。

南岭村的富裕之路是从引进外资开始的。1982年，南岭村党支部引进了第一位港商，此后，村里一方面加快外资引进速度，一方面发展自己的村办企业，并在工业、商业、旅游、物流等方面全面发展。如今，整个南岭村没有贷款，没有负债，净资产达到13亿元，整个村一年总收入2.3亿元，800个村民人均纯收入15万元，4.12平方公里吸引了5万名外来工，2007年一年上交国家税收1.8亿元。[①] 村里实行了工资制，年老的农民享受退休金，村民享受公费医疗。村里有小学、中学，学生和儿童公费入学入园。村里还有藏书5万册的图书馆，有可容纳3000人的大剧院等一些文化基础设施。

南岭人没有忘本。村党支部收集了建综合市场时村民搬迁扔掉的旧农具、破家具，作为“思源”的活教材，建成了“致富思源村史展览馆”，让南岭人的后代记住父辈们的辛劳艰苦，记住党的改革开放政策。南岭人也没有停步。2000年2月，江泽民总书记

---

① 梁燕军、邹锡兰：《中国第一村南岭村：从7000元到13亿》，新浪财经网，2008－4－7。

来到南岭村，提出要在广大干部群众中广泛开展“致富思源、富而思进”的教育活动。村党支部在广泛征求村民意见的基础上，确定了南岭村“思进”的六大奋斗目标：到2005年，把南岭村建成经济强村、科技新村、文化新村、花园新村、旅游新村和长寿新村。2003年4月，中共中央总书记胡锦涛再访南岭村，指出“你们要努力做到不自满，不松懈，不停步，把南岭村建设得更好。”①如今，南岭村正在建设和谐南岭、效益南岭、绿色南岭和文化南岭。

（二）佛山罗南村

罗南村位于佛山市禅城区南庄镇西部，面积4.75平方公里，下辖9个村民小组。过去的罗南村，是一个“地下无矿产、地上无特产，农民日子紧巴巴”的穷村子。而如今，户籍人口只有3500多人的罗南村，工农业总收入超过10亿元，连续九年人均收入超万元，成为省乡镇企业十强村，先后被评为全国先进基层党组织、广东省生态示范村、广东省卫生村、广东省文明村。②

罗南村有今天的成就，一个重要的原因，是领导班子充分发挥了领导核心作用。

罗南村坚持多种体制一起上、多种行业齐发展。大力发展集体企业，并及时对集体企业全面转制，积极扶持民营经济。目前罗南村拥有民企100多家，罗南集团被评为“全国500家最大乡镇企业”之一。罗南村还积极推动土地体制改革和农业生产现代化。1995年成立土地股份集团公司，集约开发土地；2001年对700多亩鱼塘进行连片改造，建成通水、通路、通电的标准化鱼塘，逐步发展观赏农业，提高农业效益。③

1992年，罗南村党总支提出了“将罗南建成远望像林园，近

---

① 梁燕军、邹锡兰：《中国第一村南岭村：从7000元到13亿》，新浪财经网，2008-4-7。

② 粟宇航：《罗南村：社会主义新农村领头兵》，金羊网，2006-3-29。

③ 粟宇航：《罗南村：社会主义新农村领头兵》，金羊网，2006-3-29。

望像花园，细看人民生活在幸福乐园”和“城市有的，我们都要有；城市没有的，我们都要有”的奋斗目标。1995年，党总支又提出“少有教，老有靠，病有报，行有路”的目标。进入新世纪，又提出建设“富裕罗南”、“生态罗南”、“文化罗南”和“和谐罗南”的目标。十几年来，罗南人在党组织的带领下，一步一步向这一目标迈进。村党总支每年花20多万元为每户村民订报纸，建了佛山市一级小学和佛山市一级幼儿园。对于上高中和大学的学生，实行助学金制度，每年的助学补贴达50多万元。罗南全村女村民到55岁、男村民到60岁每月可领取150元的退休金；村民生病，实行医疗保险，医疗费可按一定比例报销；村内的困难群众，会定期发放补助金，全村基本实现了“老有所养、病有所医、困有所帮”的目标。①

今天，罗南村党总支提出，要一天做一件实事，一月做一件新事，一年做一件大事，一生多做有意义的事，为罗南村民营造更繁荣富饶的新环境。

（三）中山长洲村

20世纪70年代，长洲村被称为“雪条村”。当时，一支雪条售价3分钱，而长洲村的劳动日值就是3分钱。在中山县城郊十几个村中，长洲村排名倒数第一，是县里重点扶贫村。1978年，长洲村集体固定资产只有8万元，而到2006年，总资产已超过10亿元。② 先后被评为全国先进基层党组织、全国文化先进社区、全国百佳学习型社区、全国群众体育先进单位、广东省平安和谐红旗社区、广东省“五个好”示范村、广东省文明示范村。

长洲之变，党的基层组织功不可没。现任长洲社区（2002年长洲进行了村改居）党支部书记黄乃衔认为，党的基层组织建设，

① 关润尧：《城市有的我们都要有》，南方网，2006-3-8。

② 伍青萍：《关于创新社会主义新农村建设思路的思考》，《侨乡论坛》，2007-3，江门市委党校网。

是农村发展的核心问题。长洲社区的改变、实现各级的任务和目标，党组织的作用是关键中的关键。党组织的核心作用，一个切入点首先就是发展，同时，将发展经济反哺于民，才能使农民对“核心”的支持和信服。

改革开放以来，随着中山城市西扩，长洲的土地被征用，村党支部就确定要“壮大集体经济，走共同富裕之路”。因此设计了25%现金分配，15%作为福利基金，50%作为经济发展基金的征地款处理方案。① 这一决策，为长洲经济的长远发展以及经济社会协调发展打下了坚实的基础。现在，长洲社区已全面实行社会保障制度，为适合条件的股东购买社会养老保险（集体支付90%，个人只付10%，每月就可拿到400元的养老金）及住院医疗保险（退休老人、低保户免费参保，并可享受最高达4.5万元的保险金）；实行了股东子女从幼儿园到小学“零负担”的免费教育；集体补贴保证低保户人均月收入最低350元等社会福利。居民子女入读幼儿园、小学或是升入大学等，都可得到相应的补贴与奖励。长洲还先后投入2000多万元改善村内的道路、水电等基础设施。②

二、创新农村基层党组织工作机制

党章规定，党的基层组织，根据工作需要和党员人数，经上级党组织批准，分别设立党的基层委员会、总支委员会、支部委员会。显然，基层党组织的设立，工作需要和党员人数是一个基本的前提。

在计划经济时期，农村基层党组织一般都是以行政村为单位设置的。改革开放以来，特别是随着市场经济的迅速发展，农业和农村经济结构加快调整，农村社会结构、组织形式、农民从业方式日

① 伍青萍：《关于创新社会主义新农村建设思路的思考》，《侨乡论坛》，2007-3，江门市委党校网。

② 钱桂民：《把集体和群众放在首位》，《乡镇企业导报》，2007-1-25。

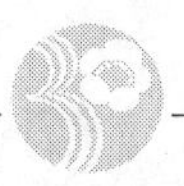

趋多样化，单一的农村基层党组织设置以及活动方式等已越来越难以满足市场经济条件下农村经济成分和经济主体多元化，以及人才、资金、技术等生产要素跨地区、跨所有制流动的需要。因此，在改革不断深入的进程中，广东各地适应新的形势，基于党章规定和本地实际，适时调整了农村基层组织设置。这使农村党组织建设更好地与经济社会发展有机结合起来，党支部真正成为新农村建设的前沿堡垒，党员的先锋模范作用真正体现在生产第一线。

（一）韶关“支部加协会”①

“支部加协会”，一个“加”字，起到了三个作用：有效发挥了基层党支部的组织引导作用、专业协会组织的服务作用、党员的模范和致富能人的传帮带作用；实现了支部、协会、农民的三合一效应：农村基层党组织的凝聚力和战斗力大大增强，农村各类经济组织的运作模式更加规范，农民的收入不断增加。

“支部加协会”，是在自助服务性质的农民协会里建立党支部或党小组。党支部的党员都是种养户，只要是协会会员，都可以把组织关系转入。“支部加协会”自2004年在乳源试行，经三年多推广，取得明显成效。目前，乳源县已创建了养猪营销专业协会、大布荷兰豆产业协会、东坪网箱养鱼协会、乳城大东巴西果流通协会和桂头大坝蔬菜流通协会等12个协会，会员8000多户（其中党员1150户），协会会员占全县农户的20%，户均增收2000多元。乳源东坪镇方武种姜协会成立后，村支书兼协会会长谢百天自筹资金组织协会党员5人，南下珠三角进行市场调查、联系生姜销售渠道，成功与三个营销大客户签订产品销售协议。他组织协会党员带头并发动群众种姜，使该村种姜户从2006年的30多户增加至今天的120户，种姜面积从100多亩增加至300多亩，年产值可达95万元，户均增收近万元。大布镇荷兰豆产业协会经过几年的尝试，产品已获国家绿色食品认证，并成功闯入日本市场。2007年，乳

① 中共广东省委组织部固本强基创新成果表彰项目。

源被中共广东省委评为农村党的建设“三级联创”活动先进县。

2006年7月，韶关在乳源试点工作的基础上，在全市推广“支部加协会”模式。到2008年3月底，韶关市已成立农民专业合作经济组织125个，其中专业协会66个，专业合作社59个，入会入社农民6886户，党员1408名。协会与合作社共成立党支部46个，党小组75个，培养党员致富带头人497名，发展新党员115名。①

显而易见，“支部加协会”克服了过去不分从业地点、不分行业专长、不分年龄差别设置党组织所带来的“一锅煮”，从而有机结合了党在农村的政治优势和协会的经济优势，极大地释放出基层组织引领发展的能量。

（二）佛山党支部建在村民小组②

近年来，佛山市通过单独组建、联合组建方式，大力推进在村民小组建立党支部，在经济总量大、党员人数较多的村成立党委或党总支。并且根据党员的居住地域、职业状况、年龄文化结构等特点，积极探索分类设置党组织，分类管理农村党员。同时明确党支部在村民小组的领导核心地位，形成以村党总支为主体、村民小组党支部为基础的新型组织架构。

佛山市村民小组经济发展迅速，经济实力比较雄厚，拥有大量土地，与农民群众联系多，利益关系密切。据统计，全市4290个村民小组中，集体经济年纯收入10万~99万元的有1799个，占41.9%；100万元以上的有375个，占8.7%。同时，由于近年来村调整撤并力度比较大，导致部分村党组织党员数目太多，居住地分散，不便于开展组织活动和党员教育管理。为此，佛山市决定调整村党组织设置，要求凡是有条件的村民小组都要建立党支部；党员人数50名以上的村成立党总支；党员人数100名以上、经济总

① 温祖娟：《支部加协会模式》，韶关新闻网，2008-5-6。

② 中共广东省委组织部固本强基创新成果表彰项目。

量大、党建工作基础扎实、条件成熟的村成立党委。支部成立后，支部书记分别采取村“两委”干部兼任、村民小组长“一肩挑”，或者从党员中物色优秀分子担任等形式灵活配备。同时，明确行政村党组织与村民小组党支部是领导与被领导的关系，村民小组党支部在村党总支（党委）领导下工作。目前，佛山市已搭建起以村党总支为主体、村民小组党支部为基础的新型组织架构。全市485个行政村中，成立党委1个，党总支282个，党支部202个。全市4290个村民小组中，设立党支部1196个（其中单独组建547个、联合组建649个）、建立党小组1595个。

佛山市这一做法的好处显而易见。一是提高了村民小组党组织覆盖率，优化了农村党组织体系。二是有利于对农村党员的管理和监督。村民小组建立党支部，从空间上拉近了党组织与党员、群众的距离，解决了农村党员开展组织生活难、集中学习难的问题，方便了对农村党员的管理和监督，有利于把农村党员管好、管活。三是农村基层党员干部更贴近农民群众。在村民小组建立党支部，延伸了党在农村基层的触角，能够更加有效地发挥党组织和党员联系群众、宣传群众、组织群众和带领群众的作用。

（三）化州分类设置农村党小组①

化州市属于粤西经济欠发达地区，改革开放以来，一些农村党组织和党小组出现“党员难集中、活动难开展、任务难完成、作用难发挥”的问题。近年来，化州市按照“有利于开展活动、有利于发挥作用、有利于共同致富”的原则，打破过去以自然村为单位设置农村党小组的模式，根据农村党员的特长、从业类型以及党员流向地等进行分类，创建了种植党小组等21类新型农村党小组，实现党建工作分类指导和党员分类管理，让党组织“活”了起来。

化州市新型农村党小组的设置，紧紧围绕推动农村经济发展这个中心，以创建发展经济型的党小组为重点，主要按四个类型进行

---

① 中共广东省委组织部固本强基创新成果表彰项目。

创建：一是根据党员的特长分类创建，把能力专长、爱好兴趣相近或相同的党员编为一个或几个新型党小组，如将退下来的原村干部中的党员和在群众中威信较高的党员编为“参政议事党小组”，将“双带”能力较强的党员编为“扶贫帮困党小组”，将复员退伍军人和民兵中的党员编为“治安联防党小组”，将热心为群众服务、有群众基础的党员编为“民事调解党小组”等。二是根据行业分类创建，把从业类型相同或相近的党员编成一个或几个新型党小组，如种植党小组、养殖党小组、营销党小组。三是根据经济组织分类创建，在各类农村经济组织、各类专业协会等具备条件的组织中创建新型党小组，如香蕉协会党小组、蚕桑协会党小组等，便于党员交流致富信息和种养技术。四是根据党员流向地集中创建，在外出党员相对集中、从业地点相对稳定的地方创建外出务工经商人员的新型党小组，目前该市已在东莞、深圳等地建立党小组16个，方便外出党员集中活动，有效地加强对外出党员的教育管理。①

化州市创建新型农村党小组工作成效显著。南盛街道石兰村早几年还是当地的贫困村，近年来在园林党小组组长罗文权等5名党员的带动下，全村83户中有81户种植经营园林绿化树，形成了530多亩独具特色的园林绿化树基地，2006年该村人均纯收入4950元，其中种植经营园林绿化树一项人均收入1800多元。杨梅镇浪山村淡水养鱼党小组的6名党员，经常为党支部全体党员讲养殖技术，讲致富经验，带领全村养鱼专业户248户，养鱼面积1700多亩，带动全镇发展养鱼近6万亩，成为远近有名的“粤西淡水养殖第一镇”。播扬镇杉山村过去矛盾多，纠纷多，上访多，村干部不敢管也管不了。由几名离任村干部组成的民事调解党小组创建后，党小组的党员利用他们在群众中威望高和做群众工作经验丰富的优势，积极化解群众矛盾和纠纷，使该村由过去的“上访村”变成了文明村，营造了和谐稳定的发展环境。

① 陈俊玮、陈兴：《化州夯实执政基础抓农村党小组建设》，《茂名日报》2004年10月3日。

（四）党员联系村务责任制①

惠州市小金口镇实施“党员联系村务责任制”（以下简称“责任制”），将党员联系村务工作具体细化，要求有能力的党员联系3至5户农户，负责了解农户困苦，听取农户意见，帮助农户解决困难，带领农户发展生产，教育农户执行政策，调处农户矛盾纠纷等。

小金口镇共有7个农村党支部，360名农村党员，占全镇党员总数的66%。责任制借鉴了过去实施的“党员联系户”和“两员一干”（党员、计生协会会员、村干部）计生工作责任制的做法，把农村党员实践“三个代表”细化为党员联系村务工作责任制，在全镇7个村全面实施，要求农村党员每人挂钩联系3~5户农户。

责任制具体规定了农村党员联系村务工作的八大任务及自身建设的四项要求。八大任务是：发展经济，帮助联系户发展生产力，走共同致富道路；计划生育，宣传计划生育国策，落实联系户节育措施；缴纳税费，引导联系户依法缴纳税费，抵制非法摊派；治安调解，化解矛盾纠纷，引导联系户不搞“黄、赌、毒”；环境建设，搞好美化、绿化、净化，引导联系户不乱占乱建；科普教育，学习科技知识，帮助联系户提高致富能力；文明创建，参与文明创建活动，帮助联系户争当“十星级”文明户；监督村务，反映联系户呼声，监督村务运作。

四项要求是：必须以村党支部为核心，讲大局，讲原则，讲团结，严格党员标准和纪律，认真履行党员义务，坚持执行村党支部和村委会及所在村小组的决策，保证党的路线方针政策贯彻到联系户中；必须不断加强政治思想修养，认真学习《党章》及各项政策法规，增强建设中国特色社会主义信念，不断提高思想觉悟、政策理论水平、群众工作水平和致富能力；必须牢记党的宗旨，全心全意为人民服务，密切联系群众，做群众的知心朋友、贴心人，做

① 中共广东省委组织部固本强基创新成果表彰项目。

群众与党和政府的连心桥，努力为村民办好事实事，帮助联系户解决实际问题；必须以身作则，切实做好自己家庭亲属的工作，带领全家做执行党的方针政策的模范，遵纪守法的模范，勤劳致富的模范，争创文明标兵户。

镇委制定了《小金口镇农村党员联系村务工作责任制考评办法》，分发给联系农户的每一个党员。对联系村务党员的考评，做到有明确的考评标准、考评办法和奖惩措施。考评根据八项村务工作情况，分别按“优”、“良”、“差”三个等级进行评定。在考评时，因人制宜，对不同的联系户，在八项任务中明确不同的工作重点，再把细化的任务布置给联系的党员。各村党支部每季度对农村党员落实村务工作责任制情况进行一次检查，年终通过党员自评和党员会议，联系户和群众代表会议评议，由党支部评定结果。考评结果作为民主评议党员的重要依据，作为年终发放农村党员联系村务工作补贴的主要依据。

为了使责任制落到实处，各村都制定了具体可行的实施方案。比如，对老弱病残党员（有能力又自愿要求的例外）一般不予考虑，其他绝大部分党员都有联系农户的任务。对于农户，则根据调查情况，把最需要党员帮扶的联系户进行排列，根据每个党员的具体情况，本着就近及以强带弱的原则，通过召开座谈会，给党员确定联系户对象，在支部广泛征求意见后，制定好联系方案。自2000年以来，全镇350名农村党员联系了农户，占农村党员的97%，共联系农户1812户，占全镇农户的48%，群众满意率达到100%。

为了增加落实责任制情况的透明度，小金口镇对农村党员联系村务工作责任制的实施情况，实行“三公开”，即张榜公开党员及其联系户名单、公开党员联系村务工作责任制内容、公开党员联系村务工作责任制的考评结果，将整个责任制实施情况直接置于群众的监督之下。

农村党员联系村务工作责任制，取得了党员和群众的一致认同，成效显著。

首先，增强了农村党员实践“三个代表”，发挥先锋模范作用的内动力。责任制实行后，党员要求联系对象做到的，自己必须首先做到，才有说服力。这无形中增强了党员实践“三个代表”，发挥先锋模范作用的内动力。

其次，增强了以党支部为核心的村级组织的执政能力。推行责任制后，农村党员成为落实村务工作的带头人和村党支部的左膀右臂，改变了过去单靠村干部做工作的局面，广大党员管好自家人，带好联系户，从难解到解难，从拆台到护台。柏岗村委会早在八年前就想改造进村大道，但一直未能如愿，原因在于村道两旁有10多户村民搭建了档口，当事人怕改造路影响自家生意，村干部多次反复做工作都无法协调。同村党员与这些群众有着近郊亲属关系，但是，没有一个党员做当事人的工作，甚至有的党员还在背后鼓动村民与村委会唱对台戏。实行责任制后，这些党员主动做工作，仅用了两个月就把这条拖了八年未建好的路全面改造完成。

再次，增强党组织的吸引力和向心力。九龙村共产党员曾镇球帮助吸毒青年成功戒毒，白石村共产党员阿廖婆化解两家矛盾，小铁村党员带头捐资15万元修建民心桥，北权村民小组共产党员叶汝忠自筹经费创办“党员之家”等，都在群众中产生深刻的反响，群众从一个个具体的党员身上看到了党的先进性，要求入党的群众一年比一年多。

最后，促进了农村两个文明建设的协调发展。责任制推行后，党员在自己致富的同时，还积极带领群众致富。九龙村党员贺志坚勤奋好学，带头学科学用科学，承包了20亩果场、30亩鱼塘、3亩水稻田，还开了一间商铺经营农用物资，年纯收入达5万元。他富了不忘乡亲，给联系户、村民送种子、送技术，有时还拿出钱来资助困难户。近两年来，他帮扶24户村民通过科技种养脱贫致富。据统计，2001年，全镇工农业总产值14.6亿元，比上年增长11.2%；财政收入2922万元，增长29%；农民人均收入4550元，增长3%。农村党员不仅自己带头遵纪守法，讲文明，信科学，还带动群众遵纪守法，移风易俗，革除陋习。目前，全镇社会治安良好，村风民风纯朴。村村都是文明村，文明户比例达到91.6%，98%的家庭迈入了小康行列。

总之，党员联系村务工作责任制的实施，较好地发挥了农村党员的先锋模范作用，增强了农村基层党组织的凝聚力和战斗力，促进了农村的改革、发展和稳定。2002年，小金口镇党委被中央和省委分别授予全国农村“三个代表”重要思想学习教育活动“先进集体”、广东省“模范乡镇党委”称号。

三、构建城乡统筹互助基层党建新格局

我国是一个农业大国，13亿人口中，农村占80%。得改革开放风气之先的广东，虽然农业占国民经济的比重在逐年下降，农民占全省人口的比重也在逐年下降，但是，农业是基础，农村是大头，农民是主体的基本格局还没有完全改变。目前全省9000多万人口中，还有农民近5000万，广东还是一个名副其实的农业人口大省。同时，广东虽然是经济大省，但经济发展不平衡。在广东的2.2万多个行政村中，还有相当一部分村的集体年收入在3万元以下。这些年来，农村整体的发展程度，越来越成为广东省率先实现现代化的重要因素。进入新世纪，广东省抓“三农”工作，其中一个重要的举措，就是把农村基层党组织建设，作为全省基层组织建设的重点紧抓不放，并统筹城乡资源，全方位加大对农村基层的扶持力度。

（一）“固本强基”推进农村基层党组织建设

从2003年起，广东省实施固本强基工程。胡锦涛总书记2003年4月视察广东时，指出这项工作看得准、抓得好。所谓“固本”，即固为民之本，其核心是保持党同人民群众的血肉联系，切实把最广大人民的根本利益实现好、维护好、发展好，不断巩固和扩大党执政的群众基础和社会基础；所谓“强基”，即强执政之基，其重点是提高基层党组织的创造力、凝聚力和战斗力，夯实党

执政的组织基础。

推进农村基层党组织建设，是固本强基工程的首要方面。广东提出固本强基必须紧紧围绕统筹城乡经济社会发展，建设现代农业，发展农村经济，增加农民收入这一中心任务来进行；注重抓好镇村领导班子建设，努力把镇村领导班子建设成为坚决贯彻“三个代表”重要思想，朝气蓬勃、奋发有为、干净干事的坚强领导集体；切实改进基层干部作风；建立重点帮扶责任制；大力发展壮大农村集体经济，夯实农村基层组织为民办事的物质基础；加强农村基层民主政治建设；建立健全适合农村基层特点的激励和保障机制，调动农村干部积极性，推动农村工作重心下移。

广东省委的决策具有很强的现实针对性。从农村基层组织看，党的十四届四中全会以来，经过历时六年整顿和建设农村基层党组织，集中两年农村“三个代表”重要思想学习教育活动，排查和整治了一批问题相对突出的县、镇、村，广东农村党的基层组织建设得到了进一步加强。从总体上看，农村基层党组织的功能、工作领域等制度安排已经基本明确，在深化改革、促进发展、保持稳定中显示了强大的战斗力。

但是，农村基层组织也还存在不少亟待解决的问题。部分基层党组织整体功能不强，软弱涣散，带领群众致富奔小康的能力跟不上。据广东省委基层办不完全的统计，2002 年广东省集体经济年纯收入 3 万元以下的村有 4711 个，占行政村总数的 21.3%，村级组织“无钱办事”，造成自身威望不高，战斗力不强。广东省村干部补贴及奖金不足 300 元的村有 11631 个，占村总数的 54%，村干部报酬偏低，影响了他们干事创业的积极性。许多制度难以落实到位，取得的一些成果得不到有效巩固。面对一些纠纷和矛盾，常常单一地就事论事，不能全面地加以解决，以至于“解决”之后又出现反弹。有的党组织放松了对党员的教育管理，组织生活不正常。一些基层党组织缺少年轻党员，据统计，2002 年在广东省 160.8 万名乡镇村党员中，35 岁以下的仅占 20.4%，60 岁以上的占了 29.9%，党员队伍年龄老化；一些党员党性观念淡薄，不履行党员义务，不能发挥先锋模范作用。一些基层党员干部依法办事意识不强，方法简单粗暴，作风不正，严重脱离群众，有的甚至以权谋私，违法犯罪，等等。

这些情况显示，影响广东农村基层党组织建设的一些深层次问题还没有解决，归结起来，实质上是农村基层党组织建设的运行机制尚未健全。针对上述问题，固本强基工程紧紧围绕统筹城乡经济社会发展，建设现代农业，发展农村经济，增加农民收入这一中心任务，进一步建立健全“六大机制”。

1. 建立健全农村基层干部选拔管理机制。

实施固本强基工程，最为关键的就是加强基层班子建设。按照优化班子结构、强化整体功能的原则，选好配强乡镇党委和村党支部领导班子。通过创新选拔机制，拓宽选拔渠道，把思想好、懂经济、善开拓的优秀年轻干部选拔到乡（镇）领导岗位上来。加强以村党支部为核心的村级组织配套建设，挑选在创业中先富起来，愿意为群众服务的经济能人、优秀外出务工人员等任村主要领导。并保持一定的乡（镇）村后备干部，确保农村基层组织后继有人。

（1）“两推一选”。村党组织领导选任全面实行“两推一选”（党员推荐、群众推荐，党内选举），这是指在村党组织进行换届时，先由党员和村民代表投票推荐党组织委员候选人初步人选，再由乡镇党委依据推荐票数和村党组织委员任职的基本条件，经党委审查同意后，确定村党组织正式候选人，在党员大会上差额选举村党组织委员会委员。村党组织书记在新当选的委员中由全体党员选举产生。要以实际能力和政绩选干部，谁能带领群众奔康致富，就选谁当干部，注重选拔通过合法劳动先富起来的经济能人任村主要领导。

（2）村干部参照公务员管理。广东一些地区因地制宜对村干部参照公务员管理。英德是粤北山区县级市，他们针对农村干部队伍不稳定的状况，决定改革村干部选拔、任用和管理制度。于2003年6月出台了“六项措施”：一是提高全市村（居）干部的管理权限和工资标准，由市委组织部统管村（居）党支部书记、村

长，市财政统发工资补贴。具体是：村（居）党支部书记月工资补贴600元，村（居）委会主任月工资补贴500元，其他村（居）干部月工资补贴450元；党支部书记、村长一律参加市社保局的养老保险。这项政策出台后，农村优秀人才争当村干部的热情高涨，不少人从原来“不想当”变为“争着当”。二是公开选拔“村官”。全市对92个村（居）党支部书记岗位进行公开选拔，1069名符合条件的人踊跃参加竞选，最终选出并按法定程序任职的村（居）党支部书记91人，平均年龄37.8岁。三是对村（居）干部实行“三定”管理和目标考核制度。“三定”，即定编、定岗、定责，村（居）“两委”在考核中连续两年不达标的，按选任程序进行调整。四是打通优秀村（居）干部“上升”的通道。村（居）干部工作成绩突出、符合资格条件的优秀人才，可按正常程序提拔进镇一级领导班子和公务员队伍。五是加强培训，提高村（居）干部素质。每年安排1/3以上的村（居）党支部书记、村（居）委会主任到市委党校学习培训，更新知识，提高执政水平。六是拓展选人视野，建设好村级后备干部队伍。把公选未录用的优秀人选，作为后备干部跟踪培养。英德市已建立一支317人的村级后备干部队伍，平均年龄为35岁，高中以上学历的占99.2%，从而有效解决了农村干部后继乏人的问题，增强了农村基层组织的凝聚力和向心力。

（3）实绩考核。2004年以来，江门市逐步在全市乡镇实行镇级领导班子实绩考核，按照“上报自评、部门评分、民主测评、数据核实、征求意见、决定审批、结果公示、兑现结果”等八个步骤开展考核，把考核结果与干部的任免使用和年薪挂钩，有效激发了干部的工作热情，营造了讲求实效、抢抓机遇、科学发展的良好氛围。

2. 建立健全农村基层组织服务群众的物质保障机制。

建立健全农村基层组织服务群众的物质保障机制，基本思路是，积极探索村级集体经济的多种实现形式，盘活村集体资产，以乡镇企业带动农村经济，并培育新的经济增长点，促使农村经济实力不断增强，使农村基层党组织“有钱办事”；在经济欠发达的地区，通过落实基本待遇，保证村干部的基本报酬，并与工作实绩挂钩，加大奖惩力度，激发和调动农村干部的积极性，激发农村干部的工作动力；解决一些村级组织“无址办公”问题。建立重点帮扶责任制。

（1）发展集体经济。广东农村总体发展不平衡，既有发达的珠三角地区，还有占农村人口大多数的粤东、粤西、粤北欠发达地区。农村实行的以联产承包为主、统分结合的双层经营责任制，是必须长期坚持的一个大政方针。但许多欠发达农村“统”的层面很薄弱，不少村基本上无集体经营项目，集体经济已成为“空壳”。许多乡镇、村几十年来经济、社会改变不大，乡镇、村集体长年负债，农民收入低下。如据韶关市2005年的调查统计，全市103个乡镇，负债的有98个，占95%，负债总额9.2亿多元；1203个行政村，负债的有1113个，占92.5%，负债总额3.65亿元。2004年，全市城镇居民人均收入9930元，而农村居民人均收入3461元，只有城镇居民的34.9%，比2003年还下降了0.2%。基层组织没有服务群众的物质基础，说话不灵，办事不成，与群众的要求和愿望不相适应。针对这些镇村党组织相对软弱无力的情况，从2002年起，广东针对农村集体经济发展不平衡问题，在全省实施了“千村扶贫”工程，拨出专项资金，重点扶持粤东、粤西、粤北山区集体经济年纯收入低于3万元的贫困村发展集体经济。固本强基工程中，则采取部门帮扶、政策帮扶、科技帮扶、“结对子”帮扶等多种形式，加大帮扶力度，并积极探索村级集体经济的多种实现形式。

与以往不同，广东各地在发展贫困村集体经济上，注意用新的思路和办法。比如，2003年以来，惠州市稳步实施以“转变投资方向、转变投资重点、转变投资方式、转变筹资方法”为主要内容的村级集体经济“四个转变”脱贫工程。至2005年底，全市共新建扶贫工业厂房、商住楼11幢，小水电站12座，并完善了项目资产管理规定。每年产生的约1220万元厂租、发电收入，按照“以奖代补”的方式分配给435个贫困村，实现了全市所有贫困村

脱贫的目标。

（2）统筹补贴。从2003年起，广东省将每年拿出5000万元资金，对全省5000多个集体经济年纯收入3万元以下贫困村实行奖励补贴。2004年广东省有10000个村的村干部受到了奖励。广东省委九届三次、五次全会决定确保村干部月补贴不低于300元，在村级集体经济尚未发展起来的地方，村干部的补贴，每月应不少于300元，由市、县、镇、村四级按一定比例分担。2005年省委、省政府进一步整合“以奖代补”和“千村扶贫”资金，增加财政预算，对集体经济年纯收入3万元以下的贫困村干部实行统筹补贴。从2005年起，又从省财政预算中每年安排16744万元，对7973个贫困村“两委”干部的补贴实行专项转移支付，确保贫困村“两委”干部补贴每人每月不少于300元，一定三年不变。

（3）建设村级组织活动场所。广东省委、省政府从2001年起开始部署村级组织活动场所建设工作。固本强基工程实施后，省政府从省财政拨出专款1.032亿元，分两批对办公（活动）场所困难的5160个村给予专项补贴（每村2万元）。广东省还开展了以办公场所标准化、村务管理规范化、服务功能配套化为主要内容的村级组织“三化”建设活动，推进村级组织各项建设。

（4）重点帮扶。按照镇、村总数2%～5%的比例，分别排出一批问题相对突出的镇、村作为重点帮扶单位，组派得力工作队驻点帮扶。广东省共排查了存在相对突出问题的镇40个、村458个，并逐个组派工作组驻点整治，重点研究构建促进农民增收的长效机制。

3. 建立健全农村基层干部任职培训和经常受教育机制。

对身处农村一线的基层干部有针对性地进行培训，并使之成为制度，这是提高农村基层干部和党员素质的重要环节。广东主要从以下两方面着力：

（1）健全培训网络，提高培训质量。广东省委高度重视农村党员和基层干部的培训工作。几年来，省财政先后拨出专项培训经费2960万元，用于补助经济欠发达的15个地级市和82个县，落实镇村干部和农村党员培训工作。张德江提议在省委党校举办镇村干部示范班，并亲自讲课，进行座谈。省委党校还编写了适用教材，指导带动各地区的培训工作。如采取农村党员易于接受的、喜闻乐见的形式，把先进性教育的读本、重要篇目，用群众的语言，用农村党员易于理解的语言进行辅导。另外，开通远程教育网，做到省、市、县、镇四级联动，全面覆盖农村基层党员、干部的任职培训工作。

与此同时，调动高等院校参与农村基层干部教育培训工作的积极性和主动性，放手让他们承担专业性较强的业务培训，保证基层干部和党员群众经常受到教育。肇庆市白土镇，以镇党校为阵地，请来高校的教授、专家讲授科学发展观、果树栽培技术、淡水鱼虾病虫害的防治等专题课，很受基层干部和党员群众的欢迎，提高了他们发展农村经济的能力和水平。2005 年上半年，该镇就举办专题学习班两期，培训了 500 多人次；举办农村技术学习班九期，培训了 1600 多人次。该镇目前有 1100 多名党员干部，经过多次学习培训，大部分已掌握 1～2 门实用技术，有 350 名党员干部获得了农业技术职称。

（2）创新方式，充实培训内容。广东减少传统的、封闭的培训方式，探索农村基层干部教育培训的新机制，实现培训方式多样化，如利用农村示范服务基地进行实践性培训，依托大中专院校进行提高性培训，利用党员电化教育载体进行普及性培训。梅县程江镇在 2005 年村“两委”换届选举后，对新上任“村官”的培训内容和培训方式就作了很大的改革。一是请县政法委的干部讲授法律知识和案例分析课，既现实又生动；二是让学员到县信访局参加信访接待工作，学会如何化解人民内部矛盾；三是请连任的老“村官”现身说教，讲述如何深入细致地做好农村思想政治工作。

4．建立健全干部密切联系群众的机制。

在固本强基活动中，广东在这方面的探索，既有制度要求，又有实践创新。

（1）坚持和完善领导干部联系点为主的深入基层制度。固本

强基工程旨在造成一种干部密切联系群众的机制性渠道。要求基层干部驻村蹲点，乡镇领导干部每年下村的时间不少于 4 个月，其中要有 20 天以上的时间住村进户；乡镇领导干部每人要挂钩一个村，特别要挂钩帮助后进村；镇村干部每人要联系 5 户以上不同类型的农户，掌握民情，帮助解决实际问题；建立和完善乡镇领导干部每天 24 小时值班制度、住镇制度和接访日等一系列为民、便民、利民制度，一把手接访原则上每月一次；镇委、镇政府应组织涉农站所负责人、技术人员，定期为农民提供咨询服务。①

（2）实行党员联系村务和结对帮扶群众工作责任制。自 2003 年以来，广东省委结合农村“三个代表”重要思想学习教育，总结推广惠州市小金口镇的经验，在全省农村推行党员联系村务工作和联系群众责任制，使广大农村党员找到了发挥作用的有效载体，找回了作为共产党员的光荣感和责任感。2004 年底，广东省参加联系村务和联系群众的党员达 85. 8 万人，占村党员总数的 86%，联系农户 209. 2 万户，占农户总数的 19%。

（3）用民情日记的新形式联系群众。地处粤北山区的韶关，是广东经济欠发达地区。实施固本强基工程以来，韶关市委部署和开展了以“串百家门，知百家情；解百家难，连百家心；办百家事，致百家富”为主题的写民情日记活动，推进农村基层组织建设。韶关市委把干部写民情日记活动作为转变作风，提高党员干部素质，密切联系群众的具体措施，作为发展农村经济、解决群众生产生活中存在的困难和问题、化解农村社会矛盾纠纷、加强农村基层组织建设的长效机制来抓，开辟了干部密切联系群众的一条新渠道、新形式。

韶关市对干部联系点、下村次数、日记篇数以及考核等提出了具体明确的要求：第一，（市）区领导及直属部门干部每人至少联系 1 个村，每月下村入户不少于 1 次，每月记“民情日记”不少于 1 篇；乡镇干部、乡镇涉农站、所干部和村干部每人每周下村入户

---

① 《中共广东省委关于实施固本强基工程全面推进党的基层组织建设的决定》。

不少于2次，每周记“民情日记”1篇以上。第二，实行阅评和考核的“五个一”管理制度，即一周一汇报，一月一检查，一季一交流，半年一小结，年终一考核。第三，单位主要领导的“民情日记”由组织部审阅，其他领导干部的“民情日记”由单位主要领导同志审阅。第四，各单位每月要统计上报本单位领导和其他干部的下乡户数、日记篇数等。

此项活动开展四年来，韶关市干部进村入户的多了，呆在机关、泡在院子的少了。共有1.3万名干部写下“民情日记”66.2万篇，为基层群众解决生产生活问题31.1万件，群众上访率大幅下降，一些有名的上访村连年无人再上访。韶关市仁化县城口镇群众反映说，镇干部每人都有一本由县委组织部统一印发的民情日记，上面记载着社情民意的动态、遇到的难题、处理结果和评价意见。镇党委书记黄付养的民情日记写道：“上寨村通往盘岭自然村一座木桥由于年久失修，给两岸群众耕作和学生上学带来不便，必须进行及时维修或翻建……”不久，经多方努力和协调，筹集8万元资金建好了一座便民桥，方便了群众生产生活。镇党委副书记周任康在民情日记上写道：“8月26日，厚塘村彭屋自然村种果大王黄左新向我反映，其种植的柑橘发生了严重的病虫害，甚至出现枯萎现象，如不及时治理，将会影响到明年柑橘的收成……”第二天，他便组织镇专业技术人员到现场了解情况、查找病因，并传授病虫害防治知识，为柑橘丰收打下了基础。韶关市委书记覃卫东认为，“民情日记”是该市建立干部联系群众长效机制的一种形式，可以密切党群关系，维护农村社会稳定，促进农村经济发展，提高广大干部素质。

广东省各地借鉴韶关的经验，通过开展民情日记、驻村手记、一事一议一策等活动，为干部转变作风，密切联系群众，架起永久的“连心桥”。

5. 建立健全村党组织领导的充满活力的村民自治运行机制。

我国宪法规定，在农村按居民居住区设立村民委员会这一基层群众自治组织。村民委员会主任、副主任和委员由居民选举。《中

华人民共和国村民委员会组织法》（以下简称《村委会组织法》）规定，村委会是村民自我管理、自我教育、自我服务的基层群众性自治组织，实行民主选举、民主决策、民主管理、民主监督。“四个民主”是村民在宪法和法律的框架内实行村民自治的主要方式。而村党支部作为村级各级组织和各项工作的核心，领导村委会等农村群众组织，支持和保证其依照国家法律法规及各自章程行使职权。经过多年的实践探索，广东村党支部领导下的村民自治范围普及，内容不断丰富，制度日趋完善，规范化的水平逐步提高，已由普遍建立制度向着进一步完善制度、规范程序、提高实效的新阶段转变。

（1）实行“两推一选”和观察员制度，保证基层民主选举。2005 年，广东大多数农村基层组织又一次换届选举。为保证民主选举工作的顺利进行，各地总结以往的经验，对村党支部的选举，因地制宜地实行了“党内推荐、群众推荐、党内选举”的“两推一选”制度。对村委会的选举，严格按照《村委会组织法》规定的程序选举，并实行选举观察员制度，这在全国尚属首创。选举观察员对所观察的村换届选举，进行全过程客观的观察和记录，对其合法性进行公正的认定。这为各级人大、政府主管部门和选举机构认定选举是否合法，以及查处违法行为提供了有效的依据。广东省下派了 1300 多名观察员，如期到村进行选举观察，对选举中的不良倾向和姓氏宗族等活动，起到了威慑作用。这一制度有力地推进了广东省村级依法进行换届选举工作。

（2）坚持党的领导，从选人机制上保证村民自治。针对广东省第一届村委会换届选举中出现的一些地方村党支部与村委会关系不顺、工作“两张皮”，一些新当选的村干部素质差、工作不胜任、群众意见大，有的乡镇党委对村委会工作的领导指导不力等问题，广东从改革选人用人机制入手，制定了《关于村党支部换届选举工作意见》和《〈广东省村民委员会选举办法〉实施细则（试行)》，对村民自治条件下的选人用人问题作出新规定。

首先，明确交叉任职要求。原则上先进行村委会换届选举，在当选村委会成员的党员中考虑党支部委员人选。若先进行村党支部换届，在村委会选举时，要求党支部委员主动参选，通过合法的渠道当选村委会成员，实现支部书记与村委主任、支部委员与村委会成员的交叉任职。在一个县（市、区）范围内，要求村党支部和村委会成员交叉任职的比例争取达到70%以上。2005年广东省村级换届选举后，村党支部与村委会成员交叉任职比例为72.8%，村党支部书记与村委会主任交叉任职比例为67.1%。

其次，明确什么样的人不能当干部。广东对村委会成员候选人应具备的年龄、学历等基本条件进行了界定，同时规定违反计划生育条例超计划生育未满五年或处理未完结的；被处管制以上刑罚，解除劳动教养或刑满释放不满三年的；受撤销党内职务、留党察看、开除党籍处分不满三年或正被纪检、司法机关立案侦查的；外出不能回村工作的四类人不宜作为候选人。

再次，明确乡镇党委在村民直选中的作用。在村民选举委员会召开提名会议前，乡镇党委应根据考察和民意调查情况，提出新一届村民委员会候选人建议意见。村民选举委员会在安排选民对乡镇党委提出的村民委员会候选人建议意见进行充分酝酿的基础上，组织选民对村民委员会候选人进行直接提名。这种做法，既不违背《村委会组织法》，又加强乡镇党委对村民选举工作的领导。

（3）规范村级组织运作，理顺“两委”关系。村党支部作为村级各级组织和各项工作的核心，领导村委会等农村群众组织，但是，领导不是包办代替，而是支持和保证村委会等群众组织依照国家法律法规及各自章程行使职权。既要保证村党支部对村委会的领导，又要保证村委会依法开展自治活动。就需要具体规范村“两委”协作共事的制度和程序，着力健全村党支部领导下的“两委”分工负责制、“两委”联席会议、民主评议“两委”干部等制度，明确党支部对村委会实行政治领导、工作指导、思想引导的职能，村委会在党支部领导下依法行使职权，形成“两委”协调一致和良性互动。

造成一些地方村“两委”关系不协调的主要原因是村级组织

职责任务不清晰、决策程序不明确、村务运作不规范。为此，广东省在深入调查研究、广泛征求意见和认真抓好试点的基础上，早在2001年就制定了《广东省村务管理办法（试行）》（以下简称《办法》）。一是明确了各种组织的职能和关系，强化了党组织的领导核心地位。对村级组织之间的关系、村务管理的原则、村党支部与村委会的具体职责以及村务管理人员的教育管理等作出具体规定。二是规范了办事程序。如在规范议事程序和议事规则方面，明确哪些具体村务由党支部办理，哪些具体村务该由村委会提出方案，交党支部讨论决定，哪些具体村务在经党支部通过村委会提出的方案后还必须经村民会议或村民代表会议讨论决定。又如村日常的小额开支，实行"两笔会签"制度，村委会主任一支笔、村务公开监督小组代表一支笔，缺少任何一笔均不得入账报销；大额开支在"两笔会签"后须经村党支部同意，由支部书记签名，等等。《办法》的试行，促进了广东省村务管理的规范化、制度化和科学化，对建立村党组织领导下的村民自治运行机制，促进农村经济发展和社会进步具有重要的现实意义。

2005年4月底的统计显示，已经换届的14958个村中，"两委"交叉任职数达67%，选拔5570名经济能人任村民委员会主任，占37.2%。目前广东省"两委"关系协调的村18423个，占村总数的84.3%，初步建起了村党组织领导的充满活力的村民自治运行机制。

6. 建立健全以"三级联创"为载体的农村基层党组织建设常抓不懈的推进机制。

农村党的建设"三级联创"活动，是指创建以"领导班子好、党员干部队伍好、工作机制好、小康建设业绩好、农民群众反映好"为主要内容的"五个好"村党组织、"五个好"乡镇党委和农村基层组织建设先进县（市）活动。以县、乡、村三级党组织上下联动，争先创优建设基层党组织的"三级联创"活动为总载体、总抓手，建立富有活力的乡镇工作体制，健全村党支部领导的充满活力的村民自治，形成农村基层党组织建设上下联动的工作格局，使农村基层组织建设整体推进，既立足于做好经常性工作，又能及时消除各种不稳定因素和相对突出问题。

2003年，根据中央关于深入开展农村党的建设“三级联创”活动的精神，广东下发了《关于深入开展农村党的建设“三级联创”活动的实施意见》，明确要紧紧围绕深化农村改革、发展农村经济、增加农民收入、维护农村稳定大局，把思想建设、组织建设和作风建设有机结合起来，使制度建设贯穿其中，探索“让干部经常受教育、使农民长期得实惠”的有效途径，建立健全农村基层组织常抓不懈的工作机制，全面提高农村基层干部和党员队伍的整体素质，把农村基层党组织建设成为贯彻“三个代表”重要思想的组织者、推动者和实践者，为广东加快发展、协调发展，全面建设小康社会，率先基本实现社会主义现代化提供坚强有力的组织保证。

（1）落实责任，上下联动。广东各地把“三级联创”活动纳入重要议事日程，书记带头抓，真正做到认识到位、责任到位、措施到位、工作到位。博罗县建立的“三级联创”目标责任制，把“三级联创”的目标要求细化分解到县机关部门和镇、村各单位，并将其作为各级领导干部年度考核的一项重要内容。通过整合县、镇、村三级组织的力量，层层落实责任制，形成齐抓共管、上下联动、同心协力的工作新格局。

镇、村两级是“三级联创”活动的主体，博罗县把创建“五个好”的目标，作为镇党委和村党组织任期的重要目标，镇党委书记是第一责任人，村党支部书记是直接责任人，形成一把手负总责，一级抓一级，层层抓落实的工作格局。同时实行镇干部联系农户和村党员联系村务工作的“两级责任制”。全县1607名镇干部联系15427个农户，占全县农户的16%；18486名农村党员联系村务工作，占全县农村党员的72%。镇、村联动的实行，充分调动了农村党员参与“三级联创”活动的积极性，在服务群众、带领群众致富、化解社会矛盾、密切联系群众等方面都发挥了积极作用。

县机关充分发挥职能部门的作用，积极参与“三级联创”活动，并把活动的成果作为评选“群众满意的县机关部门”的重要依据，也是县机关部门一把手政绩考核的重要内容。

（2）分类指导，整体推进。广东“三级联创”坚持从实际出发，针对不同类型、不同层次基层党组织的不同特点，加强具体指导。对比较先进的农村基层组织，要帮助其总结经验，提出更高的要求，如对50个省级固本强基县、镇、村示范点，要引导其提出新的发展目标，并充分发挥其示范、辐射带动作用；对相对后进的农村基层组织，采取整顿、帮扶的办法，帮助其提高，包括组派工作组驻点帮助整顿；对中间状态的农村基层组织，要区别情况，帮助找出薄弱环节，做好查漏补缺，促其早日进入先进行列。通过“抓两头，促中间”，互相取长补短、共同学习提高，整体推动了农村党基层组织建设全面发展。

（3）严格考核，评比推动。广东开展“三级联创”活动，有部署、有检查、有考核、有奖惩，并形成了制度。其中科学考核，严格考核，是不断提高创建活动水平的重要保证。考核有一些指标是可以量化的，如对“农民群众反映好”的衡量，其中就要求群众对党组织的工作，满意和基本满意率在90%以上。[①] 电白县的做法是：层层评议、逐级考核。县委制定了《农村基层组织建设工作考核方案》和实施细则，专门成立考核领导小组和评选机构，坚持半年小结、年终考核总结、“七一”表彰的制度。对年度考核名列末三位的单位给予提醒整顿；不称职的党员干部，实行当年不评优、不提职、不提薪、不拿年度奖金的“四不”政策，并视实际情况调整工作岗位。2005 年 7 月，县委根据年度考核的结果，对 18 名党员干部实行了“四不”政策，调整了镇党委书记 4 人、镇长 3 人、村党支部书记 28 人的工作岗位；表彰了一大批先进单位和先进党员干部，有力地推动了“三级联创”工作的顺利开展。广东省委还决定每两年组织评选表彰一批在“三级联创”活动中

① 《关于深入开展农村党的建设“三级联创”活动的实施意见》。

涌现出来的“五个好”村党支部、“五个好”乡镇党委和农村基层组织建设先进县（市、区），同时评选表彰一批表现突出、成绩显著的优秀村党组织书记、优秀乡镇党委书记和农村基层组织建设先进县（市、区）委书记。评选表彰实行动态管理，不搞“终身制”。

固本强基工程实施以来，着力从机制上加强农村基层党组织建设，建立健全“六大机制”，有效地推动了农村基层党组织执政能力的提高，促进了广东经济社会全面协调可持续发展，为加强党的基层组织先进性建设探索了规律。作为广东农村的党建与经济发展双赢的后起之秀，阳东县平地村正是固本强基的一个缩影。

平地村位于广东阳东县北惯镇，全村总面积5.68平方公里，下辖7个村民小组，共有538户2150人。与广东农村一些先富起来的村不同，平地村几年前集体经济纯收入不足3万元，村民人均纯收入3000多元，在广东算穷村。到2005年，村集体经济纯收入达到23万元，村民人均收入增加到4500元。

平地村的深刻变化来自于固本强基的实施。2003年8月，中共中央政治局委员、广东省委书记张德江选定平地村为实施固本强基工程联系点，以此为契机，平地村成功地走出了一条建设社会主义新农村的好路子。2004年，平地村被国家民政部、司法部评为“全国民主法治示范村”，2005年7月，平地村党支部被评为广东省的先进基层党组织和该市的红旗基层党组织。

（二）“十百千万”探索城乡互助机制

广东从2005年起，开始实施“十百千万”干部下基层驻农村活动。就是从省、市、县、乡镇机关部门，每年组织10名以上省级干部挂钩地级以上市、100名以上市厅级干部挂钩县（市、区）、1000名以上县处级干部挂钩乡镇（街道）、30000名以上科级干部驻村，每个村一般派驻一名干部。对集体经济年纯收入在3万元以下的贫困村派驻工作组，建立重点帮扶责任制。一抓三年，以切实解决农村基层存在的突出问题，深入推进农村固本强基工程。

1．“十百千万”助推固本强基。

“十百千万”干部下基层驻农村的总体要求是，紧紧围绕农村基层党组织“五个好”的目标要求，以加强基层领导班子建设为重点，以推动经济发展为第一要务，以解决突出问题为突破口，全面提高农村基层党组织的创造力、凝聚力和战斗力，使全省农村基层党组织领导班子更加坚强、干部作风更加务实、党员作用更加突出、工作机制更加完善、小康建设业绩更加显著、党群关系更加密切，党员干部真正成为贯彻“三个代表”重要思想的组织者、推动者和实践者。“十百千万”干部下基层驻农村的基本任务是“五个帮助”：帮助建好班子、帮助加强队伍建设、帮助发展经济、帮助加强农村精神文明和民主法制建设、帮助建章立制。

“十百千万”干部下基层驻农村活动每年围绕一个工作主题进行，三年的工作主题都是由省委书记张德江亲自提议的。2005 年的主题是“三查两建一发展”。即查作风正不正、查发展路子对不对、查班子强不强，建设一个好班子、建设一支好的党员干部队伍，发展农村经济。2006 年的主题是“三解决两提高一推进”，即解决农村经济发展的主要问题、解决群众最关心的重点问题、解决农村党组织和党员队伍中存在的突出问题，提高村级领导班子战斗力、提高农村党员队伍素质，推进社会主义新农村建设。2007 年的工作主题是“一树立两促进三建设”，即树立科学发展观，促进农村经济发展、促进农村社会和谐，建设一个好班子、建设一支好队伍、建设社会主义新农村。

“十百千万”干部下基层驻农村活动大体上从以下四个方面展开：

一是抓班子，强队伍，提高干部党员的素质和能力。农村基层党组织是党在农村全部工作和战斗力的基础，是农村各种组织和各项工作的核心，是党团结带领农民群众建设社会主义新农村的战斗堡垒。帮助建好班子，提高党员队伍素质，始终是“十百千万”活动每年工作主题的重要内容。二是变观念、理思路，促进当地经济发展。促进农村经济发展，是“十百千万”干部下基层驻农村

的第一要务。当然，“十百千万”不是简单地给钱给物，而是帮助所驻村找到一条符合当地实际的持续发展的路子，这既是当务之急，长远看也是从根本上解决问题。三是办实事、解难点，构建农村经济社会和谐新局面。驻村干部既救穷又救急，千方百计地着力解决影响农村经济社会发展的难点、热点问题，这一方面最大可能地弥补了长期以来农村公共产品投入不足的缺陷；另一方面大大减少了影响农村稳定的因素。四是建制度、立章法，规范村级班子运行程序。帮助加强农村精神文明和民主法制建设，帮助建章立制是“十百千万”干部下基层驻农村的五项基本任务其中的两项。驻村干部从操作性的制度、机制入手，帮助规范工作程序，这大大减少了基层干部工作的随意性，从制度上有效防止了对集体和农民个人利益的侵害。

三年来，通过12.7万名驻村干部的不懈努力，“十百千万”干部下基层驻农村活动，取得了显著的成效。

农村党组织领导核心地位进一步巩固。三年共整顿后进村党支部598个，调整班子成员4385名，选拔1.7万名经济能人进入村“两委”班子，发展新党员1.5万名，培养要求入党积极分子5.1万名、村级后备干部6.5万名，新建村级组织活动场所2563个，培训农村党员干部90多万名。党组织的创造力、凝聚力和战斗力明显增强，在群众中的威信明显提高。

农村经济发展实现新跨越。全省各级挂点单位帮助驻点村规划和落实发展村级集体经济项目6万多个，全省有1275个贫困村集体经济年纯收入超过了3万元。省直单位驻点村年集体经济纯收入平均5.3万元，增长176.6%。全省农村居民人均纯收入达到5079.8元，比三年前增长了12.5%。

农村基础设施建设较好改善。三年来，各挂点单位紧紧围绕新农村建设的总体规划，充分发挥资金、技术和资源优势，在驻点村的交通、水利、学校、办公楼等基础设施建设方面共投入资金60多亿元，建设硬底化村道8536公里，整治修建各类水利工程1.2万处，修建文化娱乐、教育卫生场所和美化村容村貌等项目2.5

万个。

农村热点难点问题有效解决。围绕饮水难、读书难、看病难等群众关心的突出问题，挂点领导和驻村干部想方设法，集各方力量为群众排忧解难。三年来，共为群众办好事实事20多万件，慰问基层干部和困难党员群众5.7万次，解决了300多万群众的饮水问题，修建了学校1156个。全省共组织农科技术、医疗卫生、文化教育、法律援助等服务队1.3万支，下乡开展支农活动6.9万次，为群众送医送药、送种子种苗、送科技送文化送知识。

农村不稳定因素大幅减少。广大驻村干部积极配合村“两委”及时排查调处、教育疏导、化解矛盾，群众反映强烈的山林纠纷、征地补偿、村务公开、社会治安等问题得到有效解决。三年来，驻村干部共参与排查和解决农村相对突出问题18.5万宗，化解群众矛盾纠纷6158宗，有效预防和妥善处置了信访突出问题及群体性事件856起。2007年1—10月，全省群众上访人次比2004年同期下降了49.5%，全省集体上访批次比2004年同期下降51.8%。

人民群众对党的感情明显增进。各级挂点领导和广大驻村干部办好事实事、解决热点难点问题、调处化解矛盾、带领群众致富奔康、慰问困难群众等事迹深入人心。群众对党的感激之情进一步激发，党群干群关系进一步密切。三年来，挂点单位和驻村干部共收到群众感谢信2.3万封、锦旗926面、匾额1153块，有的群众甚至千里迢迢到省委报告驻村干部的感人事迹。

驻村干部做群众工作的能力普遍提高。“一年驻村，终身受益。”广大驻村干部广泛宣传党的路线方针政策，普及法律法规知识，宣传教育群众的能力不断提高；深入群众，倾听群众意见，与农民交知心朋友，联系、沟通群众的能力不断提高；带领群众走科技兴农、多种经营、勤劳致富、共奔小康的道路，探索经济发展思路，带领群众发展的能力不断提高；帮助群众解决各种矛盾纠纷，解决各种复杂问题，处理复杂矛盾的能力不断提高。一大批优秀年轻干部在驻村工作中脱颖而出，得到提拔重用。据不完全统计，全省共有45.6%的驻村干部受到表彰，有12631名干部被提拔使用，占下派干部总数的10.4%。

村级各项规章制度全面规范。三年来，广大驻村干部协助村“两委”进一步理顺村级组织关系，进一步规范村级组织运作，共建立健全各类规章制度11.2万项，其中村党组织活动制度1.9万项，村“两委”议事制度2.1万项，村务、财务公开和民主管理制度3.8万项，各种村规民约3.4万项。①

实践证明，组织“十百千万”干部下基层驻农村，是夯实党的执政基础的重要载体，是新形势下坚持党的群众路线的有效形式，是推进社会主义新农村建设的重大举措，是培养锻炼年轻干部的有效途径，是合民情、得民心、顺民意的民心工程和德政工程。中央组织部给予充分肯定，贺国强同志批示：广东省组织“十百千万”干部下基层驻农村，对于加强农村基层组织建设，搞好乡村两级先进性教育活动，锻炼机关干部，是一项非常好的举措。

2008年，广东省委继续推进“十百千万”干部下基层驻农村工作，选派2万名干部驻村，确保全省每个行政村至少有1名驻村干部，工作主题是“双学双促双建”，即学习党的十七大报告、学习党章，促进农村经济发展、促进农村社会和谐，建立城乡党组织互帮互助机制、建设美好家园。目前，各地驻村干部正在按照省委的部署，努力做好驻村工作。

2. 驻村典型——广东省水利厅驻化州市林尘镇坦塘村工作组。

广东省水利厅的驻点村是化州市林尘镇坦塘村，这是粤西革命老区一个有5600多人口的偏僻山村，在省水利厅干部进驻之前，人均收入只有3000多元，年集体收入不足5000元，各项公益事业和基础设施薄弱。

坦塘村旧貌换新颜，得益于广东“十百千万”干部下基层驻农村活动的开展。三年来，水利厅党组高度重视，驻村干部尽心尽力，他们的工作和成效，主要是抓好“五个心”和实现“五个

① 胡泽君：《在全省“十百千万”干部下基层驻农村总结表彰暨城乡基层党组织互帮互助工作会议上的讲话》，驻村网，2008-1-7。

好”：一是强化“核心”，建设好村级领导班子和党员队伍。针对驻点村领导班子较弱队伍较散的现状，工作组通过抓好学习教育，着力提高党员干部素质水平，抓好制度建设，规范村级管理，配合搞好村级“两委”换届工作，落实项目责任制，培养村干部干事能力和“走出去、请进来”等方面工作，努力打造“永不走的工作队”。如完善了支部和村委会各项制度共 12 项；高标准建起了 150 平方米的宣传阵地，实行党务、村务工作的规范化公开；三年来先后组织村干部和党员代表 8 批近 400 人（次）到广州、东莞、湛江和高州市、茂南区等地参观考察学习。邀请省、市有基层经验的有关专家 21 人（次）到村里辅导和作报告，解读政策、传授经验知识。在工作组的帮助下，坦塘村支部成为化州市农村先进性教育活动示范点之一。二是突出“中心”，发展好农村经济。水利厅筹资捐建了中心村综合楼，对外招租增加了村委会集体经济收入。全村水稻实现了高产稳产，原来弃耕的土地上全部种植了经济作物，新增甘蔗种植面积 600 多亩、速生丰产林面积 850 亩，推挖鱼塘 300 多亩，禽畜规模化饲养量增长 60% 以上，仅此农民年平均收入增加 300 元以上。坦塘村逐渐发展成为当地特色农业基地，农民收入稳定增长，农民生活质量显著提高。三是情暖“民心”，解决好群众实际困难。省水利厅积极筹措各类帮扶资金共约 650 万元，另争取省有关部门专项资金 136 万元，实施十项民心工程，切实解决了群众反映强烈、影响社会经济发展的热点难点问题和基层实际困难，大大提升了驻点村各项基础设施和公益事业水平。四是坚定“信心”，抓好新农村建设的示范带动。驻村工作组搞好中心村规划和建设，并选择两条自然村作先行试点，帮助整治村容村貌，建设文化广场、生态休闲园、文体设施和硬底化环村路等。建设沼气示范村，推广使用沼气，引导村民养成讲卫生、重环保的良好习惯，逐步改变农村“脏乱差”面貌。健全了村规民约，营造了和谐文明新风，使坦塘初步呈现出社会主义新农村的雏形。五是把握“重心”，巩固好农村社会稳定和谐。驻村工作组及时调处化解矛盾于萌芽状态；推行治安群防群治，协助完善了村治安防范报警网络。三年来水利厅组织开展各种“送温暖、献爱心”活动共计42次，发放慰问品、慰问金合计超过20万元。组织厅各支部“爱心父母”结对帮扶全村36名孤儿和单亲困境儿童，一帮三年。

广东省水利厅的真抓实干使驻点村党支部的凝聚力、战斗力明显增强，农村经济得到长足发展，基层和群众各种困难得到切实解决，和谐社会建设进一步巩固，社会主义新农村建设迈开了大步。水利厅驻村工作组的成绩也得到了有关部门充分肯定。驻村工作组连续三年被评为省“先进驻村工作组”，其中第二批工作组还被选为先进典型在全省总结会上作经验介绍。①

（三）全面开展城乡基层党组织互帮互助

建立健全城乡党的基层组织互帮互助机制，是党的十七大一个新的提法，广东“十百千万”干部下基层驻农村活动，实际上就是基层党组织城乡互帮互助的有益探索和实践。正如中央政治局委员、省委书记汪洋同志批示：连续三年的“十百千万”干部下基层驻农村工作成效显著，对于加强基层党组织建设，培养年轻干部，为民排忧解难，密切党群关系，都发挥重要作用。希望按照党的十七大的要求，以改革创新的精神继续抓好此项工作，努力形成城乡统筹、互助的基层党建新格局。

从2008年开始，广东省决定以开展主题实践活动为载体，以加强城乡基层党组织和党员队伍建设为重点，全面开展城乡基层党组织互帮互助，以不断增强城乡基层党组织的创造力、凝聚力和战斗力，努力形成以城带乡、优势互补、资源共享、共同发展的城乡统筹互助的基层党建工作新格局。城乡基层党组织互帮互助的总体要求，是组织共建、资源共享、党员互帮和城乡互助。

城乡基层党组织互帮互助的工作措施有五项：一是组织城市基层党支部与所有农村基层党支部结对共建。组织县以上机关单位

① 广东省水利厅驻化州市林尘镇坦塘村工作组：《情系驻村　实干创新》，广东组织工作网，2008－5－31。

17513 个党支部与 17513 个农村党支部“一帮一”结对共建；组织珠江三角洲 6 个市 2000 个党支部与粤东、粤西、粤北地区 6 个市 2000 个农村党支部“一帮一”结对共建。二是推进城乡基层党组织之间信息互动交流。城市党支部要充分发挥信息相对畅通的优势，把党和国家的路线、方针、政策以及农业科技等信息及时传递给农村党支部和农村党员。农村党支部要及时反映农村的真实情况和农民的真实愿望，为机关部门决策提供可靠依据，更好地推动城乡统筹发展。三是积极帮助农村党支部解决实际问题。城市党支部要在加强基层组织建设、理清发展思路等方面，帮助农村党支部。四是在互帮互助中加强党员干部作风建设。农村党支部要为城市党支部提供历练党员作风、检测干部能力、提高党建水平的基层阵地。五是开展“五个一”主题实践活动，即到农村过一次组织生活，慰问一次党员群众，帮扶一户困难党员，资助一名贫困学生，办一件实事好事。同时，作为开展城乡基层党组织互帮互助的重要措施之一，广东省继续选派干部下基层驻农村。

半年多来，城乡基层党组织互帮互助，实际在两方面展开：一方面，驻村干部围绕“双学双促双建”的工作主题开展工作；另一方面，“一帮一”结对共建的城市党支部全面展开了城乡基层党组织互帮互助工作。透过广东省委党校开展的活动，可以从一个侧面大致了解这一工作目前的情况。

2008 年，广东省委党校除继续派“十百千万”驻村干部外，学校 35 个党支部还与汕头市澄海区东里镇 18 个村和溪南镇 17 个村共 35 个党支部结对共建。按照省委的布置和要求，省委党校积极开展“五个一”主题实践活动，由学校领导率各结对支部书记到结对村过组织生活、上党课、慰问困难党员和贫困学生。

实践证明，相对于以前只有驻村干部和单位领导以及有关部门关注驻点村外，“一帮一”结对共建活动最大限度地调动了结对城市党支部的所有资源，有力推动了城市党建资源向农村流动，有利于形成以城带乡、优势互补、资源共享、共同发展的城乡统筹互助的基层党建新格局。

战斗正未有穷期。改革开放以来广东在农村基层党组织建设方面的实践活动，无疑为新世纪新阶段广东农村基层党的建设提供了宝贵经验。我们有理由相信，在构建城乡统筹、互助的基层党建新格局中，广东将会走出一条具有广东特色的城乡基层党组织互助新路，农村基层党的建设也将取得新的更大成就。

第五章
社区党建探索新路

城市社区党的建设，由改革开放所催生，又伴随着改革开放一路走来。社区党建已经成为在改革开放新时期党的基层组织建设的重要组成部分，对于巩固党在城市基层的执政基础，加强党的执政能力建设和先进性建设，领导推动经济社会又好又快发展，具有重大意义。广东省地处我国改革开放的前沿地区，市场经济比较发达，经济比较活跃，体制转轨和社会转型的力度都比较大，社会生活的多样性和流动性特征尤为明显，人们与社区的关系日益密切。广东省的城镇，尤其是珠江三角洲地区，外来人口大量增加，化解体制转轨和社会转型过程中的社会矛盾的任务比较繁重。社区在服务居民群众、协调各种利益矛盾和冲突、实现城市基层社会整合方面发挥着越来越重要的作用。广东省各级党组织充分认识到社区党建的重要意义，高度重视社区党建工作。

一、改革开放催生社区党建

社区，是指居住在一定的地域、结成各种社会关系、从事各种社会活动、具有更多的认同感和归属感的人们组成的区域性基层社会生活共同体，是社会的基本细胞。社区党建，就是社区党组织为发挥领导核心作用，完成社区建设的各项任务而开展的全部活动和全部工作的总称。它是以社区党组织为领导核心，以社区全体党员为主体，以服务群众为重点，辖内各种基层党组织共同参与、形成整体合力的区域性基层党建工作。社区党建扩展了以往街道党建的工作领域，丰富了工作内容。

（一）广州市构建纵横结合的社区党建工作网络

广州市从建立与社区建设要求相适应的领导体制和工作机制的目标出发，将街道党委改建为党工委。街道党工委作为区委的派出机构，与街道办事处作为区政府的派出机构相匹配。从而理顺街道领导体制，赋予街道党组织新的职责和任务，使之成为地区性、社会性、群众性、公益性工作的主导力量，切实担负起领导、组织、指导、协调社区工作的重要职责。他们采取“先抓试点，以点带面，逐步推开”的工作思路。从2000年5月开始，中共广州市委选择了东山区和大塘街、南华西街、华林街、石牌街、车陂街、北京街等6条街道作为社区党建工作的试点街，并专门成立了有34个部门领导参加的社区党建试点工作联席会议，具体指导试点工作。2000年11月，中共广州市委组织部发出《关于加强社区建设试点街道党的工作委员会工作试行意见》，对街道党工委的领导体制、工作指导思想、基本任务和工作制度等提出规范性的意见。在试点街的推动下，各街道党工委相继成立，社区党建工作迈出了关键的一步。

以街道党工委为领导核心的社区领导体制建立之后，如何扩大党组织在社区的工作覆盖面和增强其渗透力和凝聚力，必须创新社区党建工作的组织载体，构建以街道党工委为核心的、纵横结合的社区党建工作网络。纵向，加强对街道党组织以及新经济组织和社会组织中党组织的全面领导；横向，增强对社区内各类单位党组织的指导、协调。广州市一是建立社区党建联席会。社区党建联席会由街道党工委和社区内的机关、企事业单位的党组织组成。联席会设理事会，有章程和年度工作计划。紧紧围绕社区建设、社区管理、社区服务等中心任务，以“共商社区事务，共建社区文明”为宗旨，通过开展系列活动，交流党建经验，促进相互了解，使辖

区内单位逐步认识到社区工作归根结底是社区成员自己的事业，增强对社区党建工作的认同。二是改革居民区党组织设置。实现一个居民区一个党支部，在此基础上，分片设置党总支，加强对居民区党支部的管理。三是建立社区流动党员联络站。在社区服务中心设立流动党员联络站，通过联络站，把流动、下岗、失业党员管理起来，编入支部，帮助他们培训、再就业，给他们一个温暖的“家”。四是选派社区党建联络员。对社区内不具备建立党组织的新经济组织和社会组织，采取选派社区党建联络员的办法，加强这类组织的党建工作。党建联络员协助开展思想政治工作，及时传达和贯彻落实党的路线方针政策，使想建党组织的单位有人帮，想入党的人有人教，想进步的青年有人带，积极消除社区党建工作的空白点。五是建立覆盖社区的群众组织网络。把群团工作与社区党建工作有机结合起来，做到有群众的地方就有党的工作。建立社区团工委、工会和妇联组织，在党工委的领导下开展工作。六是联办“社区学校”和“社区党校”。与辖区单位联办“两校”，作为辖区内党组织进行党员教育和提高居民思想文化素质的阵地，形成工作岗位、社区学校、家庭环境、社会教育四位一体的教育体系。

（二）深圳、珠海市全面改革街道社区党组织管理体制

深圳市为建立适应新形势要求的街道、社区党建工作体制和机制，扩大街道、社区党建工作的覆盖面，将街道党委改设为街道党工委。通过街道党组织管理体制的改革调整，增强街道党组织的综合协调职能。2001 年底，深圳市 30 个街道党委全部改为街道党工委，同时成立了街道纪工委。与改设街道党工委相适应，成立了街道和辖区的党建工作协调委员会。其中，街道党建工作协调委员会下设街道社区党建工作联席会议，确立每个季度召开一次会议，研究决定辖区党建重大事项，从而建立街道社区共建的沟通协调机制；市区一级的辖区党建工作协调委员会具有“交流、协调、评议、指导”等四项职责，一般每年召开一至两次会议，对街道、社区的重大问题进行政策上的协调、指导，从而推动一些影响全

局、涉及面广、难度较大的工作，加强辖区内各大单位党建工作的协调力度。深圳全市都建立了包括区、街道、社区在内的社区党建工作三级网络的组织框架，工作覆盖面延伸到了整个辖区。

在社区，根据全市社区建设的统一部署，深圳市首先进行了居委会规模调整，对原有居委会辖区进行适当合并和扩大，调整后的居委会改设为社区居民委员会，原居委会党支部改设为社区居民党支部，全面实现“一社区一支部”，普遍推行党支部规范化建设。对于农村城市化的“农城化”社区，社区居民委员会与集体股份公司脱钩，党组织实行分设，从而理顺了“农城化”社区的社区居民委员会与集体股份公司的关系。

珠海市从2000年起，及时调整优化了社区党建组织体系。在街道一级，将街道党委改设为党工委，同时，在新经济领域党组织和党员人数符合条件的街道，成立新经济组织党委，由街道党工委辖管，统筹协调辖区新经济组织党建工作。在社区一级，按照“一居一支部”原则，全市168个社区全部建立党组织。结合社区发展状况，依据党员数量和干部储备状况，试行后将逐步推行在社区设立党总支，在居民小区或楼栋，以及辖区各单位设立党支部、党小组，逐步完善了“街道（党工委/新经济组织党委）—社区（党总支/支部）—小区、楼栋、企业、中介组织（支部/小组/联络站）”的复合型基层组织网络。同时，在社区一级突出抓好“三个组织”，建立健全以社区党组织为核心的社区组织体系。一是健全社区居民自治组织，依法民主选举产生社区居委会，支持社区居委会依法自治，履行职责。二是建立健全社区群众组织，目前全市168个社区中成立了曲艺团、健身队、琴棋书画等群众组织。三是建立健全社区服务网络，设立社区工作服务站和社区党员工作站，坚持无偿服务与有偿服务相结合，社会化和产业化相结合，提供多层次、多样化、高质量的社区服务。

珠海市首创并逐步完善社区党组织代表会议制度和党群工作一体化制度。社区党组织代表会议制度，就是联合驻区单位党组织共同参与社区工作，形成以街道党工委为核心、社区党组织为基础、

社区全体党员为主体，社区各类党组织共同参与、齐抓共管的社区党建工作新格局，推动社区建设的资源共享、优势互补、同驻共建、共同发展，从而有效整合驻区党组织力量，巩固了社区党组织在城市社区的领导核心地位。“党群工作一体化”则是把党建工作以工青妇组织为依托，机构上对应设置，人员上交叉任职，工作上统一协调，使党务工作与群众工作结合起来，实现优势互补、共建互促。“党群工作一体化”的党建模式带有方向性，在此基础上继续探讨和创新社区党建工作的有效途径。

（三）潮州市湘桥区创新联席会议制

潮州市湘桥区积极创新社区党建工作思路，通过建立社区党建联席会议制度，健全共驻共管、共建共享机制，充分发挥社区党建共建单位的资源优势和广大党员的模范带头作用，开创构建平安和谐社区新局面。

1. 社区事务：共商共管。

社区是社会的缩影，社区管理离不开社区各单位的共同参与。湘桥区以推进社区事务共关心、齐管理为目标，组织和协调社区党建共建单位积极参与社区管理，齐心协力抓好社区事务。

（1）社区事务共商。各街道及时修改制定《社区党建联席会议章程》，明确党建联席会议的宗旨、运行规则和成员单位的职责。同时，建立社区党建联席会议理事会、联络员和工作通报、研讨等一系列制度，定期召开党建联席会工作会议，出版联席会议通讯，及时通报社区工作情况，探讨社区管理方式方法，商议社区共建事务。各街道领导还经常走访各共建单位，沟通思想，交流经验，增进感情，融洽关系，有效增强了社区党建联席会议的向心力，营造了社区事务共商议共参与的良好氛围。

（2）社区稳定共保。湘桥区是潮州市政府所在区，针对人流众多、治安复杂、维护稳定任务重的实际情况，各街道积极牵头，整合社区党建共建单位的保安力量，成立治安联防队，并发动共建单位的党员组成义务治安巡逻队，构建以社区共建单位为核心，内保外巡的社区安全防范网络，有效地保障了社区的安定。

（3）社区环境共治。作为城市中心区，湘桥区环境卫生的好坏，直接关系到整个城市的形象，环境卫生整治工作历来是社区工作的重点。各街道通过与社区党建共建单位签订环境卫生地段责任制和建立共青团员环境卫生责任巷等方式，将环境卫生整治任务落实到单位，包干到个人，并定期组织社区共建单位开展除“四害”、治“六乱”、防“禽流感”等工作，合力营造清新整洁的社区卫生环境。各共建单位还积极参加所在街道组织的环境卫生宣传活动，出资印发宣传资料，派出专业人员为群众提供卫生咨询，引导社区群众养成文明卫生的生活习惯。

2. 服务群众：联动联创。

（1）服务帮扶联动。成立街道社区管理服务中心、劳动保障事务所和社区居委会服务站，多方为社区群众提供办证咨询、职业介绍、家政服务、法律援助等服务。创办街道劳动就业服务中心，利用共建单位的人才和设备，开办电脑操作、电器维修培训班，对下岗失业人员进行再就业培训，使他们掌握一技之长，重新就业。同时，街道还积极与社区商贸、企事业等共建单位合作，开发就业岗位，解决区域内国有企业，特别是“4050”下岗职工的就业问题。社区共建单位还出钱出力，积极支持和参与街道开展“爱心助学”、“扶贫济困”、“送温暖、促和谐”、“送温暖进社区”等活动，使社区困难群众得到及时帮助。

（2）服务载体联创。建立“结对帮扶”制度，采取“一帮一”、“一帮多”、“多帮一”的形式，落实社区共建单位及党员分别与社区困难党员、群众结成帮扶对子，定期开展慰问和送温暖活动，帮助解决生活难、子女就学难、看病难等问题，使困难家庭感受到社会的关爱；开展“便民利民活动日”、“社区服务一条街”等主题活动，以社区服务中心为依托，定期组织共建单位深入社区开展卫生保健、法律咨询和家电维修、家教等服务，基本实现社区群众的一般需求不出社区。针对老市区街道孤寡老人多的实际，联合共建单位开展“老少共建”、“双关爱”、“敬老助老”活动，关

心社区老年人的健康和生活。

（3）服务机制联建。组建社区志愿者服务队伍，逐步形成以社区志愿者协会牵头，共建单位党团员为主体，社区群众广泛参与的社区志愿者服务体系，经常性开展医疗卫生、法律援助、治安巡逻、环境整治等义务活动，及时为社区群众排忧解难。目前，全区47支社区志愿者队伍活动频繁，受到群众的普遍欢迎；设立“社区党建联席会扶贫济困资金”，长期开展以助残、助困、助学、扶持下岗职工再就业为主题的“三助一扶”活动；组建“社区爱心互助会”，通过社区共建单位牵头，发动社会募捐等渠道，帮助群众解决实际困难。

3. 文明新风：同办同建。

（1）坚持文艺同办。结合社区各时期的主题活动，社区共建单位通过提供场地设备、资金支持和选送节目、派员参加等方式，积极联合、配合街道开展文艺演出、歌唱比赛、体育竞赛等社区群众喜闻乐见的文体活动，丰富社区群众的文体生活。西湖街道和市高级中学、市广播电视局、西湖公园等共建单位联合举办社区体育运动会和“清风进社区”文艺晚会，桥东街道和共建单位韩山师院举办“韩山之夜”大型文艺晚会等等，深受社区群众的欢迎。

（2）坚持文化同建。潮州是历史文化名城，文化底蕴深厚，内涵丰富。在共建活动中，各街道积极寻找传统文化和现代文化的结合点，充分发动社区共建单位，集合力量，深入发掘潮州传统文化，举办了“社区文化节”、“情系社区，共建和谐社区”书画展、迎春文化巡游、灯谜竞猜、潮剧表演、弦乐演奏等文化活动及表演，通过这些社区群众喜爱的形式，营造浓厚的文化氛围，提升社区的文化品位。

（3）坚持文明同创。围绕提高社区群众文明素质的目标，各街道联合社区共建单位，组织开展创建文明单位、文明小区和文明巷道等文明创建活动，大力倡导团结互助、宽容谅解、扶贫济困的社区文明新风。同时，建立“社区居民学校”，开办学习班，举办社区论坛、社区演讲，引导社区群众积极参与社区文明建设，深化社区群众的文明意识。太平、南春、西新、城西等街道还设立“街道青年中心”，开展“加强未成年人道德教育”主题活动，构建“家庭、学校、社区、社会”四位一体的未成年人教育网络，教育引导未成年人树立良好的道德品质。

二、探索社区党建新路子

党的先进性建设是党的根本性建设，保持党员的先进性，是党的先进性建设的基础。社区党建的一项重要工作，就是动员社区党员积极参与社区工作，发挥党员的先锋模范作用。在全国开展保持共产党员先进性教育活动中，广东各地积极探索，取得丰硕的成果。

（一）一名党员一面旗，真情奉献在社区

2007年以来，深圳市南山区在全区深入开展社区建设“十百千万”行动。“十”就是树立推广十类社区组织共建典型，“百”就是组织百名党员和国家公职人员进入小区业主委员会，“千”就是组织千名党员和国家公职人员担任小区楼栋长，“万”就要新发展万名社区义工。作为一项保持党员先进性的长效举措，“十百千万”行动开展以来，南山区党员率先垂范，充分发挥“一名党员一面旗”的重要作用。

1．坚持“全覆盖”。

按照区委实现社区党组织、党员管理和服务、党员作用发挥“三个全覆盖”的要求，各街道、社区以服务群众为重点，创新党建工作机制，构建社区党建新格局，切实把党组织建到街巷、楼栋，让党旗在社区高高飘扬。

（1）广泛开展社区党员摸底行动，让流动党员找回一个“家”。全区已普查登记党员34504名，其中党组织关系在社区的党员7530名，驻社区单位党员18324名，居住在本社区但组织关系不在本社区的居民党员8650名。前海社区党委成立后，39名随

子女居住的老党员主动将组织关系转入社区。正是大批党员在社区浮出水面，为社区党建工作打下了坚实基础。

（2）积极鼓励党员、公职人员当楼长、进入业委会，延伸党建工作触手。全区已成立218个业委会，共有1526名委员，其中党员、公职人员457名，比开展“和谐社区建设年”之前的330名增长了38.5%。全区共有4922个楼栋，其中党员、公职人员楼栋长1727名，比原来的235名增长了634.9%。一大批在职和退休党员干部积极出任楼栋长，充分体现了“十百千万”行动的成果。

（3）充分发挥党员表率作用，进一步增强社区党组织的凝聚力、战斗力和吸引力。广大党员、公职人员通过担任党小组长、业委会成员、楼栋长等形式，主动接受社区党组织领导，协助社区工作站开展工作，深入社区、楼栋，收集社情民意，化解矛盾纠纷，凡是党员、公职人员担任业委会成员、楼栋长的地方，社区的矛盾纠纷就得到很好解决，做到了“楼栋无矛盾，邻里无纠纷，群众无上访”。如招商海月社区因建设垃圾中转站问题，居民反映较为强烈。社区党委主动介入，党委委员、民营支部书记田洁同志作为业主带头协调，通过合法途径向有关部门反映问题，有效地安抚了群众情绪。随着“十百千万”行动的大力推进，社区群众来信来访反映问题呈逐渐下降趋势。

2. 体现“四突出”。

（1）突出地域特点。在开展“十百千万”行动活动中，各街道、各社区充分发挥地域优势，共建共享。如粤海街道粤桂社区毗邻深圳大学，大力促进校园文化与本土文化的交融。居住的7500多名深大学生中，有学生党员400多人，在社区党建工作中，发挥党员大学生在和谐社区建设中的积极作用，有15名党员大学生担任了楼栋长，高校师生和党员参与社区共建取得明显效果。

（2）突出人群特点。各社区根据居住人群的特点开展社区党建工作，深受居民群众的欢迎。如前海社区党员、公职人员居住集中，在社区党建中着力体现党员表率作用，大力加强社区廉政文化建设，把联系楼栋党员和片区党小组长的公示牌挂上了楼道，“有困难找党员”的观念在社区居民中传开；社区还修建了集居民教育、休闲、宣传和娱乐为一体的“清风亭”、“风尚林”，市纪委有意将该社区作为全市廉政文化进社区的教育基地。

（3）突出与社区文化建设相结合。全国先进基层党组织北头社区党支部，以兴建体现北头发展史为主题的北头村蚝业陈列馆，作为党员、村民致富思源、富而思进的思想教育基地；花果山社区根据社区老年人，特别是昔日改革开放拓荒牛居多的状况，结合固本强基示范点建设和社区党委的成立，建设了以“孝先天下”为主题的文化园。

（4）突出抓共驻共建。光华街社区积极争取华侨城集团的支持，促进资源共享，集团工会为社区老年活动中心提供了1200平方米的场地，并负责日常管理。驻区部队积极参与和谐共建，喊出了“爱南山、保平安、护边防、促和谐”的口号，七支队四大队、六支队一大队等基层连队都与试点社区结对，实施军警民联防，开展扶贫帮困等活动，深受社区的欢迎。区教育局组建了一支由2000名教师、8000名学生和10000名学生家长参加的义工队伍，把教师参与社区服务活动纳入考核体系。

3. 实行“三创新”。

（1）创新党建工作机制。各街道、各社区大力创新社区党建工作机制，在社区党委（党总支）的组织架构中，将业委会、物业公司等社区组织纳入社区党组织统一管理，制定了议事协调规则，社区党员过“双重组织生活”。各街道、社区广泛开展党小组长、楼栋长“亮身份活动”，做到楼栋建党、片区建党，实现了党员负责家庭、党小组长负责楼栋、党支部书记负责小区、党委书记负责社区的党建工作新格局。

（2）创新党建工作方法。粤海街道通过聘请社区民警和党员工作站长为委员，较好地解决了业委会的规范运作问题。蛇口办在没有党员、公职人员的楼栋，聘请多名社区民警担任楼栋长。在不具备成立业委会条件的小区，以“居民理事会”的形式加强小区管理。大磡社区为管理和服务好外来人口，创造性地在村民住宅楼

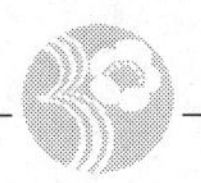

和外来人口居住区中，设立片长代替楼长，由党员担任片长加强管理；桃源街道龙光社区，把居住地区划分为东西南北四个片区，由党小组长包片管理，收集社情民意，调处矛盾纠纷。成立法律工作站，聘请专职法律工作者，专门负责为社区群众提供法律援助，做到了小矛盾不出社区，大矛盾不出街道。这些创新性工作，有效地解决了长期困扰社区建设的诸多问题。

（3）健全党建工作制度。各社区在规范党建规章制度的同时，创新社区党建工作制度。前海社区在进一步规范《社区党委工作暂行条例》、《社区党委议事规则》、《党建工作联席会议制度》和各支部工作职责等社区党建规章制度的基础上，制定出包括联系楼栋党员职责、片区党小组长职责等制度，这种做法正在南山区各社区全面推广。

（二）党员双重管，社区共同建

在职党员参与社区建设和管理是新时期对党员发挥先锋模范作用的要求，也是进一步推进社区固本强基工程的重要内容。江门市蓬江区仓后街范罗岗社区党总支积极探索在职党员在社区发挥作用的途径，建立社区在职党员作用发挥机制，大力推行在职党员单位和社区双重管理制度，取得了初步成效。

1．构建在职党员双重管理机制。

（1）构建网络，夯实在职党员“双重管理”组织基础。罗岗社区党总支通过推进网络建设，有效夯实在职党员“双重管理”组织基础。一是依托社区党建联席分会，把不同隶属关系的13家社区单位党组织协调起来，制定资源共享制度，统一协调、组织、指导在职党员开展活动。二是按照“就近、方便、自愿”的原则，以单位、楼群、巷道来划分，把社区在职党员编入相应的联络小组，通过建立社区在职党员联络站和联络小组，对在职党员双重管理情况进行汇总、分析和反馈，指导各联络小组开展活动。各联络小组负责本小组党员的联络工作，并根据各自的特点，开展特色活动。三是设立在职党员联络监督员，聘请责任心强、热心社区工作的老党员、人大代表、政协委员、居民代表为义务监督员，负责对在职党员的联络和监督。

（2）建章立制，促进在职党员“双重管理”规范化。一是建立在职党员登记制度。罗岗社区党总支对辖区在职党员进行登记，建立在职党员名册，详细列出在职党员的家庭住址、联系电话、职业特点和个人特长等基本情况，并对每个在职党员发放“在职党员联系卡”，形成在职党员联系的初步网络。二是建立在职党员参加社区共建活动制度。根据社区的实际需要，结合在职党员的职业特点和个人特长，按照“适时、适量、适合”原则，及时组织在职党员参加社区组织的公益活动，开展环境治理、治安防范、便民服务、帮困助残等方面的社区服务活动，为社区居民排忧解难。三是建立社区党组织和单位党组织“双向”联系反馈制度。罗岗社区党总支通过“在职党员社区活动记录卡”，记录在职党员参与社区建设活动、遵纪守法、公共道德及邻里关系等情况，定期向单位党组织进行反馈，增强在职党员的自律意识和积极参与社区建设的自觉性。

（3）服务居民，丰富在职党员“双重管理”活动载体。一是开展党员先锋岗活动，展示党员风采。2007 年初，社区党总支根据辖区单位党组织的职能情况，结合社区党员特长，创建了环境绿化维护岗、城管秩序监督岗、卫生健康岗、关爱老人岗等 8 个党员先锋岗。每个党员先锋岗分别由辖区单位党组织的在职党员与社区党员一起负责，让党员在不同的岗位上发挥作用，形成社区资源共建共享的良好氛围，促进了和谐社区的建设。自开展党员先锋岗活动以来，共有 80 多名在职党员参加先锋岗活动，服务居民达 650 多人次。二是开展特色服务活动，为居民办实事、好事。各联络小组根据自身职业特点、爱好特长，开展特色服务活动，发挥“一名党员就是一面旗帜”的作用，形成社区共建的良好氛围。

2. 推动在职党员参与社区建设。

（1）推动了社区自治。社区党总支在推进发挥在职党员作用工作中，积极探索在职党员“双重管理”制度，促使社区在职党

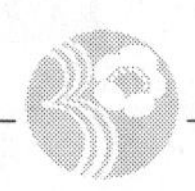

员参与社区建设的热情不断提高，在他们的积极带动下，有效地调动了社区广大居民群众参与社区活动的积极性，扩大了基层民主，进一步增强了居民自治的意识。

（2）拓展了社区服务。在推进发挥在职党员作用工作中，社区党总支不断创新社区服务的方式方法，开展多元化、全方位、有特色的服务活动，坚持开展“三个面向”活动，使社区居民群众困有所助、难有所帮、需有所应。一是面向社区困难群众，开展在职党员结对活动。共有120多名社区在职党员与25户困难家庭结对，并定岗、定责、定内容、定对象，长期上门服务，使困难群众得到关爱和帮助。二是面向社区不同年龄阶层、不同需求的居民，开展义务维修、义诊、免费检查身体、健康知识讲座、青少年教育等活动，满足不同年龄阶层居民群众的不同需求。三是面向社区发展需要，开展各种公益活动。在职党员向社会上有需要帮助的人士伸出援手，献出爱心。

（3）改善了社区环境。实施在职党员“双重管理”制度后，辖区党建成员单位龙腾房地产公司党支部主动支持社区建设工作，免费为社区提供了1000平方米的房屋作办公和活动场地。社区建立了“一站式”的服务中心，并配置警务室、残疾人康复室、老人活动中心、图书馆等场所，改善了社区服务环境，大大方便了居民群众，为创建新型示范社区提供了有形的载体。

（4）活跃了社区文化。在职党员“双重管理”制度实施后，社区党总支新光电讯公司党支部积极整合企业资源，与社区联办文体活动，先后举办了10多次文体活动，吸引观众超过10000多人次。

（三）关爱党员，增强党性

广州市越秀区通过创新党内服务，构建“关爱党员、增强党性”的长效机制，从而使各级党组织不断提高创造力、凝聚力和战斗力，永葆党的先进性。

1. 关爱党员、增强党性的思考。

（1）从本质上看，关爱党员、增强党性，既是党内服务的本质，也是党内服务的基本内容。从工作机制上看，是近年来特别是党内开展先进性教育后新开辟的党建工作新领域。但是，从工作内容上看，又是我们党的一个传统和优势。在党的历史上，越是在艰难困苦的条件下，越体现党组织对党员的关爱。它激励了一代又一代的共产党人，为党的事业和人民利益抛头颅、洒热血，前仆后继地去奋斗。广州市原东山、越秀两区，近年来在开展党内服务方面也做了大量的探索，积累了不少的经验。如建立商厦和“两新”组织工作站、建立区域党委和社区党委，整合党建资源，配备社区专职党务干部开展党内服务、帮扶困难党员等等，有效地增强了党员对党组织的归属感，极大地活跃了基层的党建工作。哪个时期或地区注重党内服务，做好关爱党员工作，那么，党的凝聚力和战斗力就会增强，工作局面就会活跃；反之，就会削弱和沉闷。

（2）关爱党员、增强党性，两者是互为因果，相互依存、缺一不可的辩证关系。关爱党员是前提，增强党性是目的。如果只是为党员提供特殊服务，而不提出党性方面的要求，不去引导他们服务社会、服务群众，则不能体现党员的先进性。反过来，如果只是强调党性观念，只强调先进性表现，而不去关心、解决党员在思想上、工作上、生活上的难题，不去维护好党员应有的权利，不去积极整合基层党建工作资源，那么党员对党组织的归属感和认同感就会淡漠，基层党组织的凝聚力和号召力就无从谈起，所以，服务好党员，目的是使他们更好地服务群众，要使党员服务好群众，首先党组织必须关爱和服务好党员。

（3）从现实来看，随着经济社会的发展和城市管理体制改革的深化，党员队伍中大量的“单位人”变成“社会人”，党组织关系也从单位转到居住地所在的街道社区。社区党员人数从原来的十个八个，猛增到一百、两百，甚至三百多个。所以，目前社区是党员最集中的地方，也是困难党员最多的地方。越秀区突出存在两个不平衡的问题：一是数量与质量的极不平衡。越秀区党员人数庞大，达38812人，而且仍然以每年10.6%的幅度增长，在职党员人

数只有11000多人；社区党员总数有19893人，除了600多名专干党员外，其他都是离退休、失业下岗、流动和困难党员。这些党员不仅缺乏表现先进性的平台，而且生活都会遇到不少困难。二是投入与需求的极不平衡。社区党组织的资源缺乏，现在仍有132个社区办公场地不达标；党建经费人均不到50元/年，且大部分由街道统筹，社区连组织党员看场电影都很困难。而社区党员中大多数恰恰又是低收入甚至无收入的，救助和帮扶的需求大。社区近两万名党员的先进性如何体现，如何团结带领群众投身到平安和谐社区的建设中去，一直成为困扰街道社区党组织的难题。构建新型的党内服务体系显得非常迫切和需要。

2. 党内服务的主要载体——建立三级服务网络。

越秀区委在2006年初召开的全区社区建设工作会议上，明确提出建立健全党内服务体系，构建以“一家一站一中心”为主要内容的党内服务三级网络的工作任务。

（1）基本框架。“一家”，即在各社区居委会建立寓教育管理于服务之中的“党员之家”，充分利用社区党组织与党员联系密切的特点，以服务为纽带，将社区党员维系、团结在社区党组织周围；及时了解党员的需求，帮助他们解决实际困难，激发党员增强党性的原动力和对组织的归宿感；引导党员走出家门走出楼道，积极参与服务群众，建设平安和谐社区的工作。“一站”，即各街道党工委依托社区服务中心建立和完善党员联络服务站，为各社区党组织和辖内单位党组织开展党内活动提供阵地；为党员提供就业、职业培训、文化学习、信息交流服务；组织社区党员开展丰富多彩的主题实践活动；组建和管理党员义工队伍，为有需要的党员和社区群众提供服务等。“一中心”，即区级建立集政策咨询、业务指导、组织协调、资源整合、党务服务、扶贫解困、教育培训和管理创新等功能于一体的区级党员服务中心，不断拓宽党内服务领域，提高党员管理社会化、规范化和网络化程度，进一步扩大党的基层工作覆盖面。

（2）基本步骤。越秀区构建党内服务体系分三个阶段来推进。

第一阶段，从2006年4月至9月，用半年时间，消化和整合基层成功的做法，参观学习先进地区的好经验，研究设计本区党内服务体系的标准和功能；建成并启用区级管理中心，同时选择8个有条件的街道作为先行点，建设党员服务站，各先行点的街道选择辖内50%有条件的社区组建党员之家；在此基础上，初步实现“中心”、“站”、“家”三级的纵向联接，形成党内服务网络的基本框架。第二阶段，从2006年10月起至2007年9月，用一年时间，在全区全面推开党员服务体系的建设，力争22个街道党员服务站，90%的社区党员之家建成并投入使用；区级党员管理中心，街道党员服务站实现全面对接联网；党内服务和社会化管理功能全面启用。第三阶段，从2007年10月至2008年3月，用半年时间，全区党内服务体系全面建成；按照规范化、网络化、系统化、自动化的要求，对服务体系进行调整和更新，不断拓展党内服务的功能，提高服务的标准和质量，并力争培育出2~3个党内服务品牌。

（3）基本要求。在推进党员服务体系建设中，应该处理好几个关系：一是继承与创新的关系。构建党内服务体系，扩大社会化管理，是党建工作新的探索。但是，不是“另起炉灶”另搞一套，而是在以往党建工作成功经验的基础上，从解决当前基层党建工作遇到的实际问题出发，引入现代管理的手段和设施，改善和充实基层党员教育管理的方式而建立新的工作机制，是对传统工作方法的一种补充和完善。所以，必须注意总结和整合以往党建工作，特别是先进性教育活动中的好经验、好做法，纳入新的工作体系中，形成长效机制。二是服务与党建的关系。开展党内服务，只是基层党建工作的一项创新，而不是全部工作内容，不能用党内服务体系建设来取代其他党建工作任务。应该充分利用党内服务和社会化管理新机制，来推动其他各项党建工作的开展。同时用党建工作任务的完成情况，来检验和完善党内服务和社会化管理体系。三是规范与特色的关系。规范与特色也是一对辩证关系，没有规范也就无所谓特色，而没有特色，规范也就无从提高和完善。越秀区党内服务体系，也是在原来许许多多的工作特色中整合出来的。因此，在推进

党内服务体系建设中，应强调工作的规范性，在服务特色、基本制度、服务功能、建设标准上应基本统一，但是，也应给基层工作留有空间和余地，允许从各自的实际出发，在功能定位上，在硬件建设上，在服务范围上有所侧重和灵活处置。如在服务站的建设上，可以依托社区服务中心来建设，有条件的也可以单独设置，关键是要发挥作用。

3. 努力实现党内服务的“五个提升”。

(1) 发挥“流动党员接纳地”功能，努力实现流动党员管理从随机型管理向分类型管理提升。越秀区现有1678名流动党员，有的是从外地流入，有的是流出外地。这类党员由于居住和谋生方式的不稳定，造成管理难度大，以往发现流入党员，就把组织关系转入暂住居委的党组织。他是否过组织生活、交党费就看觉悟了，流出党员则空挂在原党支部，有的一年以上不过组织生活，变成流失党员。这类党员数量不少。开展党内服务，应采取分类管理的办法，严格组织关系接转手续，以街道为单位组建流动党员支部，利用多媒体技术，开发网上组织生活和网上交纳党费等服务项目，使他们不论身在何处，都能接受组织的教育和管理，感受到组织的关爱。

(2) 健全“两新组织孵化器”功能，努力实现“两新”组织党建工作从组建型向覆盖型提升。越秀区“两新”组织已建立了188个党组织，党员2028名。这类党组织因受市场规律和企业经营状况的影响，呈不稳定状态，有人称之为“开关党支部”，给党员教育管理带来许多困难。以往主要是用被动组建的办法，即有3名党员以上的单独成立党组织，不足的组建联合党支部，党员管理、党的活动则八仙过海，各显神通。建立党内服务体系后，工作任务重且有条件的街道，可推行网络化管理。不能只停留在组建上，而是要加强指导和服务，提供所需的管理和活动资源，并从扩大党的工作覆盖面的要求出发，开发服务机构的外展功能，积极探索在无党组织的“两新”组织中发展党员的新途径，以满足“两新”组织中的积极分子在政治上的诉求，进一步扩大党在“两新”

组织中的影响力和覆盖面。

（3）优化“党建资源整合平台”的功能，努力实现党建资源从分割型向整合型的提升。越秀区基层党组织的工作资源缺乏的问题仍相当突出，而仅有的工作资源，又通常被各单位分割闲置。建立党内服务体系后，要把优化和整合党建资源作为重要功能来开发。应逐步将全区的党建资源进行摸查，登记入册，并采取专业化和物业管理方式，向有需要的基层党组织和党员提供菜单式的服务，从而缓解供求矛盾，最大限度地发挥党建资源的效能，确保基层党组织的活动质量和工作水平。如要求区级党员服务中心，应备有供150至200人开会用的会议室，并组建一支以兼职为主的党内换届选举工作人员队伍，专门为有需要的基层党组织提供会务服务和过党日、开展主题活动等的策划服务，从而保证党的活动的质量和实效。

（4）开发“广大党员温馨家园”功能，努力实现关爱党员工作从中心工作型向长效机制型提升。过去，在关爱党员、服务党员方面，各级党组织都作了大量的探索和创新，也积累了不少的经验。但是，由于缺乏阵地和依托，大多都是短期行为，随着中心工作的结束，就曲终人散，一些困难党员祈盼建立关爱党员的长效机制。建立党内服务体系后，除了开展党务服务外，应着重开发直接对党员提供心理、生活、工作方面帮扶的服务项目。如心理咨询、职业推介、困难救助等等，并积极创造条件，探索成立以“互助、救急、解困”为原则的党内互助基金，激发党员增强党性的原动力和组织归属感，引导和帮助他们克服困难，坚定信念，力所能及地做一些利党利民的事情。

（5）拓展“服务群众示范窗口”功能，努力实现服务群众工作从活动型向阵地型的提升。近年来，街道社区党组织开展服务群众工作，多是采取街头文化的活动形式来进行的。这种方式的优点是宣传效应大，缺点是一阵风。关爱党员、服务党员的目的，就是在于增强党性，更好地服务群众。所以，要把党内服务体系，特别是街道的党员服务站、社区的“党员之家”建设成为服务群众的

阵地和示范窗口，要建立健全党组织、党员联系群众、服务群众的制度体系，着重拓展能够让群众受惠的功能和服务项目。如北京街在党员服务站旁边设“党员义工超市”，由党员义工发动党员捐出或低价置换闲置的生活用品，提供给有需要的群众。

三、促进平安和谐社区建设

在广东省实施固本强基工程和构建和谐广东的进程中，省委、省政府发出了《关于全面推进平安和谐社区建设的意见》，提出为创建自治好、管理好、服务好、治安好、环境好、风尚好的“六好”平安和谐社区，共筑安居乐业美好家园，充分发挥社区在构建和谐广东中的基础性作用。创建“六好”平安和谐社区，对新形势下社区党建工作提出了新要求，社区党建在促进平安和谐社区建设中，发挥重大作用。

（一）选好配强指导员，社区党建添活力

广州市2003年8月起在全市推广实施社区党建工作指导员（以下简称党建指导员）制度，每条街道配备2名党建指导员，主要负责协助和指导辖内社区党组织和“两新”组织开展党建工作。截止到2007年9月，全市累计招聘党建指导员300多名，目前在岗256名。社区党建指导员队伍成立四年来，为社区党建工作注入了新活力。

1. 把好入口关，保障强有力。

(1) 严把入口关，选好配强党建指导员队伍。党建指导员队伍，是针对社区党建工作任务繁重与组织力量不足的矛盾而建立的，承担着新时期加强社区基层党组织建设的重要历史使命，因此，配备一支高素质、有战斗力的队伍十分重要。市委组织部在文件中明确规定党建指导员要具备大专以上或相当大专文化程度，热爱党建工作，具有一定的党务和群团工作经验，具有较高的政策理论水平。各区、县级市在招聘过程中，深入宣传，广泛发动，严密

组织，经过笔试、面试、组织考察、体检等环节，严把质量关，努力做到“公开、公平、公正、择优”，吸纳了一批既有一定党务工作经验又热爱党务工作，既有工作热情又有开拓精神的同志加入党建指导员队伍中来。

（2）加强指导帮助，为党建指导员开展工作创造有利条件。为了使新招聘的党建指导员上岗后能够尽快找到工作的切入点，各区、县级市委组织部首先组织他们进行岗前培训，进一步提高了思想认识，明确了开展社区和“两新”组织党建工作的指导思想、目标任务和工作职责，全面熟悉和掌握社区党建工作的途径和基本方法，为党建指导员开展工作创造了条件。各街道党工委大力支持党建指导员的工作，专门指定了党工委副书记、党办主任具体负责指导员的日常管理工作，为党建指导员设置了专门的办公室，并配备了电脑等办公设备；针对党建指导员上岗初期对辖区内情况不熟悉等情况，街道党工委还专门指派街道干部或社区居委会干部陪同他们到社区、企业开展调研，了解情况。同时，努力提高党建指导员的政治待遇和生活条件，从2006年9月开始，党建指导员的工资由市财政局统一核拨，工资标准也由1200元提高到1883元，各区、县级市也根据实际为党建指导员购买保险、给予补贴、发放过节费等，努力做到感情留人、事业留人、待遇留人。

（3）加强制度建设，认真做好党建指导员的管理工作。党建指导员由各区、县级市党委组织部聘任和管理，主要派往辖区内的街道工作，原则上每条街道设1～2名。党建指导员对区委组织部负责，在街道党工委的领导下开展工作。市委组织部对各区、县级市的党建指导员进行统一指导；各区、县级市在市委组织部统一指导意见的基础上，都制定了相应的实施方案、管理办法、考核细则等，明确和细化党建指导员的工作目标、工作职责、考核与管理制度、工资待遇等，对党建指导员的管理和培训，对党建指导员的工作进行业务指导。这样既注意合理引导党建指导员树立工作责任感，又激发了他们的工作积极性，为做好社区和“两新”组织党建工作奠定了基础。

2. 发挥大作用，开创新局面。

（1）发挥“宣传员”作用，营造社区党建工作的良好氛围。党建指导员通过设置宣传栏、上门访谈、召开座谈会等形式向街道社区的党员群众宣传党的路线方针政策，组织党员学习党章和党的基本知识，宣传非公有制企业开展党建工作的重要意义，树立非公有制企业“抓党建，促发展”的典型，提高了社区党员群众和“两新”组织职工对党建工作重要性的认识。

（2）发挥“指导员”作用，开创社区党建工作新局面。党建指导员积极配合街道党工委加强对社区、“两新”组织党建工作的指导，帮助解决工作中遇到的问题，协助基层党组织抓好党员的教育管理和要求入党积极分子的培养。越秀区大新街道的党建工作指导员深入“两新”组织，了解党员及企业党建情况，并进行登记造册和跟踪指导，为加快“两新”组织党建工作创造了条件。

（3）发挥“服务员”作用，提高服务群众的水平。党建指导员对下岗失业人员实行“温暖管理”，针对他们生活困难、急需就业的实际，坚持鼓励与帮扶相结合，积极为他们提供就业培训信息，联系就业岗位，为许多下岗失业人员解决了就业问题。

（4）发挥“协理员”作用，充实社区党建工作力量。党建指导员协助街道社区党组织认真抓好“两新”组织党建工作和社区党建各项工作的落实，成为抓社区党建工作的重要力量，为加强社区建设、促进社区和谐稳定作出积极贡献。

（二）构筑社区，共建大平台

2003 年，珠海市香洲区以狮山街道为试点，建立由社区各成员单位党组织共同参与社区党建的社区党组织代表会议制度。2004 年 11 月，香洲区在总结试点经验的基础上全面推行该项制度，打破了行政体制的局限，理顺了条块关系，构筑了社区共建大平台，开辟了一条社区各党组织联系和服务群众的绿色通道。

1. 健全机制保运作。

社区党组织代表会议制度规定社区党组织代表大会成员由社区

各类党组织自愿推选代表参加组成，各成员单位党组织不分行政级别，享有同等权利，履行同等义务。社区党组织代表会议三年一届，每年召开一次。为使社区党组织代表会议制度落到实处，取得实效，香洲区通过完善工作制度，健全工作机制，确保了社区党组织代表会议制度有效运作。

（1）健全共同参与机制。社区党组织与单位党组织按照“优势互补、互惠互利”的原则，围绕“经济共建、文化共建、环境共建、实事共建、廉政共建”等内容，签订共建责任书。明确共建双方的责任和义务；同时，每年对积极参与社区党建、社区公益活动的党组织和党员进行评比表彰，对不认真履行职责的代表，由工作委员会责成相关成员单位重新推选，促使各党组织积极参与社区事务，实现社区党建工作由街道党工委“独唱”到社区党组织“合唱”的转变。

（2）健全互动协调机制。在信息报送、意见征询和社情分析等制度保障下，贯彻会前征询、会中协商、会议决定的民主决策模式，通过围绕不同主题开展社情调研、征询意见，定期召开社区党组织代表大会、工作委员会全会、代表联组例会以及编发《社区党建简报》等形式，有效解决以往社区党组织之间信息不畅、反馈不足、协作不够、针对性不强等问题，使社区党建工作任务转化为社区单位党组织步调一致的行为。

（3）健全服务群众机制。坚持以服务群众为重点，建立联系群众制度，并以“情系百家”活动为载体，组织社区内各党组织和党员情系居民党员、困难群众、未成年人、外来工等特殊群体和社区文化、平安社区建设等社区事务，参与党员互帮、扶贫济困、关心下一代、党群工作一体化、群众性文体活动和群防群治等工作，为社区内各单位党组织联系社区、服务群众铺设了绿色通道。

2. 从“独唱”到“合唱”。

2004 年 11 月，珠海市香洲区在全区 10 个镇（街道）中全面推行了社区党组织代表会议制度，目前运作正常，得到了辖区单位党组织的大力支持和广大党员群众的普遍好评。

（1）打造资源共享的平台。大会成员单位党组织之间建立了同驻共建关系，为社区建设出谋划策，提供力所能及的资源，使社区的公共资源最大限度地向社区辐射。如辖区的所有学校文体设施实行向社会有序开放，凡社区举办的文体活动，可以无偿使用学校的文体场馆，并由学校提供专业师资给予培训骨干或技术指导等方面的支持。市教育党工委在解决东风社区党员活动室的基础上，还无偿提供200平方米办公用房作为“星光计划”服务点，丰富了党员、群众业余文化生活。

（2）开辟服务群众的渠道。社区党组织代表会议以“情系百家”活动为载体，组织党员干部和单位党组织与困难家庭建立结对帮扶关系，筹集帮扶资金，解决社区困难群众就业，促进贫病家庭与社区卫生医疗机构建立了长期的医疗帮助关系，援助贫困家庭子女读书。通过开展各种形式的为民服务实践活动，帮助居民群众解决生产生活中的实际困难，进一步密切了党群关系，转变了党员干部的工作作风，增强了党在居民群众中的凝聚力和号召力，有效地巩固了党在城市基层执政的群众基础。

（3）创建民主执政的方式。街道党工委每年要向社区党组织代表报告工作，接受评议，党组织代表通过撰写提案直接提出问题和对策建议，使得街道党工委必须更加注重社区单位党组织和党员意愿的表达，更加注重社情民意的反映，着力解决实际问题，实现了向民主执政方式的转型。珠海市府办党总支领导在“情系百家、结对帮扶”活动中，了解到无房低保户的问题具有普遍性，向市政府提出解决方案和建议，及时促成政府为每户无房低保户提供每月200元租房补助金。

（三）结对创建和谐社区谱新篇

自2003年实施固本强基工程以后，肇庆市和端州区有计划地整合社区各类资源，精心安排了市、区两级158个直属单位党组织与56个城市社区党组织深入开展结对共建活动。四年来，通过加强组织领导、注重典型引导、选准主题和实施目标管理，结对共建

活动大见成效，使肇庆市中心城区形成了资源共享、优势互补、条块结合、共驻共建的城市社区党建新格局。

1. 强化领导，健全机构。

2003年4月，广东省委下发了实施固本强基工程的决定，肇庆市、端州区对此高度重视，决定在加大财政投入的基础上，重点做好发挥驻社区单位各类资源优势、深入开展结对共建活动这篇文章，走出一条次发达地区城市社区党建新路子。市、区先后下发了7份有关结对共建活动的文件，提出了市、区两级直属单位党组织与所驻社区党组织开展结对共建活动的方案，明确活动意义、目标和措施，统一了思想。为加强组织领导和沟通交流，组建了市、区两级社区建设协调领导小组及其办公室、4个街道社区党建联席会议、56个社区党建联席分会等三级社区党建和社区建设工作协调机构。市、区两级党委、政府有关领导，市、区直属单位分管领导及活动联络员共548人参加了协调机构。四年来，各级协调机构召开了859次会议，协商决定了1051项有关事务。

2. 树立典型，推广经验。

（1）选择典型，树立先进样板。肇庆市把结对共建各方编为56个社区组别，选择10个不同类型的社区组别，创建先进典型，以示范带动其他社区组别深入开展活动。

（2）总结经验，推广先进做法。四年来，肇庆市通过街道社区党建工作座谈会、社区建设工作会议、区直单位挂点联系社区党建工作会议和第二批先进性教育活动各阶段会议等，不断推广各社区组别开展活动的成熟经验和有效措施。

（3）加强舆论宣传，营造良好氛围。肇庆市为使社会各界理解和支持结对共建活动，自开展活动以来，社区每次重大的活动，新闻媒体都进行报道。四年来，肇庆电视台播出有关结对共建活动电视新闻191条，《西江日报》和《端州新闻》刊登了文稿257篇，肇庆电台广播新闻247篇，市、区两级网站登载信息351则。此外，还摄制播出《春华秋实——肇庆结对共建活动结硕果》、《社区处处党旗红》等12部反映活动情况的专题片。

（四）丰富载体，增强实效

（1）围绕结对共建各方关注的问题，确定活动主题。康乐花园社区组别选择了既是社区居民较为需求，也是参与结对共建的市体育局、市体育中心管理处所热心支持的活动主题——“社区党员、群众健身康体”。四年来，市体育局、市体育中心管理处累计投入近百万元，兴建了7.5万平方米的体育中心全民健身广场，以无偿、抵偿的方式提供给社区党员、群众使用，并组织了大批社区青少年参加了一系列的活动，增强了社区居民的体质，促进了和谐社区的建设。十字路社区组别以“我为居民办好事、我为党旗添光彩”为主题，帮扶社区11户困难党员、特困家庭和孤寡老人，使社区党员、群众从活动中真正得到了实惠。

（2）充分发挥驻区单位优势，创建特色社区。府前东社区内有丽谯楼、披云楼、宋城墙等宋代文物古迹，有肇庆中学、新华书店和博智图书馆等一批文化教育单位，自古至今文化底蕴深厚。结对共建各方经商议后，开放了各自的优质资源，组织社区党员和居民参与了一系列文教活动，使社区的文教氛围越来越浓厚，继承和发扬了优秀的文化传统。2005年4月，府前东社区被授予“全国百佳学习型社区”称号。四年来，市、区两级充分利用驻社区单位的资源优势，在中心城区创建了17种类型的特色社区，并荣获了8项国家级荣誉。

（3）精心设计活动形式，增强活动实效。注重以文艺表演、党员志愿者服务、结对子扶残助困、上党课等形式开展结对共建活动。康乐北社区内有大型书店、青少年艺术培训中心等单位，社区党员群众比较喜欢文体活动。该社区组别决定以“凝聚社区资源，共建文化社区”为主题，开展丰富、健康的文体活动，提高居民素质和社区品位。组建了有390多名骨干队员的8支文体队伍，经常开展文体活动，做到月月有活动，节日有演出。四年来，该社区共开展了59次较为大型的文体活动，社区先后荣获了“全国文化先进社区”、“广东省平安和谐先进社区”等称号。百花园社区组

别以社区服务为切入点来开展活动，组建了以党员志愿者为核心的有100多人的社区服务队伍，经常为社区群众排忧解难，树立了机关和社区党员、青年的新形象。社区先后荣获了“全国青年文明社区”、“广东省精神文明建设先进单位”等称号。

总之，改革开放是一场社会变革，这场深刻的社会变革推动着中国社会深刻的社会转型。社区建设正是在改革开放和社会转型的时代背景下城市基层社会重建的必然产物。社区建设的主体是多元化的，而社区党建对社区建设的健康发展至关重要，是社区建设的内在要求。在改革开放中一路走来的广东社区党建，经历了不断探索、创造、成效的过程，建立了工作机制，找准了工作路子，形成了工作模式。全省各地结合自身社区建设的实际，高度重视和不断推进社区党建工作，基层社区党建工作者更是辛勤耕耘，培育出一朵朵独具特色、绚丽多彩的社区党建之花，开放在城市社区建设所到之处，开放在党的建设肥沃富饶的园地之中，装点改革开放的锦绣，惠及最广大的人民群众。

第六章 “两新”组织党旗飘扬

随着改革的深入和市场经济的发展，新经济和新社会组织（以下简称“两新”组织）发展迅猛，从业人员日益增多，对推动经济发展，促进社会和谐，起着非常重要的作用。如何在这些组织中加强党的建设，积极探索其中的一般规律，不断增强党的渗透力和影响力，已经成为全党迫切需要破解的时代课题。

一、“两新”组织的新建设

改革开放以来，广东一直高度重视“两新”组织党建工作，从上到下成立领导机构，确定目标，规定任务，针对“两新”组织发展快、变动多、规模小、差异大以及多样性和复杂性等特点，从实际出发，在坚持党建原则的基础上，既大胆创新，开展灵活多样的党建活动，又稳扎稳打，形成了一系列行之有效的党建工作思路和机制。

（一）组织建设打好基础

1. 抓党组织的组建工作，扩大党的组织覆盖面。

党的基层组织是党在社会基层组织中的战斗堡垒，是党的全部工作和战斗力的基础，建立健全党的组织网络是党在“两新”组织中开展党建工作的基础和前提。广东坚持“有群众的地方就有党的工作，有党员的地方就有党的组织，有党的组织的地方就有党

的坚强战斗力”的原则要求，于2002年制定了非公有制企业100%要建立党组织的目标，按照成熟一个组建一个的方针，通过“独立、联合、挂靠、选派、统筹”等多种形式，大力开展党组织的组建工作，基本做到“两新”组织发展到哪儿，党组织就建立到哪儿。2007年9月底，全省规模以上非公有制企业91.8%已建立党组织，新社会组织也已大部分建立了党组织。广州市在对规模以上非公有制企业进行“地毯式”搜查的基础上，对这些规模以上非公有制企业进行具体分析，以党员人数和企业特点为基础进行分类指导。对已经有3名以上党员尚未建立党组织的非公有制企业，明确要求尽快单独成立党支部；对已经有2名以上党员的企业，采取派遣联络员的方法争取单独组建党组织；对只有1名党员的企业，加强与企业的沟通，通过企业招收党员职工与组织推荐输送相结合的办法增加党员数量。同时，按照地域相邻、行业相近的原则，建立联合党支部。深圳全面开展“片区建党”带“单位建党”工作，以工业园区、专业市场、办公楼宇、商业街区和驻社区五种形式组建片区党组织，以带动各单位建党；同时采取多种方法查找或向“两新”组织选派党员，为党组织组建工作创造条件。东莞以应建尽建为目标，实行属地管理，采取先联合后独立的组建模式，以镇村为区域划分，按村和大型工业园为单位，先组建联合党支部，把所有流动党员纳入党组织管理的范围，条件成熟的及时分设独立式党支部。突出“抓大、抓特、抓行业”，探索“基层党委、党总支、党支部”三级党组织设置架构，合理设置组织形式，扩大党的工作覆盖面。

惠州市则积极探索建立与工商、税务部门联合开展非公有制企业党建工作的新机制，在非公有制企业登记注册或年检时，工商、税务部门提醒业主积极支持在企业成立党组织和工会、共青团组织；市外经、工商、税务部门组成工作组到外资企业开展组建党组织工作；各级党组织联合劳动保障和人事部门，采取推优、推荐、挂职的工作方式，为建立党组织创造条件。

2. 抓党员工作。

党员是党的细胞，是党的各项工作的承担者，也是党联系群众的纽带。建设一支高素质的党员队伍，是在“两新”组织开展党建工作的重要基础。然而，“两新”组织党员流动性大，不稳定，而且存在不少“隐性党员”和口袋党员。因此，广东在做好一般党员的常规性教育管理工作的基础上，尤其下大力气做好对流动党员的管理工作，于2002年制定普查登记的党员100%纳入党组织管理的目标，并采取多方面措施加强这方面的工作。在这方面，东莞尤为突出。东莞创建了“一证一卡一系统一中心”的管理办法。“一证”就是发放流动党员活动证，“一卡”就是设置流动党员登记卡，“一系统”就是建立流动党员管理系统，“一中心”就是设立流动党员管理服务中心。并通过“四个一批”不断壮大党员队伍。一是稳定一批。各个流动党员管理服务中心对流动党员在就业、医疗、办理相关证件等方面给予一定的政策优惠，为流动党员办实事，多关心帮扶，从而稳定党员队伍。二是登记一批。一方面加大思想动员和摸查登记力度，组织“两新”组织查找党员，动员党员亮明身份；另一方面联合劳动部门提醒“两新”组织在聘用员工时填好政治面貌栏。三是选派一批。向“两新”组织选派优秀党员开展党建工作，同时积极动员企业招收党员员工。四是发展一批。坚持党员标准，注重在表现优秀的中高层管理人员、群团组织负责人、生产第一线和高知识群体以及青年中发展党员。广州、深圳等地对流动党员实行IC卡管理，流动党员凭IC卡参加组织生活，上党课，交党费，接转组织关系。

3. 抓领导机构。

领导是核心力量，建立强有力的领导机构是“两新”组织党建工作成败的关键。而“两新”组织多没有具有行政隶属关系的上级组织，主管部门也很不确定，本身的变动性也很大。如何理顺领导关系，建立强有力的领导机构，以加强“两新”组织党建工作的领导至为关键。早在1995年，深圳市就在全国率先成立了“两新”组织统管党委——市总商会民营企业党委；1996年广州市成立了全国第一个私营企业协会党委，建立起了市私协党委——区

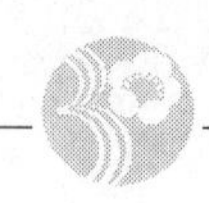

（县级市）私协党总支——基层分会党支部的三级管理架构；2001年9月，珠海成立新经济组织工作委员会，作为市委派出机构，专门负责新经济组织党建工作；2003年深圳、东莞相继成立了民营经济工委和企业工委，并在区、镇（街道）也成立相应机构，形成归口管理系统。

党组织的广泛建立、党员队伍的壮大和稳定、强有力领导机构的形成，构成了庞大而又充满活力的组织系统，为广东"两新"组织党建工作提供了强有力的组织支撑，这也是广东"两新"组织党建工作得以蓬勃开展的扎实基础。

（二）创新党组织活动

1. 围绕生产经营开展活动。

通过开展各种活动，履行职能，是党的政治建设内容，因而是党的建设根本；从而也是党组织发挥作用，有所作为的根本所在；是党组织具有活力和动力的根本所在；也是党组织获得"两新"组织认同和群众拥护的根本所在。广东各地党组织以政治建设为根本，紧紧围绕"两新"组织的生产和经营开展活动，把党组织的政治职能融合在"两新"组织的生产和经营任务中，以"两新"组织各项活动为舞台宣传党的政策，开展思想政治工作，发挥党员模范作用，联系群众等，从而较好地发挥了党组织的战斗堡垒作用。例如广州市白云区积极引导"两新"组织党支部围绕本单位生产和经营任务积极开展活动，在各个方面努力发挥作用，扩大影响，受到业主认可、党员认可、员工认可，取得了较好的效果。一是在做好思想政治工作上有作为，体现针对性。在"两新"组织中开展"我为企业提建议"、"假如我是老板"等活动，增进与业主和员工的联系。组织开展商业道德大讨论、服务工作演讲会、职工运动会等活动，把政治理论和道德教育融入企业文化建设，探索思想政治工作新路子。二是在促进生产经营上有作为，突出先进性。党支部紧紧围绕生产经营目标开展活动，带领党员在生产经营一线当表率，发挥先锋模范作用。如三元里街非公有制企业在党员

中开展“完成任务好、遵守制度好、团结互助好、个人表率好”活动。三是在营造企业文化上有作为，发挥导向性。将党员管理与企业文化建设有机结合起来，通过组织党员、要求入党积极分子及其他骨干力量定期定点学习，形成一种积极上进的学习氛围。通过协助企业办报办宣传栏，宣传典型事迹，弘扬正气，建设先进企业文化。四是在建设和谐社区上有作为，扩大外延性。开展“回报社会，服务社区”等主题活动，组织党员对困难家庭、贫困学生进行帮扶，扩大党组织在社区的影响力。

2. 采取多种形式开展活动。

内容决定形式，形式影响内容。任何活动都要有合适的形式才能有效开展，任何有意义的内容都需要通过合适的形式才能展现出来。广东各地针对“两新”组织的新情况，转变工作方式，采取适合“两新”组织特点的灵活多样的形式，使党组织活动有声有色。在这方面，广州市石牌街的做法是：一把集中与分散结合起来，根据“两新”组织，尤其是非公有制企业工作节奏快、劳动强度大、开展活动时间紧的实际，坚持少集中、多分散、合理安排时间，多利用工休时间和工余时间开展活动，组织学习。二根据“两新”组织员工工作时间不一、人员分散的实际，坚持自我教育与组织管理相结合，着重引导党员结合个人实际，带着问题自学，加强自我修养。同时，通过集中上辅导课，结对帮学，组织知识竞赛，开展主题实践活动等多种形式，加强组织的教育管理。三根据“两新”组织青年人多的特点，坚持教育与娱乐相结合，开展各种文娱体育活动，寓教于乐。

3. 抓物质条件。

党组织开展活动还需要一定的经费、场地和设备等物质条件。而“两新”组织多数具有私人性质，且普遍规模较小，在为党组织提供经费、场地和设备方面不仅缺乏主动性，而且也存在实际困难。广东各地对此高度重视，一方面争取“两新”组织大力支持，一些企业老板鼎力相助；一方面各上级党组织也想方设法，采取从财政或党费中拨款等方式予以资助。一些基层党组织充分利用

"两新"组织的资源，较好地解决了这个问题。广州市各级党组织对"两新"组织的党费大多数实行全额返还；除此之外越秀区还按每名党员每年100元的标准下拨党建工作专项经费，并通过挖掘和整合，促使400多家单位为党建活动无偿提供场地、设备和专业技术人员。花都、黄埔、白云等区专门拨出"两新"组织党建工作经费，党员每月20元，支部书记每月30元，企业每月200~300元。东莞市率先把"两新"组织党建经费纳入市、镇两级财政，每组建一个党组织，镇（街道）给予3000元至1万元不等的阵地建设费；流动党员服务站每登记一名流动党员给予50元至100元的办公经费补贴；每个党员活动经费每年不少于200元，书记每人每月不少于200元，党建指导员每月不少于300元。中山市一次性拿出500万元专项资金，用于"两新"组织党员活动室的建立及党组织活动的补贴。深圳宝安区拿出250万元用于规模以上非公有制企业组建党组织，龙岗区每年从党建经费中拿出100万元给"两新"组织党务工作者发放补贴。惠州市则通过财政专项拨款、党费返拨、党费拨付、企业提供、有关单位支持等多种方式加大"两新"组织党组织活动经费保障力度。台山市台澳铝业有限公司为党支部开设活动室，配置电视、VCD、图书柜等，给党员每月发200元。

（三）规范管理提升水平

广东是改革开放的前沿，各地在"两新"组织党的建设方面既坚持原则又大胆创新，摸索出不少好的做法。这些做法针对不同的时期、不同的地区及行业和不同的环境，各具特色，各显神通。但这些做法也难免具有一定的历史局限性和区域及行业的狭隘性，同时由于各地环境条件不同，发展很不平衡，"两新"组织党建工作参差不齐。随着社会经济政治制度的建立和党建工作的正常化，这些显然适应不了形势的发展而需要走规范化的道路。广东较早地认识到这个问题，在对"两新"组织党的建设进行一系列创新取得经验后，及时把这些经验做法加以总结提高，上升到规范的层

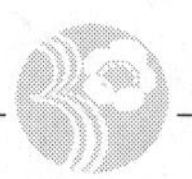

面，在各地普遍推行，以减少盲目性，从而提高了党建的整体水平。

例如实施固本强基工程以来，阳东县把规范化管理作为“两新”组织党建的一项新目标、新任务，通过强指导、强队伍、强载体、强机制，全面提升了“两新”组织党建工作水平，取得了显著的效果。

强指导促管理规范。阳东县从加强业务指导入手，促进全县“两新”组织党组织规范化建设。一是强化责任。结合领导干部服务工作“三个一”活动，每名县党员领导干部负责联系2～3家“两新”组织，特别是对100多家生产正常、规模较大的企业实行领导挂点，帮助指导开展党建工作。二是充实力量。专门成立非公有制经济组织党的工作委员会，指导全县“两新”组织党建工作。同时，从县直机关选派77名熟悉党务、工作责任心强的年轻党员，作为“两新”组织党建工作指导员和联系员派驻到77家企业中，帮助指导开展党建工作。三是加强考核。阳东县制定下发了《关于做好阳东县“两新”组织党建工作的通知》、《阳东县“两新”组织发展党员计划》，明确工作要求、目标和责任，每年将参照通知要求，把“两新”组织党建工作作为党建工作一项重要内容纳入所属党委的年终实绩考核。

强素质促队伍规范。阳东县坚持“三支”队伍一起抓的工作思路，筑牢堡垒，为规范“两新”组织党建工作打下了坚实的基础。一是加强支部班子建设。注重选好配强支部的领导班子，把党性强、热心党务工作、管理层的党员员工选进党支部领导班子，提高班子的战斗力。目前，该县52名“两新”组织党支部书记基本上是水平高、职务高、积极性高的企业骨干。二是加强党务工作者队伍建设。深化拓展“树组工干部形象”集中学习教育活动，通过教育和培训，在工作上压担子，提高“两新”组织党务工作者队伍的综合素质。三是加强党员队伍建设。该县采取读书会、学习会、户外活动等形式加强党员的理论学习，教育党员树立正确的人生观、价值观。如阳江十八子集团党支部每年在清明节期间，组织

党员、要求入党积极分子前往阳江烈士陵园进行革命传统教育，增强了党员的党性修养。

强载体促活动规范。阳东县不断创新活动载体。结合先进性教育活动，采取“业余、小型、灵活”的方式，把先进性教育与企业生产、企业文化创建等实际情况有机结合起来，开展丰富多彩的主题实践活动，进一步增强了党支部的向心力和凝聚力。如广东喜之郎集团阳东生产基地党支部作为全省第二批先进性教育活动先行点，精心策划“一证一册”、“两卡两点”、“三联系三帮助”、“六个一”主题实践等学习教育活动载体，开展了“关键岗位党员把关，关键技术党员攻关，关键问题党员率先过关”为主题的生产技能大比拼活动，激发了广大党员参与学习教育的极大热情，并为全省全面铺开第二批先进性教育活动探索出了好的工作经验。该县还深入地开展“机关·非企”共建活动，组织77个党建工作经验丰富的党政机关与全县77家非公有制企业挂钩，参与党建共建活动，指导非公有制企业党建工作，不断推进非公有制企业党建工作的规范化建设。

强机制促运作规范。阳东县本着“实事求是，科学合理”的原则，帮助“两新”组织党支部健全和完善“五个一”制度、党员联系职工制度、争先创优制度、党员和党务工作人员培训等一系列工作制度，并统一上墙，配齐党支部“七簿一册”，从而使“两新”组织党组织开展工作事事有标准，件件有依据。同时，该县坚持“统一、规范、实效”的原则，下拨一定的经费支持“两新”组织党支部硬件建设，指导“两新”组织建好“党员之家”、“职工之家”，为党支部加强党员和职工群众教育提供了有利条件。目前，阳东县在“两新”组织中已建设档次比较高的党员活动室68个，书报阅览室35个，宣传栏60个，电教设备31套。

（四）长效机制稳固发展

制度和机制具有规范性、根本性、稳定性，是“两新”组织党建工作得以稳固发展的根本保证。广东各地“两新”组织党建

工作之所以能持续有效地健康发展，一个重要原因就是建立一系列制度和机制，把思想、政治、组织和作风方面的建设贯穿其中，用制度和机制从根本上确保党的建设的正常化、规范化和科学化。这些制度和机制包括为党建提供强有力领导支持的完善的领导体制，从组织上保证党建工作正常进行的严密的组织制度，促使党组织活动长期规范有序而又充满活力地进行的科学的工作机制。

近年来，惠东县在不断完善制度建设上下功夫，“两新”组织党的建设巩固发展。首先，完善领导机制，落实党建工作。一是健全和完善了领导责任制。县镇（区街）成立“两新”组织党建工作领导小组，明确责任人及其领导责任。二是建立领导班子联系办点制度。县四套领导班子成员每人联系一家以上“两新”组织。三是建立选派党建工作指导员制度，对“两新”组织党建工作给予指导帮助。四是建立协调联动制度，明确党建带工建、团建、妇建的工作目标和主要措施，初步形成“两新”组织党群共建的新格局。其次，完善组织制度，巩固党的组织活动。一是完善“三会一课”制度，促使党组织活动正常进行。二是完善教育培训制度，把“两新”组织党员培训工作列入县全年培训规划，定期分级对党务工作者进行培训。三是完善目标考核制度，建立定期考核制度，做到年中有检查，年末有考核。最后，完善党员管理制度，加强对党员的管理。一是建立“一账一证一站一栏一机一制”的制度，规范流动党员教育管理。“一账”即建立流动党员外出登记台账；“一证”即发放流动党员活动证；“一站”即设立流动党员服务站；“一栏”即建立流动党员宣传栏；“一机”即开通流动党员咨询服务电话；“一制”即建立流动党员管理制度。二是完善党员目标管理与民主评议党员等制度，加强对党员的激励和监督。三是完善发展党员制度，把发展党员纳入党建目标责任制，规定数量指标，并定期考核，完善对发展对象的考核、培训制度。

东莞则着眼于党的建设的长效性和稳固性，探索构建了“两新”组织的党建工作的“五化”机制。一是构建网络化管理的工作责任机制。成立市企业工委和镇（街道）企业工委，每个镇

（街道）都配备2至3名专职组织员，形成了市企业工委、镇（街道）企业工委和“两新”组织的党组织三级管理网络，由市委常委、党员副市长分片驻点指导，市委督导组驻点督导，镇区党政领导班子成员分片驻点包干；并建立督导制度，加强情况通报；建立回头制度，每一个阶段工作结束之后都要组织力量回头看，进行查漏补缺；建立工作例会制度，定期分析研究热点难点问题。二是构建规范化的党组织组建机制。按照应建必建原则，确定组建目标，制定组建程序，即形成“党员登记——身份核实——挂点联系——与业主座谈——同党员见面——实施组建”的工作流程，并制定督查考核、联席会议、结对共建等项制度，保证组建工作顺利进行。三是构建正常化的流动党员管理机制。按照凡进必登、凡登必核、凡核必管的原则，制定适合流动党员特点的管理制度。全市各镇（街道、村、社区、工业区）分别建立流动党员管理服务中心，流入的党员先进站登记，由中心发放“两新”组织党员活动证，由中心按照“就近、好管”的原则，安排到有关党组织参加活动；由党支部设立登记卡，登记流动党员参加活动情况；再由各镇区和各企业工委根据各党支部原始资料登记统计台账和填报统计报表，然后将有关数据和资料录入管理系统，对流动党员实行动态管理。四是正常化的党员教育激励机制。创立党员个人自学、组织集中辅导和讲评、结对帮学等项学习制度，并把政治学习和实践活动结合起来，开展“三为”（为党争光彩、为企业献良策、为社会作贡献）、“三争”（争当岗位能手、争当员工表率、争当守法模范）、“三有”（关键岗位有党员、技术攻关有党员、困难面前有党员）、“三无”（党员身边无事故、党员身边无次品、党员身边无违章）的主题实践活动；坚持激励和约束并重的原则，建立了对党员的表彰奖励、权益保障、帮扶基金、工伤医疗、就业扶助、法律援助等激励保障制度，健全了民主生活、组织生活、民主评议、谈心等监督约束机制。五是构建社会化的党建共建机制。实行以党建带工、青、妇建设的制度，加快工、青、妇等群团工作向“两新”组织延伸的步伐；实行党委与其他部门联席会议制度，由镇（街

道）企业工委牵头，人才服务、外经、工商、税务、劳动、社保、公安等部门作为联系单位，定期召开联席会议，加强情况通报和协调配合，及时解决“两新”组织党建工作碰到的问题，努力营造党、政、工、青、妇齐抓共管“两新”组织党的建设的格局。

二、结合生产经营发挥政治优势

新经济组织是指在我国境内新建的原有国有企业、集体企业之外的各种经济组织，包括外资企业、中外合资经营企业、个体私营企业、股份制企业、集体承包给私人的企业等等。改革开放以来，广东新经济组织发展迅猛，其种类繁多，形式多样，遍布各地，在满足人民多样化需要、增加就业、促进经济的发展中起着重要作用。因而，广东一直非常重视在新经济组织中建立党的组织并发挥其战斗堡垒作用，以引导非公有制经济健康发展，巩固基本的经济制度，进而增强党的阶级基础，扩大党的群众基础，巩固党的执政基础。

（一）结合生产经营开展工作

对于党组织来说，新经济组织是一块陌生而又特殊的“阵地”，有着与党组织完全不同的性质、作用和目标。党组织作为政治组织，如何在从事生产经营活动、以经济利益为目标的新经济组织中发挥政治作用，实现党的政治目标，确实是个根本性的难题。广东一些地方新经济组织党的建设获得成功的根本性经验，就在于找准目标的结合点，抓住发展经济这个共同点，以这一共同目标为纽带，把党的以经济建设为中心、建设小康社会目标与企业做大做强结合起来，在企业的生产经营中确定自己的职能作用，寻求工作目标，把党建各项工作贯穿到企业生产经营的各个环节中去，以引导和保证企业健康发展，实现党组织的政治职责。近年来，揭东县新经济组织紧紧围绕企业生产经营这个中心，开展活动，从多方面建立与企业发展联动推进的党建工作机制，实现了与企业发展的双赢。

一是坚持党建工作与企业人才建设相结合。揭东县大力实施非公有制企业“党员人才工程”，积极探索党管人才原则在企业的实现途径，努力把非党人才培养成为党员，把党员人才培养成为管理骨干，为企业发展提供人才资源保障，使党组织和党员在企业中发挥重要作用。广东巨轮模具股份有限公司党支部书记洪惠平主持建立了“广东省轮胎模具工程技术研究开发中心”，组织力量进行科研攻坚，共获13项国家专利，其中2项发明、多个项目列入国家级“火炬”计划项目、国家重点技术创新计划项目、国家重点新产品计划项目，他本人也被评为揭阳市劳动模范。

二是坚持党建工作与企业生产经营相结合。揭东县企业党组织围绕企业的生产经营这一中心来开展党建工作，积极向业主建言献策，帮助业主拓宽经营渠道，解决生产经营中遇到的困难问题，促进企业健康发展。揭阳市天阳模具有限公司是一家中外合资专业生产轮胎模具的高新技术企业，公司党支部积极参与企业的改革、生产、经营和管理的决策，经常组织党员进行“有为才有位”和专业技能的教育。为使党员在各自的岗位上当先锋、树榜样、做贡献，党支部一方面把党员放在关键岗位上（公司26名在岗党员，担任班长以上职务的16人，特殊岗位的5人，占在岗党员总数的81%），另一方面组织党员参加科技攻关，由6名党员组成的科技攻关小组，由支委吴培伟主抓，攻克了一个个技术难关，生产的“子午线”轮胎模具获国家发明专利，被誉为“中国之最”，公司党员成为企业多个环节的骨干或带头人，起到模范表率作用。公司的规模和效益年年上新台阶，连年来被评为市“纳税光荣户”。

三是坚持党建工作与企业文化建设相结合。揭东新经济组织党组织坚持把思想政治工作与塑造企业文化结合起来，营造健康、祥和、温馨的文化氛围，满足员工求知、求美、求乐的精神文化需要。广东巨轮模具股份有限公司利用自办刊物《巨轮报》正确引导员工牢固树立节约观，增强节约意识，全体党员带头做起，在全公司范围内营造节约型企业的浓厚氛围。鹏运有限公司党支部组织

党员员工开展“比学习、比技能、比文明”主题实践活动，丰富了企业文化，增强了企业的凝聚力和向心力，走出了一条企业文化与党建工作共同发展的路子。

四是坚持党建工作与维护员工合法权益相结合。揭东县新经济组织的党组织在生产经营活动中，积极帮助职工解决密切关注的问题，为职工办实事解难题，维护好员工的利益，构建企业与员工的和谐关系。华兴公司党支部广泛开展“有困难找党组织、有意见和建议找党组织，党就在你身边”活动和“互助工程”活动，夯实群众基础，充分发挥党组织的桥梁和纽带作用，使一些在思想、工作、生活等方面遇到困难和挫折的党员，感受到了党组织的温暖。

珠海市斗门区近年来则积极研究和探索不同类型非公有制企业党建工作的新路子、新方法，采取“四贴近”，开创非公有制企业党建工作新模式，不断增强非公有制企业党组织的凝聚力和战斗力，非公有制企业党建工作迈上一个新台阶。

一是贴近企业发展，增强创造力。斗门区非公有制企业党组织抓住“围绕发展抓党建，抓好党建促发展”这个主题，积极主动地开展非公有制企业党建工作。有的通过加强思想教育和政治理论学习，不断提高党员职工的党性观念和思想政治素质；有的通过开展国际国内形势教育和业务知识培训，提高工作能力和业务水平；有的通过建立党员责任区、党员示范岗，展示党员在企业的威望和形象；有的通过开展塑造企业形象的主题活动，增强员工的团队意识。

二是贴近职工生活，增强凝聚力。斗门区非公有制企业党组织在开展活动时，从员工思想实际出发，想员工所想，急员工所急，实实在在地为员工解决困难办实事。如区水产品进出口公司党支部在企业内实行了员工生病住院必访、员工生日送礼物、员工孩子学习优秀有奖励等工作制度，将思想政治工作与为企业分忧、为员工解难结合在一起，贴近员工思想，贴近员工生活，在教育广大员工的同时，密切了员工与企业的关系，同时增强了党组织的凝聚力。

三是贴近服务企业，增强战斗力。斗门区非公有制企业党组织在党员中树立“企业兴衰，党员有责”的理念，在企业遇到困难时不回避，主动伸出援助之手，积极为企业出谋献策。新力管桩公司的党员们在支部书记马建昌的带领下，积极为公司找市场、探行情、揽业务、研制开发新产品，受到企业和职工的一致称赞。非公有制企业党组织“不回避困难、主动迎接挑战”的工作态度，赢得了企业主的信任和赞誉。

四是贴近厂务公开，增强影响力。斗门区非公有制企业党组织积极配合企业把厂务公开当作推进基层民主政治建设、保障和落实职工的民主权利、维护职工的合法权益、促进非公有制企业健康发展的有效途径来抓紧抓好。福联公司党支部及时把公司的重大事情和涉及员工切身利益的问题进行公开，让员工知厂情，参厂政，议厂事，增强主人翁责任感。

（二）依托企业资源发挥政治优势

党组织以生产经营为中心不等于直接做生产经营工作，而是围绕生产经营发挥党的政治优势。而新经济组织产权多数归属私人或少部分人，企业的决策经营由老板说了算；员工具有雇佣性，党员都是雇佣劳动者，端的是“泥饭碗”；在大多数经济组织中党员及支部成员都不能进入企业的核心层，不直接参与企业决策。在这种情况下如何发挥党组织的政治优势是一个严峻的考验。广东一些地方在这方面的成功经验就在于，把企业资源和党组织的政治资源结合起来，依托企业的工作岗位，利用各种企业资源，发挥党员的先锋模范作用，使党组织的政治优势借助企业的工作平台得到充分展示。

五羊—本田公司是1992年成立的中外合资企业。公司围绕生产经营抓党建工作，力求在特色上做文章，注意在实效上花力气，交出了一份合格的答卷。

一是构建相兼容的工作架构。公司创造性地建立起以行政机构为依托相兼相容的各级党的工作机构，把党的工作部门挂靠到工作

性质与之相近、人员编制又与之相符的机构中，从上到下形成一个系统化、制度化的党务工作网络。如企业管理部门是公司管理干部的职能部门，公司就把党委组织部设在企业管理部。这样设置，党务政工机构与生产经营管理机构相兼相容，公司党委的意图能通过行政顺利贯彻，确保党务工作开展的顺畅性，同时也强化了公司的行政工作。

二是建立复合多能的管理体制。公司依托行政机构实行兼任制，实行“一岗两员”，提出“不会做思想政治工作的干部不是好干部，甚至不能当干部”，明确要求各级党员干部既要懂生产经营管理，又能从事党务和思想政治工作，努力使自己成为复合多能的党员干部，逐步建立起一支遍布全公司的复合多能的兼职党务政工队伍。

三是充分发挥中方领导双重身份的作用，让他们积极主动参与决策。对于需要提交董事会、总经理讨论决定的重大事情，一般都先经党委讨论，或者由三位中方领导先统一思想后再以董事或正副总经理个人名义提出，从而实现党委对公司重大事项决策的参与。

四是以生产岗位为平台，发挥党员先锋模范作用。(1) 开展“一位党员，一面旗帜的活动”。公司党委非常注意发挥党员的先锋模范作用，强化党员的“岗位奉献意识”。广大党员不但在危险关头冲得上去，在平时也辛勤工作，不怕艰苦，充分展示出共产党员的本色。(2) 开展“党员公布栏”活动。在车间最重要的位置设置“党员公布栏”，在“党员公布栏”里，党员将自己的姓名、职务、照片和一句格言公之于众，自觉接受群众的监督。多年来，在公司评选的优秀员工中，党员占了六成多，“共产党员是支撑公司发展的企业脊梁”已成为公司全体员工的共识，就连日方人员也为之佩服地称“我们这里的党员是好样的”。(3) 设立党员责任区，由党员担负一定区域范围内的思想政治工作责任，实行一责两包。一责就是积极分管班组（部门）思想政治工作的责任，两包就是包责任区内积极分子的培养和后进员工的转变。

广宁县则加强新经济组织党员队伍建设，使他们在各个方面起

带头作用。

一是带头关心爱护员工。广大党员本着“以人为本”的思想，发挥其思想政治过硬的优势，在日常工作生活中，把尊重、理解和关心职工作为基本出发点，自觉地履行党员联系职工制度，每个党员都与身边的职工沟通交流，对后进职工和有困难的职工实行结对帮扶，帮助他们解决思想、工作和生活上的一些实际问题。如中盛纸业有限公司在党员中开展关心爱护员工活动，由于在活动过程中注意贴近实际，贴近职工，贴近生活，情理交融，亲切可信，因而效果显著，调动了企业职工的积极性和创造性。

二是带头维护员工合法权益。广大党员把关心和维护职工合法权益作为一项重要义务，主动学习《劳动法》、《工会法》和《妇女儿童权益保护法》等有关职工权益保障方面的政策法规，敢于旗帜鲜明地反对和抵制漠视、淡化劳动保护等违法行为，对职工与企业产生的一些矛盾纠纷，主动与企业经营者沟通与协商，主动帮助职工依法理智地维护自身合法权益。如鼎丰公司打包车间过去是承包给一家小公司管理，工人都是临时工，没有一天休息时间，劳动强度大，而且工资也比较低。几名党员向公司党委反映这些工人的意见和愿望后，公司党委便向企业经营者建议将打包车间收回，去掉中间承包商，提高工人待遇。公司经营者经过调查核实后，收回该车间的承包权，将这些工人作为“契约工”纳入公司管理，他们的工资收入由原来500元/月增加到900元/月左右，还给他们办理了养老保险，让公司职工真真切切地感受到了党组织的关怀和温暖。

三是带头做企业发展的支持者和推动者。例如，在鼎丰公司党委，60%的党员都是公司中层以上管理人员和业务骨干，从上到下都肩负着领导职责或生产经营重任，其属下中天公司的重要岗位、重要部门，如财务、原料供应、基地租赁总管等都是共产党员。每当公司遇到突击任务需要加强力量的时候，公司领导第一时间就想到选派党员去完成，只要党员到哪里干，哪里工作就完成得好。在企业遇到困难的时候，党组织也总是挺身而出，动员和组织党员帮助企业渡过难关。由于规范管理，严格要求，加上班子成员的言传

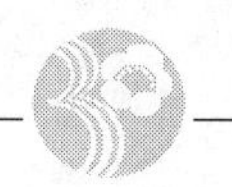

身教，党员们都在各自岗位上发挥着先锋模范作用，把党组织和党员的先进性体现到具体的日常工作生活中，激发了企业活力。在公司党员的影响和带动下，连几个党组织关系不在公司的党员职工，也主动向企业经营者和职工亮出自己的共产党员身份，支持配合公司党组织开展有关活动，注意维护党员在企业的影响和形象。公司还注意做好管理部门、技术岗位和生产一线各类人才的培养工作，通过围绕企业发展开展多种形式的党建活动，激发他们学技术钻业务、争当岗位标兵、追求政治进步的热情，把他们凝聚在党组织周围。同时在严格党员标准的前提下，又把那些有本事、本质好、符合党员条件的优秀人才吸收到党组织中来，鼓励他们干事创业。

（三）根据特点创新活动

新经济组织是改革大潮催生的新型经济组织，它们要遵循经济规律，参与激烈的市场竞争，有很强的创新性、竞争性和时效性。而以往党组织建设长期在计划经济体制下进行，形成了较为行政化的相对集中统一的模式，不适应新经济组织的生产经营活动。广东较早意识到这一点，在实践中不断根据新经济组织的特点，在组织结构、工作机制和活动形式等方面大胆创新，取得了成效。广州市长期坚持探索私营企业党建工作，在没有先例可循、没有现成经验可供借鉴的情况下，大胆创新，形成了私企党建“广州模式”。其主要经验是：

1．创新理念，率先成立私企党组织。

改革开放以来，随着私营经济迅猛发展，广州市私营经济组织逐步扩大、从业人数不断增加。组织部门及时敏锐地察觉，在私营企业中，党建工作出现了空档，从业党员“口袋化”问题严重。1996 年 4 月，广州市在全国率先探索成立私营企业协会党委，把私营企业党员纳入组织管理，正式将党建工作扩展到私营企业。

2．创新办法，不断扩大私企党建工作覆盖面。

针对私营企业党员结构复杂、流动性大、面广分散的特点，按照“因企制宜”和“行业相似，地域相邻”的原则，实行“成熟一个，组建一个，巩固一个，提高一个”的组建措施，积极在私企组建独立党支部或联合党支部。

3. 创新机制，努力开创发展党员工作新局面。

注重加强对私企工作人员的培养教育，通过定期和不定期召开座谈会、举办培训班、学习班等形式，积极引导他们向党组织靠拢，并严格按照“坚持标准，保证质量，改善结构，慎重发展”的要求，把符合党员条件的先进分子及时吸收到党组织中来。同时注重抓好私企党建带工、青、妇组织建设工作，截至2006年底，在全市私营企业共组建了53个团支部、12437个工会组织和72个妇委会（小组），为私企党组织建设提供了坚实的后备力量。

4. 创新载体，实现党组织发挥作用的新突破。

各级私企党组织按照“为企业所需要，为企业主所理解，为党员所欢迎”和“业余、小型、灵活、务实、创新”的原则，引导私企党支部围绕“三带一帮一提高”（党员带头讲诚信、带头讲奉献、带头谋发展，帮扶困难群众，提高综合素质）主题，持续开展了“我为党旗添光彩”、“一个党员一面旗帜”、“我为企业献一策”等主题活动，努力把党员先锋模范作用渗透到生产经营的各个环节，不断扩大党组织的影响力，促进企业发展。

5. 创新手段，建立党员教育管理的新机制。

针对私企从业党员流动性大、转接组织关系不方便、管理难度大等问题，创新管理手段，实行了IC卡管理。通过开展“党组织找党员，党员找党组织”活动，使“口袋”党员主动与党组织联系，坚持以集中教育与自我教育相结合，采取召开形势报告会、工作交流会、印发学习资料、组织参观考察和开展公益活动、评选优秀党员等形式，加强对党员的经常性教育。通过开设私企党建工作网站，组织党员观看有教育意义的电视专题片和录像片，让党员受启发、受教育。

6. 创新制度，促进私企党组织的规范发展。

及时总结私营企业党建工作的经验做法，把经常之举用制度固定下来，先后制定了党组织生活制度、党员学习制度、党建工作联

系制度、争先创优制度、党委成员接访制度和要求入党积极分子培养以及党费收缴管理等制度，促进私企党组织建设和党员管理的制度化、规范化，实现私企党建工作与企业生产经营互相促进共同发展。

又如，广东（揭西）雅都彩色印务有限公司，结合企业实际，不断探索党建工作新机制，树立“围绕经济抓党建，抓好党建促发展”思想，不断提高企业的核心竞争能力和经济效益，增强党的凝聚力和战斗力，有效促进了企业发展，为创建“三好”（即：队伍建设好、工作业绩好、群众评议好）党支部打下了坚实的基础。

1．抓核心，创新党组织领导管理机制。

一是建立符合企业特点的领导管理模式。公司党支部根据党员分散的实际，为加强对党员的教育管理，及时在深圳、汕头、湖北等办事处成立 4 个党小组，确保每个党员及时置于党组织管理之中；根据大多数党员来自原国有、二轻、镇办企业的下岗管理人员，素质好、业务技术能力强的特点，把他们安排进企业的中层以上管理层，采取了“双向进入、交叉兼职”的办法，实现了党员直接参与公司生产经营中的重大问题决策。这样，首先确保从组织上、领导上实现了党在企业中的政治核心地位。二是选准配强党支部班子。党支部 8 名党员都是公司中层以上管理人员，党支部把政治强、品质好、懂经营、会管理又有党务工作经验的企业管理人员选配到党支部领导班子中来，其中党支部书记是公司的副董事长，党支部还根据各位支部委员的个性特长和在企业担任职务特点进行科学分工，起到了联系员工、辐射企业各个岗位的作用。三是发挥党支部班子核心作用。支部班子成员都能发挥其精英骨干的作用，率先垂范地投入到生产经营中，用自身的行动带动周围的员工，使企业员工形成干事创业的合力。同时，党支部班子还帮助企业做好决策，促进企业的健康快速发展，形成了一个团结、务实、开拓、进取的党支部领导班子。

2．抓队伍，创新党员教育培训机制。

一是强化党员教育手段。根据企业在全国有 6 个分布点，部分党员因业务关系经常外出的实际，党支部不断探索在企业中教育党员的有效形式，本着“灵活、务实”的原则，采取个人自学、专题讨论、交流体会、电化教育、主题实践等活动形式加强党员理论学习，特别是为实现党内生活和生产经营两不误，充分利用休假、放假的时间对党员进行集中学习“充电”，利用通讯网络等有效形式，规定在外党员要定期利用电子邮件向支部汇报工作、思想等新动态，保证在外党员每一个月不少于一篇工作汇报，每一季度不少于一次交流、学习，使党支部能及时了解在外党员思想情况，保证每一个党员能得到及时的教育。二是强化党员政治思想教育。党支部结合每个党员思想实际，从提高党员的学习意识、先进意识和自觉联系员工意识“三个意识”入手，教育党员提高自身素质，增强党性观念，增强党员的社会责任感和服务企业的意识，实践党的宗旨，积极发挥党员在生产经营和社会生活中的先锋模范作用。三是强化党员业务培训。企业要发展，生产技术是关键，党支部针对形势发展及企业技术性强的实际情况，积极向企业主建议开办公司人才培训基地。通过对员工们的技术培训、操作培训和上岗培训等，使员工们的技术更加成熟，操作更规范，为公司创造了巨大的利润，培养了大量的实用人才。在培训过程中，党支部坚持培、选、用相结合的原则，发现人才，及时向企业推荐。

3. 抓先进，创新党员先锋模范作用机制。

一是落实党员责任，形成争当先进的良好氛围。为了更好地发挥党组织和党员的先进作用，党支部开展了“党员联系职工责任区”活动，将公司按党员的分布划分责任区，并要求党员协助党支部做好责任区内职工的思想政治工作，当好企业生产经营的参谋。同时，要求党员在关键时刻能挺身而出，处处体现先进性，在各自的岗位上建功立业，通过自身的模范行为带动责任区的员工。这项活动开展以来，党员主动加班加点，重活累活争着干，并以无私奉献精神把管理技术传授给员工，引导员工立足本职，为企业多做贡献。二是打造企业文化品牌，塑造企业精神。党支部认真抓好企业文化建设和精神文明建设，充分发挥其凝聚力作用，通过企业

刊物《广东雅都人报》、《雅都通讯》及时反映企业文化建设情况，并建起了党建宣传栏、技术论坛等宣传阵地，倡导健康的企业文化，积极宣传党的路线、方针、政策，引导员工谈理想、谈技术、谈业务、谈贡献，收到了较好的效果。三是当好员工“娘家人”，积极为员工排忧解难。党支部组织党员经常走访，与员工们一起座谈，了解他们的思想及生活中所遇到的困难和问题，为他们排忧解难，使广大员工真切地感受到党组织的关怀。

4．抓活动，创新党组织建设活动机制。

一是找准与工会工作的结合点。党组织依托工会深入开展各项工作，成立企业劳动调解委员会，协调化解劳资矛盾，维护企业和员工的合法权益，增强党组织的号召力。组织职工在“五一”、国庆等重大节日期间开展生动活泼、富有意义的集体活动，丰富职工的精神生活，营造先进文化的氛围。二是找准与企业发展的结合点。首先，体现在目标上的结合。针对公司业主不是共产党员的特点，党支部把做好业主的思想工作放在突出位置，反复向业主宣传非公有制企业党建工作的目的、意义，讲明党支部工作都是围绕经济建设这个中心来开展，党组织的任务和企业发展目标是一致的，通过创建活动能加强企业的综合竞争实力，从而赢得了业主对开展非公有制企业党建工作的理解和支持。其次，体现在心理上的结合。党组织积极引导党员克服“雇佣”思想和“临时”观念，增强党员做好本职工作的荣誉感、责任感。在此基础上，围绕解决企业生产经营中的难点来开展党组织活动。

三、围绕职能破解新难题

所谓新社会组织，是指在政府、市场、社会之间发挥服务、沟通、协调、公证、监督等作用的非政府、非营利的社会团体、民办非企业单位和社会中介组织等。截至 2006 年底，全省共有各类新社会组织约 2.1 万个，从业人员约 288.9 万人。改革开放以来，特别是近年来，新社会组织日益成为我国经济社会生活的一支重要力量，在促进经济社会发展中发挥着不可替代的作用。如何以改革创新的精神推进新社会组织党建工作，促进新社会组织健康发展，成为各级党委亟待解决的一个重要的理论和实践问题。

（一）围绕职能开展工作

新社会组织是应改革需要出现的新型社会组织，它介于政府、企业与社会之间，承担着为市场主体及其他社会主体提供信息咨询、培训、经纪、公证、法律等各种服务职能。这些职能有着与党政机关不同的服务性、中介性及灵活多样性的特点。围绕新社会组织的职能开展党建工作，是新社会组织党的建设获得成功的关键。广东的实践证明了这一点。

珠海市实行党群一体化模式。一是在目标上，将新社会组织的党建工作和创建平安和谐社区结合起来，充分发挥新社会组织在社区管理和服务方面的功能，积极鼓励和支持文教卫体等领域的新社会组织利用自身优势指导社区群众开展各项活动，使得社区党组织与社区内的新社会组织之间建立共建机构。二是在组织设置上，党组织和工、青、妇组织对应设置，人员交叉任职，工作互动互促。三是在工作上，把党的工作出发点和落脚点放在支持和促进新社会组织健康发展上，实行党的工作与新社会组织业务工作相结合，党组织发挥作用与新社会组织工作目标相结合，党员发挥作用与岗位任务相结合。四是在活动上，坚持党的组织生活实行“有利于党员管理，有利于增强党组织活力，有利于单位业务发展”的原则，与单位业务活动结合起来，采取以“业余、小型、灵活、务实”为特点的方式，依托新社会组织职能活动的各种有效载体，充分运用各种现代化手段和方法，结合行业特点开展“党员维权岗”、“党员诚信建设”、“党员承诺制”、“党员示范岗”、“一名党员，一面旗帜”等行之有效的活动，极大地增强了党组织的吸引力和认同感，树立了党员的良好形象和信誉，推动了新社会组织健康发展。

而深圳市福田区则着力于促进和谐发展，努力做到“三个结

合”，即党的工作与新社会组织发展目标相结合，与尊重新社会组织自主管理相结合，与员工关注的焦点和难点相结合。通过“三个结合”，调动新社会组织各方面的积极性，协调内部关系和矛盾，促进先进文化建设，使党的建设真正成为新社会组织所需要，为党员和员工所欢迎，为新社会组织管理者所理解和支持。如莲花街辖区的晶晶教育机构党支部坚持围绕建设和谐“晶晶”，坚持做教职员工思想道德素质提高的引导者，投身和谐“晶晶”建设的组织者和员工成才的服务者，积极开展各种有针对性的活动，取得了良好效果，党支部逐渐成为全体教职员工的“主心骨”。

（二）依据特点创新活动

新社会组织的独特职能使之有鲜明的个性特点：一是独立性，也就是在法律地位、产权归属、管理体制、运行机制上具有较强的独立性；二是变动性，即组织机构变迁频繁，从业人员流动性大；三是复杂性，也就是工作涉及面广，人员结构复杂。只有针对这些特点开展工作，新社会组织党的建设才能切合实际。广东不少地方正是结合了新社会组织的特点，党建工作才富有成效，有声有色。

潮州市以律师事务所作为试验田，根据律师行业的特点开展党建工作，取得了成绩。

1．把握律师事务所合伙制的体制特点，创新党建工作的组织体系。

律师执业组织的基本特征是合伙制，其执业机构内部有合伙人、专职律师和行政辅助人员三个层次，其中合伙人是该组织机构的经营决策核心和管理核心，但多不是党员。根据这一特点，潮州市在律师行业实行党务管理和行业管理相结合的原则，建立内部联动机制，推举律师协会的秘书长作为新社会组织党建工作责任人兼任联合支部书记，以便利用行业管理专业化、职能化的优点，配合党委对律师事务所的党建工作进行全方位指导、监督，并负责开展日常具体党务工作，包括组织关系的接转、档案的管理、党费的收取、党支部活动、新党员的发展、流动党员的管理等工作，以确保

党员律师能过上正常的组织生活，党的方针政策在律师工作中得到贯彻执行。

2．把握律师行业独立性强的组织特点，创新组织活动形式。

律师事务所是“不要国家编制，不要国家经费，自主经营，自负盈亏，自我服务，自我管理”的法律服务事业执业组织，在组织上、工作上和利益上都有很强的独立自主性。根据这一特点，潮州市律师行业主要以“业余、小型、多样”为原则开展党组织活动。“业余”即以不影响业主的正常工作为前提，结合律师行业的经营特点，利用工作空隙和业余时间开展党的工作，过好党的组织生活；“小型”即根据律师事务所党员少的实际，采取相对集中和分散活动相结合的方法，精心组织，开展活动少而精；“多样”即根据律师行业的不同特点、党员的不同需求和不同时期党的中心任务，开展灵活多样、丰富多彩的活动，提高了党的工作的实效性。

3．把握律师行业人员流动性大的特点，创新党支部组建及流动党员管理的方式。

律师行业组织分布较散，人员少而又流动性大。根据这一特点，潮州市一方面大胆探索，采取“大所自建，小所联合”的方式组建党支部，让广大党员律师找到了组织。例如，锦帆律师事务所党员人数较多，管理较为规范，因而单独成立了党支部。一家隶属于潮安县的律师事务所其业务主要在市区开展，人员也在市区办公，便与市区其他七家律师事务所成立联合党支部。另一方面发展新党员采取跨所跨支部联合培养的方法，对于隶属联合党支部的律师事务所要求入党的积极分子，建立管理台账，由联合党支部指定党员律师为入党培养联系人，不管流动到哪个律师事务所，按照关系随人走的原则，进行联合培养，共同把好培训关、考察关、宣誓关。

4．把握律师行业工作涉及面广、情况复杂的工作特点，创新思想教育方式。

律师工作面向社会各个方面，涉及各种民事、刑事、行政、经

济事务的纠纷，所接触的人员相当复杂，易受社会各种不良思想影响；而律师开展工作又往往独当一面，对自制力的要求很高。根据这一特点，潮州市把组织教育与党员个人自律结合起来，创新思想教育方式。一是加强教育，提高党员律师的思想政治素质。在内容上，根据形势的需要和对律师的要求，开展理想信念、党章国法及社会主义道德的教育，使党员律师不断提高思想政治觉悟，增强组织纪律观念，培养社会主义道德，形成积极向上的氛围。在形式上，采取写学习心得，开辟学习专栏、办培训班、组织演讲比赛多种形式，既有组织措施，又调动个人积极性，讲求实效。二是坚持民主生活，认真开展批评与自我批评。党支部每季召开一次民主生活会，帮助党员律师在民主生活会上开展批评与自我批评，通过自查和互查自己在服务质量、工作作风、遵纪守法等方面存在的问题，促进党员律师队伍的作风建设。三是开展各种有益活动，树立党员律师良好的形象。近年来通过开展“党员示范”、“义务服务”、“公益活动”，充分利用律师工作资源，维护群众合法权益，为群众办实事好事，树立党员律师的良好形象。

（三）破解难题，巩固发展

新社会组织有新的职业和特点，对党组织在组织形式、工作方式和人员结构等方面都有许多新要求。而党组织往往不能适应这些新要求而出现了一系列问题。一是流动性强，人员结构复杂，教育管理难度比较大。多数新社会组织为合伙制或公司制，人员来去自由，“跳槽”频繁，流动性大；加上大多数新社会组织不需要一定规模的房屋和设备，往往租个地方，简单装修就可办公，随时迁移。这些都造成党员管理动态性强。同时，新社会组织成员来自社会各个层面，人员构成复杂，素质参差不齐，加之大多居住分散，人员平时难以集中。这些都给建立党组织和党组织开展活动带来难题。二是党组织和党员作用发挥不明显。由于新社会组织规模小、从业人员少且活动分散等原因，缺人才、少经费、无场地等问题也比较突出，造成活动难组织，党建氛围不浓厚，党员模范作用难以

发挥，党组织的凝聚力战斗力难以形成。三是党组织设置不规范。由于处在社会新旧体制的转换过程中，新社会组织党组织的设置和管理不够规范，关系不顺，常常出现衔接不上、界限不清、相互交错的现象，导致出现分散管理、多头管理甚至缺位管理现象，造成新社会组织党建工作缺乏自上而下统一领导的问题。广东的实践说明，只有知难而上，加大力度破解这些难题，新社会组织党建工作才能稳固向前发展。汕头市龙湖区针对新社会组织党建工作存在的难题，积极创新，大胆实践，通过实施“六项工程”，取得了明显效果。他们的主要做法是：

1．实施“堡垒工程”，建设坚强党支部。

采取选、派、聘等形式，把政治素质较好、组织能力较强、懂经营管理、熟悉和热心党务工作的党员选拔到新社会组织党组织书记岗位上来，切实加强对新社会组织中的党组织的管理。同时，出台了《龙湖区“两新”组织党建工作七项制度》，对新社会组织党组织进行规范管理，落实党组织围绕单位的经营管理目标，将党组织的工作和党的活动融合并落实到经营管理的各个环节，积极发挥党组织的参与帮促作用、引导监督作用和团结凝聚作用。

2．实施“先锋工程”，营造争先创优氛围。

坚持按照“小型、业余、灵活、有效”的原则，紧密结合单位的经营管理，切实加强对党员的教育管理，在党员中深入开展“党员责任区”、“党员示范岗”和“党员创效益”等主题实践活动，引导党员在促进单位的经营发展中发挥先锋模范作用。如汕头市对外劳务业余学校党支部把服务学校发展作为党建工作的中心任务，通过围绕学校发展抓党建，抓好党建促学校发展，引导党员立足岗位做贡献，促进了学校健康发展，增强了党建支部的凝聚力和吸引力。

3．实施“扩面工程”，提高党组织覆盖率。

对辖区内新社会组织进行“地毯式”摸查登记，按照单位情况清、业主态度清、员工状况清、党员思想清的“四个清”要求，摸清辖区内新社会组织的数量，逐个登记造册，建立工作台账，加

强督查指导，明确组建期限，切实抓好组建党组织和发展党员工作。同时，从“四个有利于”出发，即有利于党组织组建、有利于党员管理、有利于党组织开展活动、有利于党员参加组织生活，加大组建力度，采取单独组建、联合组建、挂靠组建和区域统建等形式和特事特办的办法，做到“三个第一时间”，即：符合组建条件第一时间上门做业主的工作，业主思想工作一做通第一时间协助做好筹备工作，筹备工作一就绪第一时间召开党委会研究批复。扩大了新社会组织党建工作覆盖面。

4. 实施“示范工程”，发挥典型带动作用。

在“两新”组织的党组织中开展创建“五好”活动，即“班子建设好、党员形象好、作用发挥好、制度落实好、群众评价好”，定期进行总结表彰。在此基础上，按照“可信、可看、可学”的要求，围绕“面上的工作要全面创优、点上的工作要上档次”的目标，出台《龙湖区创建基层党组织示范点实施意见》，提出新社会组织党建工作示范点创建工作原则性意见，着力培育新社会组织党建工作的“亮点”，集中抓汕头市对外劳务业余学校等新社会组织党建工作示范点的培育、推广工作，走以典型示范促整体推进的路子。

5. 实施“联动工程”，形成齐抓共管合力。

出台《关于在“两新”组织中实行“党群工作一体化”的意见》，着力抓好组织共建、纳新共抓、队伍共管、资源共享、活动共搞和先进共创“六个共”建设，以党建带工建、团建、妇建，以工建、团建、妇建促党建，充分发挥党建带工建、团建、妇建的主导作用和党群共建的互动作用，进一步建立健全基层党群组织，形成了党、工、团、妇齐抓联动、整体推进的工作格局。

6. 实施“保障工程”，把党建工作落到实处。

建立健全了“两新”组织工委、党总支、党支部三级管理网络，区成立“两新”组织党工委，区委组织部设立“两新”组织党建股，各街道（镇）党（工）委设立“两新”组织党总支部，统一管理属下“两新”组织党支部，以便条块结合，加强对党建工作的规范化管理。对新创建的新社会组织中的党组织给予经费上的保障，从党费中拨出专项补助经费，每个党委补助13000元，每个党总支部补助7000元，每个党支部补助3000元。建立了“两新”党建指导员、联系员工作情况月报制度，联系员每月要向指导员汇报工作进展情况，指导员汇总后上报区委组织部；建立“两新”组织党建工作通报和督察制度，坚持每月一次情况汇报，每季一次情况通报，每年一次情况总结。

总之，改革开放以来，广东“两新”组织中的党的建设以马克思主义党建原则为指导方针，结合广东实际，紧紧围绕党的中心工作，紧贴“两新”组织经营活动，从思想、政治、组织、制度、作风五个方面开展工作，既一步一个脚印，扎扎实实，又勇于探索，大胆创新，促使各个基层党组织发挥了战斗堡垒作用，广大党员发挥了先锋模范作用，保证了党的各项任务的完成。

第七章
国有企业党建新局面

改革开放30年来，广东国有企业党的建设不断发展，与时俱进，在转变中适应，在继承中创新，开创了国企党建新局面。特别是在建立现代企业制度过程中，广东国有企业党组织进行了许多新的探索，实现了建立现代企业制度与加强改进国企党建的有机统一。在“四好”领导班子创建中，广东国企既落实中央的统一要求，又结合广东的实际情况，积累了许多新的经验。近些年来，随着固本强基工程、“三有一好”教育和保持共产党员先进性教育活动在全省的深入开展，广东国企党的建设不断完善，基层党组织的战斗力、凝聚力不断增强，涌现出了各具特色、丰富多彩的广东国企党建新模式。30年来，广东国企党组织为广东企业发展和国家繁荣富强做出了不可磨灭的贡献，广东国企有力地保证了全省的和谐、稳定与繁荣，促进了广东经济社会全面发展，推动着广东改革开放伟大事业不断前进。

一、现代企业制度党建新探索

建立现代企业制度是发展社会化大生产和市场经济的必然要求，是国有企业改革的发展方向。在社会主义市场经济条件下，国有企业只有建立现代企业制度，才能确保实现产权清晰、权责明确、政企分开、管理科学，才能从体制上保证国有企业做大做强。加强党对国有企业的政治领导，巩固党组织在国有企业的政治核心地位，则是中国共产党的执政地位要求的，也是国有企业健康发展的政治保证。如何实现现代企业制度与国企党建的有机统一，需要重点解决的难题有三个：一是如何创新领导体制，二是如何创新党组织参与重大问题的决策机制，三是如何创新党组织的活动内容与方式。改革开放30年，广东国企党建围绕国企改革特别是建立现代企业制度，进行了不懈探索。“双向进入、交叉任职”持续推进，国有企业领导体制改革逐步深化。国企党组织坚持把参与重大问题决策作为发挥政治核心作用的切入点，突出议大事、把方向，建立了相关科学决策机制，促进了企业重大问题决策的科学化和民主化。广东各地根据国有企业组织结构、股权结构的深刻变化，及时调整企业党组织设置，理顺隶属关系，创新了党组织活动的内容和形式，增强了国企党组织的活力和战斗力。

（一）广东国有企业领导体制改革的新探索

建设现代企业制度，突出的一个难题是国有企业的领导体制改革问题。如果这个问题解决不好，国有企业党的建设将难以开展。经过30年不懈努力，广东国企领导体制改革不断深化，适应现代企业制度要求的新的领导体制已经建立。

1．国有企业领导体制的历史沿革。

国有企业的领导体制规定了企业行政组织、党组织和群众组织在企业中的地位、作用、职责和相互关系。新中国成立以后特别是改革开放30年，国有企业在领导体制上几经变革。这种变革可以划分为以下几个时期：第一个时期是1956年党的八大到1966年“文化大革命”前。党的八大针对新中国成立初期一些地方实行一长制存在的问题，决定在国企统一实行党委领导下的厂长负责制，这也是全国范围内第一次明确规定实行的统一的企业领导体制。第二个时期是“文化大革命”开始到十一届三中全会之前。前期是实行“革命委员会”和“党的一元化”领导。粉碎“四人帮”之后，逐步恢复了党的八大确立的党委领导下的厂长负责制。第三个时期是从1978年十一届三中全会到1988年《全民所有制工业企业

法》正式实施。随着经济体制改革的深入，企业自主权不断扩大，逐渐向自主经营、自负盈亏、独立核算的生产经营者转变，党委领导下的厂长负责制已显得不再适应。1984年《中共中央关于经济体制改革的决定》对实行厂长负责制的必要性和党组织的任务作了明确阐述。1988年8月1日，国有企业实行厂长负责制以法律形式规定了下来。第四个时期是从1988年到1993年12月全国人大常委会通过《中华人民共和国公司法》之时。随着社会主义市场经济体制的建立，国有企业建立现代企业制度的时机已经成熟。就国有企业领导体制来讲，现代企业制度要求企业的权力机构、决策机构、执行机构和监督机构相互独立、相互制衡又相互协调，要求更好地体现“充分发挥党组织的政治核心作用，坚持和完善厂长负责制，全心全意依靠工人阶级”三句话指导方针。在这一时期，国有企业按照现代企业制度和中央“三句话”方针，开始了多种形式的领导体制探索。第五个时期是从1993年12月通过《中华人民共和国公司法》至今，这一时期国有企业领导体制改革不断深化，“双向进入、交叉任职”的领导模式逐步推广。

2. 广东国企领导体制改革新探索。

广东国企同全国国企一样，在领导体制改革上也走过了一段艰难的探索过程。改革开放30年特别是现代企业制度建立以后，广东国企领导体制逐步适应现代企业制度的要求，正确处理“新三会”与“老三会”的关系，重点运用“双向进入、交叉任职”的新体制，开辟了党组织在新的领导体制中发挥政治核心作用的新途径。国有独资和国有控股企业党委成员，可以通过法定程序分别进入董事会、经理班子和监事会；董事会、经理班子和监事会的党员，可以按照党章及有关规定和程序进入党委会。未设董事会的企业，党委书记和总经理由一人担任，也可以实行正副职交叉任职。以广州钢铁集团为例，该公司全面实行“双向进入、交叉任职”的领导体制，理顺了领导体制、决策机制和监督渠道。这种新的领导体制的成功之处在于为妥善处理四大关系提供了体制保证。一是妥善处理了党组织与法人治理的关系，在重大问题的决策上更好地发挥党组织的参与职能。二是妥善处理了党管干部原则与董事会依法行使用人权的关系，在企业用人上更好地发挥了党组织的管理职能。三是妥善处理了党组织和经理层的关系，在保证企业决策方面更好地发挥了党组织的监督职能。四是妥善处理了企业内部的利益关系，在调动各方面积极性上更好地发挥了党组织的协调职能。这种领导体制的创新极大地促进了广东国企党组织政治核心作用的发挥，促进了广东国企的新发展。

（二）国企参与重大决策和党管干部新探索

广东国企党组织在建立现代企业制度过程中，围绕参与重大决策和坚持党管干部原则，进行了许多新的探索，取得了宝贵的经验。在参与重大决策方面，主要的做法是围绕三个问题展开：一是进一步完善领导体制。按照“双向进入、交叉任职”的办法，从领导体制上保证党组织参与重大决策。二是进一步明确参与内容。国企党组织所参与的决策一定是涉及企业改革和生产经营的重大问题，即带有方向性、根本性、长远性、全局性的问题。对什么是重大问题，结合企业实际作出了细化规定，并以制度的形式予以公开。三是进一步规范参与程序。重大问题的决策必须征求党组织的意见，党组织在董事会决策前对重大问题要集体研究，充分讨论，形成共识，并以组织的名义向董事会提出意见和建议。当然在具体操作中，国企党组织的参与是集体的参与，同时要把握参与和干预的区别。既要保证党组织的决策参与权，也要落实董事会的决策权，做到参与不干预，把关不包办。贯彻党管干部原则是国有企业党组织始终要把握的另一个重大问题，广东国企党组织这些年来不懈探索，也积累了许多宝贵经验，特别是把党管干部、党管人才原则与董事会依法选择经营管理者和经营管理者依法行使用人权有机结合方面，也有许多成功的做法。

广东发展银行是国企党组织参与重大决策和贯彻党管干部原则的一个成功案例。2006 年广东发展银行改革重组以后，成为我国唯一将经营管理权交与外方的国有控股金融企业。为充分发挥党委

的政治核心作用，广东发展银行党委与外方高级管理层积极沟通，建立了党政工协商议事决策机制，形成了既符合现代企业制度要求，又符合国企党建要求的新机制，有效保证了党组织参与重大问题决策。比如，制定企业长远发展规划是影响企业长远发展的一件大事。为此，党委、行政、工会三方多次召开联席会议，决策之前认真听取党委、行政、工会及广大员工的意见。最终经过党委、行政、工会三方多次沟通形成的《广东发展银行五年规划（2007—2012)》获得董事会高票通过。在党管干部原则上，广东发展银行党委十分注意党政工的结合。一是党内干部使用由党委决定。二是事关行政与经营管理人员的使用，由党委组织部门提出意见，经党委研究并与工会沟通后，向高级管理层推荐，形成一致意见后，按照规定程序，根据各自的权限予以发文实施。三是在分行层面普遍推行党委书记与分行行长“一岗双责”。

在国有企业党组织参与重大决策和党管干部的新探索方面，广东省广弘资产经营有限公司也创造了许多成功经验。公司党委通过制度建设为参与决策提供保证，先后制定了党委会议事规则、党政联席会议事制度等制度，确保了党委参与企业改革发展、重要人事任免、资金及财务管理、重大投资经营项目、员工切身利益及分配等重大事项的决策。公司党委按照党管干部、党管人才的原则进行干部推荐和提拔，严格按照程序调整和任免了近百名所属企业干部。公司党委还根据董事会对企业经营班子经营业绩考核情况，对连续两年完不成经营任务或造成企业亏损的负责人给予免职，先后有八家企业的一把手被免职。由于广弘公司充分发挥了企业党组织的政治核心作用，特别是公司党委充分参与重大决策，有力地保证和推动了企业的改革和发展。经过六年的努力，他们把一个严重亏损 7500 多万元的企业发展成为净利润超 1 亿元、营业收入超百亿元的企业，跻身于广东省大型企业竞争力 50 强的第 41 名。

实践没有止境，改革的探索也会继续下去。当前和今后一个时期，在党管干部、党管人才问题上，国企党组织还有许多新的问题要破解。比如，如何把组织考察推荐与市场化选聘经营管理者有机

结合起来？如何进一步实现企业经营管理者选拔从组织直接委派向市场优先、组织考察选聘转变？再比如，怎样探索建立企业人才推荐评价中心和企业人才库？如何建立健全各类人才的选拔任用、考核评价体系？等等，这些问题都需要广大国企党建工作者以改革创新的精神继续探索、不断创新。

（三）国企党组织活动内容、形式创新

建立现代企业制度，要改革的不仅仅是领导体制和参与重大问题决策的运作机制，国企党组织本身在活动方式、活动内容上也有一个不断改革、与时俱进的问题。改革开放30年特别是建立现代企业制度以来，广东国企党组织紧紧围绕企业生产经营这个中心，以促进企业改革发展稳定为目的，积极探索具有时代特征、符合企业实际的国企党建新路子，丰富党建内容，改进活动方式，积累了许多宝贵的经验。归纳起来，主要是三个方面：

1. 以“五型”党支部建设为抓手，强化支部功能。

近年来，广东省国有资产管理委员会以创建学习型、制度型、创新型、服务型、凝聚型党支部活动为抓手，精心打造了一批基础扎实、员工认可、战斗力强的基层党支部，极大地推进了广东国企党建工作。在建设学习型党支部方面，开展“理论学习有新高潮、业务水平有新提高、工作成果有新展示”等活动，营造企业学习氛围，健全基层党委、党支部、党员三级学习网络，健全学习机制。鼓励引导党员参加学历学习、业务培训，提供学习条件。在建设制度型党支部方面，完善学习制度、党员组织生活制度、“三会一课”制度、谈心制度、定期分析党员思想状况制度等，有效解决了基层党支部工作随意性大的问题，做到了工作有条理、做事有制度。在建设创新型党支部方面，以“争先创优”达标升级为切入点，实现了基层党支部党员队伍观念更新、知识更新、思维更新。在建设服务型党支部方面，一是引导党员服务员工的意识，二是培养党员服务中心工作的意识，三是培养党员服务大局的意识。在建设凝聚型党支部方面，通过发扬民主、党务公开，增强党内凝

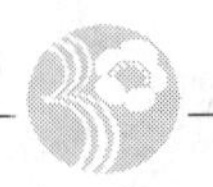

聚力，特别是把关怀服务困难党员当成大事来抓，建立和完善党内帮扶机制。另外，把实现生产经营目标作为凝聚群众、凝聚企业的强大精神力量，增强外部凝聚力。

在创建“五型”党支部活动中，广东水利水电第二工程局党委结合自身特点，大胆探索，奋力拼搏，创造了许多新鲜经验。该公司1073名党员中在省外、国外施工的党员就达710人，分布在70余个施工点。面对高度分散、流动性大、用工形式复杂等特点，他们在党支部的设置方式上，注意“固定”与“临时”相结合，把支部建在施工点上。在党支部的学习方式上，注意“集中”与“分散”教育相结合，保证党员的学习到位。在党支部的活动方式上，注意“规定”与“自选”相结合，使党支部活动灵活多样，富于创造。在党支部的制度建设上，注意“责任”与“考核”机制相结合，建立党支部工作长效机制，使制度型党支部建设真正落实。通过以上“四个结合”，成功地解决了党员高度分散、流动性大等党支部建设的难题，充分发挥了党支部的战斗堡垒作用。

广东航盛集团是“五型”党支部建设的又一个亮点。创建“五型”党支部给广东国企基层党的建设指明了努力方向，广东国企基层党组织又通过丰富多彩的创新实践赋予了“五型”党支部创建活动更多新的内涵。广东航盛集团开展党建示范点活动就是一个生动的例子。他们把“五型”党支部创建融合在党建示范点之中，突出抓好三项工作：一是党建基础性工作。二是经常性管理工作。三是精神文明建设工作。在党员中开展“四比四看”活动：比工作，看谁深入一线多，帮助解决处理问题好。比学习，看谁理想信念更坚定，政策理论和业务水平高。比团结，看谁谈心的效果好，与群众关系更融洽。比业绩，看谁责任心更强，岗位工作更出色。通过以上活动的开展，达到了抓党建、促生产、树形象、铸品牌的目标，使“五型”党支部建设在广东航盛集团落地、生根、开花、结果。总之，通过“五型”党支部建设，广东国企党建在内容和形式上有了新的发展，党支部的各项功能得到了强化和提升。

2. 以维护国企稳定和发展为目的，创新党组织四大建设。

国有企业是国民经济的重要组成部分，国企的稳定决定国家和社会的稳定。改革开放30年特别是现代企业制度的建立，影响国企稳定发展的因素非常多。坚决维护广东国企的稳定与发展是国企党组织的神圣职责和庄严使命。这些年来广东国企党组织创新了四大建设：一是创新党的政治建设，在参与企业决策中把握方向。比如，通过兼职参与、集体参与、例会参与、列席参与、情感参与等多种形式，保证党组织在重大决策和重大事项中的参与权，为维护企业稳定发展提供前提条件。二是创新党的组织建设，为维护企业稳定和发展提供组织保证。通过提升班子处理危机能力、驾驭复杂局面能力等，提高班子抗风险能力。另外，通过配齐配强班子成员，实现优势互补、优化组合，加强班子对稳定发展的统一领导。三是创新党的制度建设，为企业稳定和发展提供制度保障。建立健全维护国有企业稳定工作责任制，制定国有企业突发事件应急处理预案，以上制度创新为维护企业的稳定与发展打下了坚实的制度基础。四是创新党的作风建设，为维护国企稳定和发展提供群众基础。近年来，广东国企党组织一方面转变干部作风，另一方面加强对职工的思想引导，解决员工实际困难。实践证明，党员干部良好的作风是赢得民心的根本，也是维护国企稳定发展的根本。

广东省广业资产经营有限公司是一个传统产业比重大、国有老企业多、历史遗留问题复杂的国有企业。该公司按照“一退二调三进”的发展步骤，通过实施劣势企业退出，实现结构优化升级。在这个过程中，必然出现职工安置、债务处理等一系列矛盾和问题，处理不好就会影响企业和社会的稳定。广业公司党委在充分调查研究的基础上，确立了“立足稳定抓党建，抓好党建促和谐”的思路，从提高思想认识入手，以加强退出企业的基层党组织建设为重点，通过对党员的教育管理稳定队伍，通过强有力的思想政治工作化解矛盾，实现了企业的稳定和谐。他们在制定企业停产关破方案时，把党组织的设置、隶属关系的调整及党员组织关系转移等问题作为重要的内容考虑进去。在解决停产关闭破产企业党建工作

经费问题上，实行政策倾斜。及时调整充实各退出企业领导班子，使他们成为稳定企业的核心。在党员教育方面，针对退出企业党员关心的实际问题，有针对性地学习各项方针政策，促进党员思想观念的转变。把党员、群众新技能培训纳入到公司整体的教育培训体系中，为他们的再就业提供帮助。在党员管理方面，进行分类管理。对退出企业的留守党员领导干部，要求他们认真贯彻上级政策，及时掌握本单位维稳情况，制定维稳工作制度和群体性事件的处置预案。对一般党员，要求他们通过“结对子”、“互助组”等形式，加强与普通职工交流，向党组织反映群众意见，做群众思想政治工作。对离退休党员和解除劳动合同的党员，千方百计筹集资金，为他们建立活动室，提供学习、开展社区活动的条件。

在以维护国企稳定和发展为目的，创新党组织四大建设方面，与广业公司一样，广东省广晟资产经营有限公司也创造了许多宝贵的经验。广晟公司系统共有700多个基层党组织，一万多名共产党员。公司党委紧密结合公司的发展目标，认真抓好基层党组织建设，普遍建立了联系群众的制度和渠道，职工群众的呼声得到了充分反映，基层的矛盾也得到了有效化解。在广晟公司的各基层党组织，都建立了联系群众的“五个平台”：一是群众接待日制度。以2005年为例，各基层党组织共接待职工群众1846人次，采纳群众提出的合理化建议516条，解决来访群众实际问题723件，对促进企业发展、化解基层矛盾发挥了重要作用。二是各级领导基层联系点制度。要求每一位企业领导与一个基层单位挂钩，每月下联系点不少于一次。这项制度的建立改变了领导作风，加强了干群联系和沟通。三是金字塔辐射型的群众工作网络。通过这个党员“一帮一”的群众的工作网络，党组织可以较好掌握职工群众的思想动态、日常工作表现、业务能力、兴趣爱好和家庭状况等，有效地搭建了党组织与职工群众的连心桥。四是厂长书记信箱。2005年，公司下属的凡口铅锌矿的厂长书记信箱共收到职工意见和建议92条，其中工厂采纳建议5条，列入工厂整改的47条，责令二级单

位整改的40条。这种群众提出的意见事事有着落、件件有回声的做法受到了群众的欢迎。五是坚持和完善企业的民主监督管理制度。在建立和完善“五个平台”的同时，广晟公司党委还特别注意办实事、解民忧，把扶贫帮困工作作为和谐稳定工作的第一职责，组织建立特困职工救助基金。注意强素质，当表率，把加快企业发展作为和谐稳定工作的第一要务，大力开展争先创优的竞赛活动。通过大量细致的工作，广晟公司不仅实现了企业的和谐稳定，而且带来了企业的快速发展。以2005年统计为例，利润总额8.59亿元，净利润5.73亿元，完成年度任务的比例为231%，超额完成了省国资委下达的1.05亿元任务。

3. 以企业文化建设为载体，拓展党组织的活动空间。

随着改革开放和社会主义市场经济体制的建立，企业文化建设对于企业的生存发展越来越重要。国有企业党组织为企业的中心工作服务，必须努力拓展党组织的活动空间，通过培育和打造先进的企业文化，为企业的发展壮大提供软实力。广东国企党组织把培育企业文化作为自己责无旁贷的任务，这些年来涌现了一大批善于领导和建设企业文化的先进基层党组织，创造了许多以企业文化建设为载体、拓展党组织活动空间的新鲜经验。

广东省粤旅集团公司党委培育新型企业文化、提高国企竞争能力的生动实践是一个典型的案例。由于历史的原因和体制的束缚，我国的旅游行业企业长期在计划经济的庇护下生存，企业自身缺乏个性，很少形成符合自己特点的企业文化。广东省粤旅集团公司党委在认真分析了企业历史现状、优势劣势和影响企业发展的因素之后，认为必须建立良好的企业文化，关键是建立以新的理念、新的企业精神、新的经营宗旨、新的价值观念、新的行为准则为主要内容的新型企业文化体系。集团公司党委在统一认识后，提出了以管理文化、创新文化、学习文化、和谐文化为立足点，以党建带工建、带团建、带妇建，共同建立符合集团公司实际的良好企业文化，共同塑造积极向上、诚实守信、开拓创新、恪尽职守、思路开阔、协作分工的良好团队。在管理文化方面，他们对旧的组织架

构、战略管理、管理风格与管理思想进行了大胆改革，实现了管理扁平化，经营专业化。在创新文化方面，公司不仅要求产品和技术上的创新，更要求在体制、机制、观念、思路等方面创新。在学习文化方面，他们加大培训力度，结合实际实行人才的职业生涯设计，制定行之有效的培训计划，采用日常培训和定向培训等形式，鼓励员工参加各种技能和知识培训。在和谐文化方面，公司党委高度重视和切实维护广大员工最现实、最关心、最直接的利益。近几年，集团公司退出企业31家，分流职工近2000人，支付安置补偿费3000万元，依法保障了分流职工的合法权益，维护了企业和社会的稳定。广东省粤旅集团公司党委大力开展企业文化建设的实践充分证明，企业文化建设不仅为企业发展提供价值导向、智力支持、精神动力和文化支撑，也为国企党组织更好地发挥政治核心作用寻找到了更宽更广的平台和途径。

4. 关注新动向，继续深化国企党建的理论思考和实践创新。

改革开放30年，广东国企党建不断创新、不断发展。但是，新的变化还在发生，新的情况还在出现。广东国企党组织密切关注新动向，不断探索，不懈追求。当前，随着混合经济的发展壮大，加强和改进多元投资主体国有企业党建工作正面临新的挑战。如何认识新特点、解决新问题、采取新对策已成为新形势下广东国企党建的新课题。如何端正对多元投资主体国有企业党组织地位和党务工作者作用的认识，如何加强对多元投资主体国有企业党建的指导、研究和创新，如何解决多元投资主体国有企业党建工作的场地和经费问题等等，都是现实中存在的问题，都需要通过深化国企党建的理论思考和实践创新来逐一破解。

总之，广东国企党组织活动内容和形式的新探索是多方面的，这些探索与领导体制的创新、参与重大决策的机制创新一道，构成了建立现代企业制度中广东国企党建创新的主要画面。经验的取得是宝贵的，但是进一步改革的路还很长，任务会更艰巨。

二、“四好”班子的创建活动

改革开放以来，广东国企党建一方面在建立现代企业制度中不断进行新的探索，另一方面围绕中央和省委对国企党建提出的新要求，扎实开展各项工作，也创造了许多新的经验。在这些创造性的实践中，推进国企“四好”领导班子建设是一个突出的亮点和重点。2004年11月，中央组织部在青岛召开了全国国有企业领导班子思想政治建设座谈会，探讨如何进一步加强和改进国有企业领导班子建设。会议提出，要紧密结合国有企业改革发展实际，大力加强国有企业领导班子思想政治建设，努力把国有企业领导班子建设成为政治素质好、经营业绩好、团结协作好、作风形象好的坚强领导集体。因此，青岛会议拉开了全国范围的国企“四好”领导班子创建活动的序幕。广东省高度重视“四好”班子创建活动，各级党委认真贯彻落实会议精神。通过开展“四好”班子创建活动，国有企业领导班子的综合素质和能力得到显著提高，国企的竞争实力和经济效益显著增强。实践充分证明，搞好国有企业“四好”班子创建活动，必须以强化机制为保证，以提升能力为关键，以创新载体为实现途径。

（一）强化机制是“四好”班子创建的可靠保证

广东国企党建在“四好”班子创建中，有一个重要的经验就是侧重通过建立健全系统的机制制度，为“四好”班子创建提供坚实的机制支撑。制度问题带有根本性、全局性、长期性和稳定性。广东国企在激励机制、约束机制、选任机制和培养机制等方面不懈探索，大胆创新，使“四好”班子创建活动有声有色、扎实有效地向前推进。

从激励机制看，2006年广东省出台了《关于深化国有企业改革的决定》，通过一系列扶持改革的文件，将优势资源向电子机械、石油化工等九大支柱产业集中，为想干事能干事的优秀人才提

供广阔舞台，进一步完善国有企业领导人员经营业绩考核办法，实施增量资产奖股、期权期股等激励措施，特别是《省属国有企业增量资产奖励股权试行办法》的出台，大大提高了国企领导人员的创业激情，使领导人员的人才资本价值充分体现。

从约束机制看，通过建立巡视组制度、定期审计制度，进一步加强了国企的外部监督。通过厂务公开、职工评议特别是每年一次的职工代表大会，进一步加强了国企的内部监督。在创建活动中，广东还出台了《企业领导人员廉洁从业若干规定》等 20 多项制度，实现了事前、事中、事后监督相结合，建立了全方位监督体系。对国有企业重大决策失误、重大资本流失、重大安全事故、重大环境污染等问题的监督和责任追究是加强企业领导班子监督的又一重点，广东省为了加大监督力度和责任追究力度，在创建活动中出台了《省属企业违规决策造成资产损失领导责任追究暂行办法》等规定，有效强化了约束机制，有力推进了企业健康发展。

从培养机制看，在创建活动中广东建立了国企领导干部多层次、多渠道、多形式、重实效的教育培训体系。各级党校是对领导干部培训的主阵地、主渠道，利用党校资源加大培训力度是干部教育的第一选择。同时，广东注意与国内著名大学合作，拓宽国企干部培训渠道，开办了面向国有企业领导人员的 EMBA 班和能力建设专题培训班，进行宏观经济理论、现代企业管理理论、法律知识、世贸规则等培训。另外，广东还与世界著名院校合作，组织国企领导人出国培训，组织他们到世界知名企业如三星公司、GE 公司等考察交流。通过对培养机制的创新，提高了培训教育的针对性、实效性，大大提高了国企领导班子的素质和能力。

在通过强化机制为“四好”班子创建提供保证方面，广东省涌现了一大批先进企业和典型代表。韶关钢铁公司的许多做法是这个方面的重要代表。在创建活动中，韶钢党委通过完善监督机制加强班子建设。他们建立和推行纪检监察、稽核审计、监事会“三位一体”的监督机制，成立了专门机构，出台了系列文件。成立稽核监察部，负责企业内部监督、审计稽查、案件查处。成立招投标管理中心，完善基建工程、设备采购等招投标制度。建立内部财务监管制度，取缔小钱柜，实行专业化集中管理。颁布实施内部管理的十条禁令，进一步规范领导干部行为。韶钢党委还通过学习与考评机制的完善，进一步提高企业干部的素质与积极性。他们坚持和完善中心组学习制度，坚持业务培训制度，特别是建立健全领导班子成员个人自学、成果分享、理论辅导相统一的理论学习机制，使领导干部的学习能力、学习意识、学习效果都有了明显提升。他们创立了“四好”领导班子活动考核制度，突出业绩考核，细化量化指标，明确奖惩措施，对“四好”班子的考核工作结合中层领导年度考核一起进行，根据班子成员考核结果平均分来评价班子争创“四好”的结果，并作为前位激励、末位淘汰的主要依据，有力地促进了“四好”班子建设。另外，韶钢党委通过完善决策机制，也大大加强了“四好”班子建设的力度，取得了显著的效果。建立科学完善的民主决策机制，需要坚持集体领导、分工负责。韶钢党委坚持党委会、党政联席会议事制度，凡是发展战略、重大决策、重大项目建设、重要人事任免、大额度资金使用等重大事项，都由党委会或者党政联席会议决定，不能个人说了算。进一步完善民主生活会，完善领导干部参加双重组织生活制度，也为领导干部了解情况、科学决策提供了制度保证。

（二）提升能力是“四好”班子创建的关键所在

“四好”领导班子建设是一个系统工程，在这个系统工程中，领导班子的能力建设始终是“四好”班子建设的关键环节，因为千变万化的市场经济向国企领导班子提出了更高更严的要求。只有具备了突出的驾驭市场经济的能力，才能应对市场的风险和考验。因此，在整个“四好”班子创建活动中，广东在注重机制、制度完善的同时，紧紧抓住领导班子能力建设不放松，着力提高领导班子战略决策、经营管理、市场应变、开拓创新、风险防范等能力。通过多种形式、多种渠道，扎实有效地推动了国企领导班子的能力建设。

自“四好”班子创建活动开展以来，广东举办了多期省属企业领导班子能力建设培训班、经营管理人员专题研修班、赴日本韩国研修班、深化国有企业改革研讨班、监事会主席（财务总监）培训班等，集中学习“三个代表”重要思想、科学发展观等党的创新理论，集中研究领导艺术、经营管理、财务审计等专业知识。通过大量的教育培训，广东国企领导班子成员的政治意识、责任意识大大增强，战略思维能力和科学发展能力明显增加。广东在国企领导班子的能力建设上一方面抓培训，另一方面拓宽思路、注重在实践中锻炼干部，也取得了明显成效。这些年来，通过干部交流、博士服务团、援疆援藏、挂任科技副职、农村“固本强基”工程等途径，强化对国企领导班子成员和后备干部的实践锻炼。从《人民日报》2006 年 2 月 15 日第 16 版的有关文章统计看，自 2004 年以来，通过多种形式参加实践锻炼的省属企业领导班子成员达 260 多人次，其中企业之间、企业与党政机关之间的领导班子成员交流达 23 人。

在围绕提升能力开展“四好”班子创建中，广东省涌现了许多先进典型。2006 年 12 月，被中央组织部评选为“全国国有企业创建‘四好’领导班子先进集体”的广东省丝绸（集团）公司就是一个杰出的代表。广东省丝绸（集团）公司是以生产、经营蚕丝和纺织服装为主业，以贸易为龙头，集贸工农科为一体的企业集团。自开展创建“四好”领导班子活动以来，集团公司党委、董事会牢固树立“人才资源是第一资源”的观念，充分认识加强企业干部队伍建设的重要性和必要性，把企业领导班子和干部队伍的能力建设通过四个途径切实抓好。一是抓教育。采取自学和集中授课、专题讲座、到党校高校学习、出国深造、举办短期培训班、专题讲座特别是中心组学习等形式，提高领导班子和干部队伍的能力和水平。二是抓交流。在管理部门之间、管理部门和业务部门之间、业务部门之间实行干部岗位交流，实现干部在交流中增长才干。三是放到基层锻炼。挑选思想好、作风正、熟悉业务、组织能力较强的年轻干部到基层锻炼。这些有培养前途的青年干部在生产管理一线经风雨、见世面，组织领导能力、决策能力和应对复杂局面的能力显著提升。四是放到上级岗位上锻炼。丝绸（集团）公司党委、董事会在干部队伍能力建设上勇于突破传统的培养模式，大胆采用有利于干部成长的新形式。实践证明，这些创新取得的成效是显著的，特别是经过考察，有意识地把选拔出来的年轻干部放到高一职的岗位上去锻炼，给他们压担子，更是加速了国企人才队伍和干部队伍的成长。丝绸（集团）公司党委在“四好”班子创建中紧扣能力建设这个关键的许多创新之举是广东国企党建的一个缩影。

（三）创新载体是“四好”班子创建的主要途径

广东高度重视国企“四好”班子创建活动，周密部署，精心组织，不仅在强化机制上大胆创新，不断完善，在围绕能力建设上抓住关键，突出重点，而且在载体创新上也有许多新的创造。载体是达到创建活动目的的实现形式。“四好”班子创建活动如果缺乏丰富多彩的途径和实现形式，这项活动就会成为一句空泛的口号。广东把“四好”班子建设与党员先进性教育活动紧密结合，使创建活动有了十分有效的实现方式。从2005年1月到2006年6月，全党范围的一件大事是开展保持共产党员先进性教育活动。广东国企各级党组织借助先进性教育活动的东风，切实把创建活动的要求落到实处。广东国企还把坚持和完善中心组学习制度作为加强领导班子思想建设、锤炼政治素质的重要载体和平台。通过组织学习邓小平理论、“三个代表”重要思想特别是十六大以来党的创新理论，进一步坚定了搞好国企改革和发展的信心和决心。广东还通过“企业家培养工程”，大力加强领导班子的能力建设，通过拍摄专题宣传片《闪光的力量》，及时推广“四好”班子创建活动涌现的典型经验。广东国企党组织根据各自企业的实际情况，根据“四好”班子创建的共性要求，一切从实际出发，进行了大量的载体创新，找到了“四好”班子创建的实现途径，形成了广东国企党建又一道亮丽的风景线。

广东电网公司是2006年12月被中央组织部评选为“全国国有企业创建‘四好’领导班子先进集体”，也是广东省内中央企业下属单位中唯一一家。第一，他们通过营造心齐气顺的良好氛围推进“四好”班子建设。“三常谈四不讲”是创建活动中创造的重要经验，即领导干部之间常谈、上下级之间常谈、与工作联系多容易产生矛盾的同志常谈，不讲奉承话、不讲“拐弯话”、不讲道听途说的话、不讲过激的话。实践证明，“三常谈四不讲”有力地促进了公司领导班子成员之间的沟通交流，减少了许多误解与隔阂，形成了团结一心干事业的良好氛围。第二，他们通过送温暖工程，密切了领导班子与广大职工的关系，大大改进了领导作风与形象。从新华网2007年1月23日有关统计资料看，自2005年以来，公司领导班子成员上门扶贫帮助送温暖16批次，定期与基层单位、一线员工进行沟通交流，先后吸纳基层意见和建议57条。第三，他们通过全力推进企业发展，既检验“四好”班子创建活动的成效，又促进“四好”班子创建迈向更高的水平。为使电网规划、建设与经济社会发展相协调，公司领导班子成员经常深入各县市现场办公，积极争取地方政府支持，使一些长期制约电网发展的瓶颈问题得到较好的解决，赢得了发展的主动权。

被中央组织部评选为“四好”班子创建活动先进集体的广东省丝绸（集团）公司不仅在班子的能力建设上创造了许多经验，而且在载体创新上也有不少新建树。第一，以理论学习为载体，为“四好”班子建设奠定思想基础。集团公司领导班子十分重视理论学习，平时尽量减少不必要的活动和应酬，利用业余时间学理论、学政策、学文件。坚持严格的党委中心组学习制度，做到学习时间、学习人员、学习内容三落实。另外，积极参加党校培训和各种专业培训班的学习，保持班子成员知识结构的不断更新。第二，以改革创新为载体，为“四好”班子建设提供坚强动力。创新工作思路，为新一轮改革提供前提条件。按照突出主业、优势互补、增强核心竞争力的要求，实施东桑西移战略，进一步整合广东省内资源。实施科技创新，使贸工农一体化模式链条不断巩固。实施管理

创新，建立和完善激励与约束机制。提高自主创新能力，实施品牌战略，精心打造“丝丽”等拥有自主知识产权的一批知名品牌，加大在欧美等发达国家的营销力度，促进产业高端化。第三，以廉洁从业为载体，为“四好”班子建设提供良好形象。公司党委加大效能检察力度，把反腐关口前移。强化制度管理，把好收汇关，逾期贷款明显减少。严格落实“民主评议领导干部”、“司务公开”、领导干部收入申报制度，实行招待费、电话费、交通费标准限额，取消领导干部专车制度。在执行各项廉洁从业制度中，领导班子成员从我做起，从小事做起，率先垂范，干净干事，赢得了广大党员和群众的好评。第四，以团结协作为载体，为“四好”班子建设提供环境支撑。班子成员相互支持、相互学习、相互帮助，是心齐气顺的重要前提，也是党委班子齐心协力的根本保证。丝绸（集团）公司党委坚持民主集中制的领导制度，凡是公司的重要人事任免、工资分配、企业改制方案、劣势企业退出、大额投资项目等重大问题，不搞个人说了算。坚持定期的党政联席会议例会制度，班子成员坚持过双重组织生活制度。班子成员讲党性、讲原则、讲团结，经常开展批评和自我批评，开展谈心活动。不断完善以职代会为基本形式的企业民主管理制度，实行民主管理，科学决策。推行平等协商集体合同制度，坚持司务公开制度。努力维护职工合法权益，把矛盾和问题化解在萌芽状态。

以“五比五有”活动为载体推进“四好”领导班子建设是韶钢集团创造的成功经验。“五比”就是比团结、比干劲、比精神、比智慧、比奉献；“五有”就是有品德、有知识、有能力、有创新、有业绩。韶钢党委认为，开展“四好”班子创建，一是在“比精神、比奉献、有品德”上下功夫。他们通过开展“八大民心工程”、走访特困员工家庭、发放困难补助金等活动，真心实意为员工解决实际困难。通过开展党风廉政建设教育，认真学习贯彻《国有企业领导人员廉洁从业规定（试行）》，切实加强对领导班子特别是一把手的监督。他们要求各地领导班子要内讲忠诚，外讲诚信，在业务合作中要立信为先，认真履行对客户的承诺，正确处理

竞争与合作的关系。二是在“比团结、有创新”上下功夫。各级党组织非常重视定期召开的民主生活会，班子成员之间认真开展批评与自我批评，通过设立意见箱、办公自动化系统、召开座谈会等形式，对照“四好”班子要求，查找存在问题，努力整改，不断增强领导班子的团结与活力。第三炼钢厂党委为了拓宽信息渠道，充分利用午餐和早餐时间与广大职工展开交流，谋划发展，寻求对策，高度重视大家对新工艺、新设备、创新生产管理模式的意见和建议。三是在“比智慧、有知识”上下功夫。集团公司党委要求各级领导班子坚持理论联系实际，经常认真研究改革发展中碰到的重大问题。坚持业务知识学习，不断完善各级领导的知识结构。近年来，有60多名领导干部参加了高级工商管理MBA和冶金材料工程等硕士研究生班学习。举办《成功经理人讲座》、《赢在执行》、《公司法》、《证券法》培训班，开展防范企业法律风险、ERP和MES信息管理系统、招投标管理等专题培训讲座。四是在“比干劲、有能力、有业绩”上下功夫。韶钢党委紧紧围绕企业生产经营，坚持创建活动与提高企业经济效益相结合，与落实科学发展观相结合，特别是重点要求各级干部树立正确的业绩观。大力倡导节能降耗、自主创新和经济增长方式的根本转变。大力发展循环经济，努力解决影响企业发展的突出问题，提高企业核心竞争力。不断调整经济结构，提高高附加值产品的比例。通过开展“五比五有”活动，韶钢“四好”班子创建活动找到了切实可行、行之有效的实现形式，这个载体的创新极大地促进了韶钢各级领导班子的思想政治建设、作风建设、制度建设和反腐倡廉建设，各级领导班子的凝聚力、创造力、战斗力明显增强。

三、党建管理模式的新发展

改革开放30年，广东国企党的建设不断探索，开拓创新，创造出了丰富多彩的党建管理模式，显示出了浓郁的岭南风情和地方特色，极大地推动着国有企业党的建设理论和实践的发展。以韶关钢铁集团为代表的分类管理模式、以茂名石化为代表的“三个三”模式、以粤电集团为代表的长效机制建设模式、以广州电信为代表的大党建模式和以广晟集团为代表的学习型党组织建设模式等，则是广东国企党建管理模式新发展的缩影和代表。

（一）韶钢集团与分类管理模式

韶钢集团作为全省国有企业固本强基工程示范点，按照省委部署，结合自身实际，以开展固本强基为抓手，着眼基层建设，在加强国企党建基础工作上下功夫，全力推进国企党建创新和发展，创造了一系列好经验，特别是对党员干部队伍实施分类管理，形成了颇具特色的分类管理模式，取得了显著效果。

韶钢集团公司党委把所有党员分为管理岗位党员、专业技术岗位党员、生产一线党员、离退休党员、流动党员五大类，将企业发展目标、生产经营任务、社区稳定，融化细化到党员分类管理中。通过对各类党员的不同管理，促使广大党员对自己的责任更明确，更好地发挥先锋模范作用。在管理岗位的党员，要做到善于学习、勤于思考，品德高尚、以身作则，有强烈的事业心责任感，有组织协调、科学决策、开拓创新的能力，严格管理、精细管理、规范运作、按章办事、令行禁止，能带领全体员工出色完成各项生产经营工作任务。在专业技术岗位的党员，要做到学习创新、学以致用、创新思维，思想过硬、严于律己、自觉参加组织生活，作风扎实、敢为人先、敢打硬仗、技术精湛，在专业技术领域的学习、研发、应用上起模范带头作用。在生产工作一线的党员，要做到自觉学文化、学技术，熟练掌握岗位操作技能，保值超额完成个人生产工作任务，在工作和生活中起模范带头作用。离退休的党员，要按时参加组织学习活动，按时交纳党费，自觉参加维护社区治安，自觉参加社区公益活动，关心教育好下一代。流动党员要按规定持流动党员活动证，按期向党组织汇报，按规定缴纳党费。

韶钢集团公司党委不仅提出了各个岗位党员的不同要求，而且针对其特点开展不同的学习管理活动，收到了良好效果。比如在专

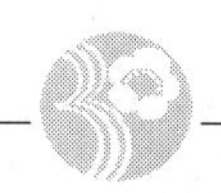

业技术岗位党员中，开展“讲学习、讲思想、讲作风、讲技术，学习过硬、思想过硬、作风过硬、技术过硬”的“四讲四过硬”活动。在生产一线岗位党员中，开展“争当学习模范、争当岗位模范、争当实干模范，提高操作技能、提高工作绩效、提高个人素质”的“三争三提高”活动。在离退休党员中，开展“关心企业发展、关心社区建设、关心下一代，按时学习、按时汇报、按时交纳党费”的“三关心三按时”活动。在流动党员中，开展“建流动党员站、持流动党员活动证”的“一站一证”活动。通过开展分类管理活动，增强了党组织管理党员的责任感，提升了党员队伍的整体素质，涌现了一大批先进典型，促进了企业的科学发展。总之，韶钢集团通过固本强基、分类管理走出了一条加强国企党建的新路子，提供了一种创新国企党建管理的新范式。

（二）茂名石化与“三个三”管理模式

建立党支部标准化、差别化和现代化的“三化”管理模式，建设有能力、有创新、有作为的“三有”党务干部队伍，打造思想优、素质优、业绩优的“三优”党员团队，这是茂名石化在党建管理模式上的崭新探索。从近年来实践的情况看，这也是一个成功的探索。

1. 关于党支部的“三化”。

标准化是以“管用、实在、简便、可行”为原则，以“两标一本”（党支部工作标准、党支部书记工作标准，党支部活动记录本）为核心制度体系，明确党支部究竟该抓什么、怎么抓、达到什么要求，使党支部工作制度化、标准化、可操作、可考核。差别化是把党支部定为一、二、三级和不达标党支部四个级别，一年一评，以评促建，形成“考核→评级→缩小差距→考核”的良性循环。现代化是对党支部工作进行微机管理，使党支部工作在线工作、在线考核、在线管理，达到信息实时化、考核自动化、管理远程化。从近年来茂名石化党建工作实施情况看，“三化”模式极大地调动了党支部的工作积极性，在各个党支部中，形成了你追我

赶、勇夺一级的良好氛围。

2. 关于党务干部队伍的“三有”。

茂名石化通过建立能力培训机制，大力提升党务干部队伍的过硬本领，采取走出去、请进来等多种方法，创造机会让更多的党支部书记与外界交流，开阔视野，开拓思路。通过建立创新激励机制，鼓励大家勤于思考、善于改进、勇于创新。近年来，茂名乙烯党委设立党务工作创新奖，极大地鼓励了党务干部的创新热情。通过建立绩效评价机制，把评价结果与评先推优、职务晋升等挂起钩来，促进党务干部想干事、能干事、干成事，想新招、出实招、办实事。通过以上三大机制的建立和完善，茂名石化成功地打造了一支有能力、有创新、有作为的“三有”党务干部队伍。

3. 关于党员队伍的“三优”。

茂名石化以党员素质教育为抓手培训党员、以党员先锋模范作用考核为手段管理党员、以党员先锋系列活动为载体锻炼党员，极大地提高了党员队伍的思想、素质和业绩。特别是“党员科技创新”、“党员先锋论坛”、“党员先锋机（岗）”系列活动的开展，使党员在各自岗位上充分发挥了各自的优势和特长，为保持和发展党员先进性创造了新鲜经验。总之，茂名石化的“三个三”模式突出了时代变化对国企党建工作的新要求，在国企党建管理模式创新中很有代表性和典型意义。

（三）粤电集团与长效机制建设模式

国企党建的一个重大问题是如何保持和发展党的先进性问题。广东国企先后分两批参加了先进性教育活动，取得了显著效果。但是，必须同时看到保持和发展共产党员先进性是一项长期任务，不可能一劳永逸。如何建立使国企党员长期受教育、永葆先进性的长效机制则是摆在广东国企党建面前的一项重大课题。粤电集团在近年来的创新实践中，不懈探索，勇于开拓，建立了一套较为完整的长效机制，成为新形势下加强广东国企党建工作的又一亮点。

1. 在党委班子方面的长效机制建设。

一是建立和完善基层党委工作制度。二是建立党委议事制度，确立党委议事流程。三是建立健全党员领导干部民主生活会制度，确立民主生活会流程，会前要请示，会后要汇报。四是坚持党委中心组学习制度。坚持每月一次学习，通过自学、专题辅导、考察、研讨等多种形式，做到形式多样、效果明显。五是建立健全党建工作责任制和党务公开制度等。

2. 在党支部和党员管理方面的长效机制建设。

一是建立健全党支部工作细则，明晰支部大会流程。二是细化党员教育管理制度。他们及时转发中央办公厅《关于加强党员经常性教育的意见》等四个长效机制文件，并在学习培训的基础上责成珠海发电厂、南水发电公司等单位负责细化落实具体流程，供全公司参考。三是在党员发展的制度完善上，进一步明确了发展党员流程、党员转正流程、共青团推优流程、支部大会接收预备党员及其转正的流程。

3. 在精神文明和理论建设方面的长效机制建设。

一是建立先进发电企业精神文明建设考核制度，设计出自评表、调查问卷、会议记录表、员工思想调查表，确认考核验收流程。二是建立和完善基层单位宣传思想工作制度、政研会工作制度和政工专业职务评审制度，由湛江电力公司负责政工专业职务申报和评审的流程设计。三是进一步完善以党建带团建的工作制度。

4. 在考核激励方面的长效机制建设。

一是建立党组织目标考核制度，由沙角 A 电厂和惠州天然气发电公司共同完成流程设计。二是建立和完善民主评议党员制度，由长湖发电公司、湛江电力公司完成流程设计。三是完善“创先争优”制度，由珠海发电厂和广前电力公司共同负责申报流程设计。

这些年来粤电集团坚持不懈地抓长效机制建设，成功破解了先进性建设中的一系列难题，使国企党建结出了累累硕果，有力地促进了粤电集团各项事业的发展。目前，公司各项工作全面发展，形势喜人，充满活力。电源建设获重大进展，在建和筹建的项目之多、规模之大都史无前例。

（四）广州电信与大党建模式

大党建模式是近年来广州电信不断探索、逐步完善的一种国企党建管理范式，其灵魂和精神是融合中心抓党建、抓好党建促发展，其突出的特色是把持续发展、科学发展作为检验企业党建的最重要标准，适应企业战略转型，全方位创新党建工作理念、机制和方式，凝聚党政工团各方力量，将企业三个文明合起来部署、目标任务合起来落实、工作成效合起来考核。

1．把党建工作融入企业中心工作。

能否促进企业发展是衡量国企党建成败的试金石。广州电信在把党建工作融入企业中心工作的过程中，一是建立以提升驾驭能力为主线的“立体式”班子建设模式，主要是通过运用“理论培训+业务培训”的“1+1”中心组学习模式来实现。二是建立以适应企业转型为目标的“阶梯型”人才培养体系，特别是双培双带工程（把党员培养成人才、把人才培养成党员，党员带头创收、党员带头转型）促进了国企党建与现代人才管理的互通、互融、互补。三是建立以完成中心工作为基础的“精细化”党务考评体系。这个多维度的量化考核模式的应用，从根本上解决了“两张皮”现象，促进了党建工作从模糊的价值判断转化为精细的事实判断。

2．创新党群政工管理理念，构建联动体系，形成大党建格局。

把党群政工工作纳入现代企业管理框架，形成全面联动的党建党群管理体系，这是大党建模式的主要标志。一是实施大党建，推动大连动。2003年以来，广州电信将“创建学习型组织”作为大联动的结合点，党组织从“创建学习型党组织、争当知识型党员”着眼，行政主管部门从“强化员工教育培训、构建系统学习平台”着手，工会则从“创建学习型班组、争当知识型员工”着力，最终形成合力，取得了良好效果。二是强化大政工，实现大和谐。全方位贴近实际、市场和员工，全范围容纳文化创建、企务公开、劳动竞赛，形成大政工联动体系。开展效益型政工、稳定型政工、创

新型政工、群众型政工。创造性地将市场营销理念导入政工工作，把员工看成客户，把思想需求看成市场需求。三是建设大文化，塑造大品牌。大党建借助企业文化这把利剑，开创了国企党建新领域。广州电信以精神文化、行为文化、产品文化为主体，实施企业文化“宣贯工程”、“提升工程”和“体验工程”。一方面内化于精神，打造精英信息文明团队，另一方面外化于行为，完善精确信息服务体系，最终深化于经营，创新精彩信息企业品牌。

3．狠抓先锋能力建设，构建大党建“先进性”长效机制。

广州电信从党员队伍、基层建设和党务管理三个层面，围绕狠抓先锋能力建设，在长效机制上走出了新路子。一是建立先锋创新机制。通过建立健全理论讲坛制度、形势报告制度、学习交流制度等有效形式，不断增强党员的角色意识、行为意识、形象意识和先锋意识。实施“把党员培养成人才，把人才培养成党员”的双向培养工程，对于广大党员保证在企业转型中不掉队，发挥先锋模范作用具有重要意义。建立党员素质分析评价模型，推行三级发展体系。根据每一个党员领导干部的领导力素质模型测评结果，实施中层领导干部养成计划，为其提供有针对性的素质培训。建立直线经理教练制，指导党员直线经理加强对本岗位接班人的培养力度。建立新员工导师制，指派党员主管作为导师对新员工进行跟踪指导。二是建立堡垒创新体系。在组织建设上实现动态化。广州电信基层党组织建设随着企业发展转型的需要而设置，随业务流程重组的进度而跟进，切实做到了组织机构改革到哪里，党组织就建设在哪里，战斗堡垒作用也就发挥在哪里。在管理机制上实现规范化。一方面坚持和完善已有的管理制度，如一季度一次的党群工作联席会制度和支部书记工作例会制度、每年一次的基层党建成果总结展示会制度、每年一次的党风党纪大检查制度等。另一方面不断抓好制度创新，如建立直属机关党委工作议事制度、领导挂点调研和机关挂点工作制度，制定劳务工党员管理办法等。三是建立党务信息平台。按照“服务指导、工作交流、信息发布、共享成果、发现需求、凸显亮点”的基本定位，广州电信在企业内部网上搭建了大党建综合信息服务平台。对党员来说，这是提取学习资料、促进信息共享、实现自我提升的政治园地。对党务工作者来说，这是提高党组织服务管理能力、强化党员教育培训的良好途径。对于要求入党积极分子来说，这是党组织对其培养的重要平台。

广州电信创造的大党建模式，走出了“就党建抓党建”的小天地，形成了“融入中心抓党建、抓好党建促发展”的大格局。大党建模式以党组织建设为主导，以学习型组织创建为结合点，以思想政治工作为基础点，以企业文化建设为激发点，形成了涵盖企业党建、思想政治工作、企业文化建设、群团工作为一体的党政领导联动、党群部门联动的大体系，有力地促进了企业党建和企业发展，实现了增强党组织活力、推动企业发展的双丰收。

广州电信的大党建模式是广东国企党建百花园中的一朵奇葩，它较好地解决了企业党建和中心工作无缝对接的重大难题。广州电信大党建模式的成功实践充分证明，只要不断创新，国企党建就一定可以大有作为，也一定能够大有作为。

（五）广晟集团与学习型党组织建设模式

广东省广晟集团公司党委非常注意学习型党组织建设，坚持在理论学习上下功夫，坚持在创新教育形式上下功夫，创造了许多新鲜的经验，形成了具有一定特色的国有企业学习型党组织建设模式。

1. 坚持“五个结合”，增强学习型党组织建设的效果。

政治上的坚定来源于理论上的清醒。公司党委坚持从战略和全局的高度看待理论学习和学习型党组织建设，始终把学习作为提高党员党性意识、提高领导班子经营能力、促进公司发展的重要途径来抓，通过集中学习与分散自学相结合、走出去与请进来相结合、在上面学与走下去学相结合、理论研讨与实地考察相结合、独立思考与相互交流相结合、大大提高了学习效果，营造了浓厚的学习氛围。在坚持“五个结合”的基础上，公司党委制定下发了抓好理论学习和学习型党组织建设的一系列规定，做到有计划、有布置、

有检查。形成了两级公司党委中心组带机关理论学习制度，每季度进行一次专题学习，定期进行理论成果交流评比。组织开展阅读一本书，共学一门课活动，并将各级领导班子成员的心得体会汇编成册。在开展学习型党组织建设实践中，特别强调党员学习要与思想实际和企业的工作实际相结合，努力运用学习成果解决党员的思想观念问题，解决企业生产经营中的现实问题。

2. 抓好分层学习，使学习型党组织建设扎实推进。

广晟公司有一级企业集团 10 个，二级企业 1600 多家，基层党组织 560 多个，分布在 22 个县市近百个点上，点多、线长、流动、分散，难于集中学习，给学习型党组织建设提出了许多难题。公司党委针对上述情况，特别是面对不同单位、不同行业、不同党员的不同实际问题，提出了围绕教育主题，因地制宜，分类施教，分层学习的思路。在学习内容上，对基层党员以学习党的基本知识、基本理论为主，辅之以摘抄理论观点和撰写读后感。对机关党员以学习党的大政方针和领会精神实质为主，并要求撰写心得体会。对党员领导干部则以通读原著和领会理论精髓为主，并要求能够结合实际加以运用，辅之以撰写论文进行交流。由于结合了不同党员和党支部的实际，广晟公司党委通过分层学习，扎实有效地推进了国有企业学习型党组织的建设。

3. 创新学习方法，使学习型党组织建设丰富多彩。

广晟公司党委一方面根据学习内容，采用局域网开设学习园地、出宣传橱窗、组织知识竞赛和演讲比赛等。另一方面，通过延伸教育的触角，赋予企业文化以教育的内涵，在丰富多彩的企业文化建设活动中达到构建学习型党组织的目的，使广大党员在轻松愉快的氛围中接受潜移默化的教育。

总之，改革开放 30 年，广东国企党建不断根据形势变化，锐意改革，与时俱进，开创了国企党建的新局面。在建立现代企业制度中，广东国企创新领导体制，实现“双向进入、交叉任职”。在加强国有企业基层党组织建设中，广东国企创造了分类管理模式、长效机制模式、大党建模式等丰富多彩的管理模式。特别是在国企

“四好”班子创建中，广东国企走出了一条“以强化机制为保证、以提升能力为关键、以载体创新为途径”的新路子。这些成功的经验是今后进一步加强国企党建的宝贵财富。在新的实践中，广东国企党建必将走向新的辉煌。

第八章
机关党建谱新篇

广东机关党建是整个广东党的建设的重要组成部分和重要工作领域。改革开放30年来，广东机关党的建设不断探索，勇于创新，取得了辉煌的成绩。特别是党的十六大以来，在全党扎实开展保持共产党员先进性教育活动的背景下，广东机关党的思想建设、组织建设、作风建设、制度建设和反腐倡廉建设得到了新的加强，机关党的先进性建设和执政能力建设有了新的进展，真正做到了运筹有新思路、创新有新举措、工作有新成效，谱写了机关党建的新篇章。概括起来，广东机关党建在落实中央和省委各项党建工作的基础上，结合机关实际，不断开拓创新，具有三个突出的特点：一是创新工作思路，明确工作主题。二是注重纪律教育，方式多姿多彩。三是建立“三型”机关，做到与时俱进。本章主要围绕这三个特点对广东机关党建自改革开放特别是党的十六大以来的创新实践进行初步的梳理。

一、主题实践活动亮点纷呈

改革开放以来，广东机关党建始终紧密围绕中心、服务大局、创新载体，工作充满活力。特别是近年来，广大机关党建工作者积极探索机关党建工作与改革开放有机结合、相互促进的有效途径，先后开展了“三创新一优化”为主题的机关作风建设年活动、“三树立、五落实”主题教育活动、以“三个走在前面”为主题的

“排头兵”实践活动和“三服务一促进”主题实践活动等，使全省机关党建工作亮点纷呈，为推进广东党的建设新的伟大工程做出了应有的贡献，为新形势下加强和改进机关党的建设积累了宝贵经验。

（一）机关党建思路创新

思路决定出路，新形势下机关党建的成绩大小取决于机关党建工作者是否具有开拓性和创新性。改革开放特别是党的十六大以来，广东机关党建始终坚持以邓小平理论和“三个代表”重要思想为指导，全面树立和落实科学发展观，积极探索党的建设与改革开放有机结合、相互促进的新途径，积极探索党的建设与机关业务紧密结合、高度融合的新载体，坚持每年抓好一个机关党建主题，把机关党建的立足点和重心放在推动发展上，积极探索工委、党办“搭台”、各家“唱戏”的机关党建新路子。围绕发展大局，大胆解放思想，按照“讲正气、顾大局、办实事”的总体思路，创新机关党建工作的理念、内容和手段，全面提升了机关党建的水平。

1. 明确工作主题，服务发展大局。

广东机关党的建设紧紧抓住发展这个第一要务，紧紧围绕中心工作，明确思路，确定重点，根据情况的发展和变化，每年都有鲜明的工作主题。为了着力解决影响机关发展的思想认识问题和体制制度问题，2003 年广东机关党建开展了创新观念、创新体制、创新服务和优化发展环境的主题实践活动。为了巩固机关作风建设年的成效，2004 年广东机关党建继续坚持党建与推动中心工作有机结合，提出了“三树立、五落实”（树立科学发展观、正确政绩观、科学人才观，在思想、工作、作风、方法、创新上落实）的目标要求。在 2005 年，随着全党保持共产党员先进性教育活动的展开，广东机关党建的工作自然以保持共产党员先进性教育活动为主线。在 2006 年，广东机关党建坚持与业务工作紧密结合，提出了开展争当实践科学发展观“排头兵”主题实践活动的要求。在 2007 年，广东机关党建坚持党建与构建和谐广东有机结合，为了

大力推进服务基层、服务群众、服务大局，提出了“三服务一促进”主题实践的要求。在2008年，广东机关党建坚持党建与推动机制体制创新有机结合，推动职能转变、行政审批制度改革，坚持党建与机关建设有机结合，提出了建设学习型、创新型、服务型“三型”机关建设的目标。由此可见，广东机关党建思路新颖而务实，重点突出而鲜明，为广东机关党建取得良好效果奠定了重要基础。

2. 工委“搭台”，各家“唱戏”。

在履行机关工委职能中，广东各级机关工委把工委“搭台”、各家“唱戏”作为新时期机关党建新路子，进行了卓有成效的探索。所谓工委“搭台”，就是工委为机关党的全面建设主动提供政策指导、组织领导、检查督促、交流沟通、统筹协调、服务保障等多方面的“平台”。所谓各家“唱戏”，就是主要依靠各单位自身力量广泛发动，抓好工作，解决问题，让各个单位当“主角”、做评判。

在工委“搭台”、各家“唱戏”的基础上，广东各级机关党的组织在工作上科学定位，主动发挥“三个作用”。一是发挥参谋助手和协调作用。各单位机关党委及时、主动向党组（党委）汇报工作，反映情况，提出建议，当好参谋和助手。同时，认真贯彻党组（党委）的决定和各项工作，发挥自身的优势，统筹协调有关工作，出色地完成各项任务。二是发挥服务作用。坚持“三服务”，做到主动服务、上门服务、预约服务。对基层的事情，想尽千方百计去解决，帮助他们策划、协调、排忧解难。三是发挥表率作用。许多机关党建工作者加班加点，通宵达旦，埋头苦干，得到了大家的高度评价。坚持掌权为公、用权为民，不损害群众的利益，树立干净干事的好形象。

总之，机关党建如何定位，直接决定机关党建能够发挥多大作用。在实践中，广东机关党建紧紧围绕中心工作来谋划、运筹，党委希望抓什么，机关工委就考虑什么；党委要求抓什么，机关工委就抓好什么。这些年来，各级机关工委创新工作思路，明确工作重点，一年一个主题，工委“搭台”，各家“唱戏”，主动发挥“三

个作用”，增强了机关党建的针对性、时效性、创造性和时代性，有力地促进了机关作风的转变，为广东各级机关工作的开展提供了坚强的政治、思想和组织保证。

（二）主题实践活动效果显著

广东机关党建根据形势任务的变化和中心工作的需要，每年确定一个主题，把主题实践活动和机关党建日常工作有机地结合起来，形成了特色鲜明的工作思路，发挥了机关党建的最大优势，取得了显著的效果。

1．关于“三创新一优化”①。

在2003年，广东省直机关开展了以“三创新、一优化”（创新观念、创新体制、创新服务，优化发展环境）为主题的机关作风建设年活动。为了使这次主题教育活动取得良好效果，在活动开始之前，省直工委就组织了专题调研组分别到浙江、江苏、北京及省内的一些市进行调研，听取了省直近30个单位共600多人的意见和建议，组织工委全体同志认真学习。在认真学习的基础上，进一步分析了省直机关作风建设存在的主要问题，经过反复研究，最终确立了“三创新一优化”的活动主题，明确了活动的指导思想，把“解放思想、推动创新；转变职能、加快发展；深入群众、服务基层”作为活动的主要任务。活动分四个阶段推进：第一阶段学习动员，统一思想；第二阶段敞开大门，查找问题；第三阶段认真整改，完善制度；第四阶段评议总结，巩固提高。在推进方法上，坚持加强思想建设与推进作风建设相结合，把学习教育贯穿始终；坚持统一要求和分类要求相结合，把调查研究贯穿始终；坚持领导带动与基层推动相结合，把落实整改贯穿始终；坚持“治标”与“治本”相结合，把制度建设贯穿始终。为加强组织领导和检查督促，省委、省政府成立了领导小组和办公室，办公室设在省直

① 参见中共广东省直属机关工作委员会：《关于省直机关作风建设年活动工作情况的报告》（2003－12－9）。

工委，各单位成立了领导小组和办公室，绝大多数单位一把手任小组长。加强了检查督促，强化外力监督，组成了以省人大、省政协领导为组长的党代表、人大代表、政协委员和机关干部参与的70多人的督查组，分别到党政机关73个单位督查。建立投诉中心，公布投诉电话，设立投诉网站，接受公众的投诉，在各地级以上市直工委建立了监督点，收集群众的意见和建议，加大了内外宣传的力度，组织省直机关、各市、县对省直党政机关进行了评议。

2003年的机关作风建设年活动由于领导重视，组织严密，取得了明显的成效，达到了解放思想有新突破、转变职能有新举措、服务水平有新提高、干净干事有新气象的目标要求。推动了新一轮思想解放，推动了行政管理体制改革，进一步提高了机关工作效率和服务质量，完善了改进机关作风建设的规章制度，特别是人民群众对省直机关工作的满意度进一步提升。具体来讲，通过机关作风建设年活动，一是优化了发展环境。活动自始至终贯彻了抓作风、赢民心、促发展的指导思想，把目标定位在促进广东发展上。省直机关70个重点单位征求有关意见和建议共5100多条，整改机制体制、政策规定、工作效率和服务质量、行政执法、廉政建设等方面的突出问题共4600多个，整改率达90%以上。行政审批项目在前两年大幅度削减的基础上，累计减少达50%。二是提高了机关效能。一些长期难以解决的机关作风“顽症”得到明显改观，服务质量和办事效率明显提高，为基层办好事、做实事形成风气。通过基层评议，满意率、基本满意率平均达到98.87%，比上一年评议结果上升了近4个百分点，也是近几年来对省直机关最高的满意度。省民营企业投诉中心2003年8月至2004年8月，共受理800多宗投诉，涉及省直机关的投诉只有1宗。三是积累了宝贵经验，活动中创造的许多形式和方法，为今后进一步推进省直机关建设提供了十分有益的借鉴，不仅带动和影响了各市、县党政机关的作风建设，而且在全国都产生了较大的影响。

2. 关于“三树立、五落实”。

在2004年，省直机关开展了“三树立、五落实”主题教育活

动。为了树立中央提出的科学发展观、正确政绩观和科学人才观，落实省委领导提出的要在思想、工作、作风、方法、创新五个方面抓好落实的重要指示，形成了“三树立、五落实”的活动主题。主题教育活动分三个环节来推进。一是“大讨论”环节。围绕“三树立、五落实”这一主题，开展深入的学习讨论。二是“回头看”环节。在大讨论的基础上，组织机关作风建设“回头看”活动。三是“规范化”环节。通过规范化环节，进一步推进机关服务的规范化。“活动紧紧围绕加强机关执政能力建设这个重点，做到既坚持与机关作风建设年活动的内容相衔接，又注重突出‘三树立、五落实’这一主题；既坚持经常性的督促检查，又注重调动各单位的积极性、主动性；既坚持按照‘大讨论’、‘回头看’和‘规范化建设’三个主要环节来推进，又注重在做‘立党为公，执政为民’模范和‘巩固提高’机关作风建设年活动成果上下功夫，较好地实现了在理论武装、贯彻执行省委决策和当好参谋助手、转变职能、机关规范化建设、服务基层和群众等五个方面不断巩固提高的目标要求。”①

3．关于排头兵实践活动②。

2006年是广东机关党建的重要一年。在这一年，广东开展了全省县以上机关排头兵实践活动。2003年和2004年，胡锦涛总书记两次考察广东，对广东提出了“努力在全面建设小康社会、加快社会主义现代化进程中更好地发挥排头兵作用”的殷切希望。2005年10月广东省委九届七次全会对广东做好“十一五”时期各项工作提出了总要求：落实科学发展观要走在前面，构建和谐社会要走在前面，全面加强党的建设要走在前面，在全面建设小康社会、率先基本实现社会主义现代化进程中更好地发挥排头兵作用。广东省直工委在研究论证的基础上，起草了《关于在省直机关开

① 中共广东省直机关工作委员会：《以改革创新的精神加强新时期机关党的建设》。

② 参见中共广东省直机关工作委员会：《坚持每年集中精力抓好一个党建主题探索新形势下推动机关党建向纵深发展新路子》。

展排头兵实践活动的报告》，省委领导同志高度评价该报告，并指示要全省县以上机关统一行动。2006年1月，省委向全省县以上机关下发了《中共广东省委办公厅转发省直机关工委〈关于在省直机关开展以“三个走在前面”为主题的排头兵实践活动的报告〉的通知》，以“三个走在前面”为主题的排头兵实践活动在广东正式拉开了序幕。排头兵实践活动既扎扎实实，又轰轰烈烈，表现出了许多鲜明的特色。概括起来，有三个突出的特点：

（1）形成了三级联动的工作格局。排头兵实践活动，从省直机关率先动员，到全省县级以上各级机关全面推进；从开始主要靠推动，到各单位自觉抓；从少数单位讲排头兵，到所有参加活动的单位全面以排头兵实践活动为动力；从机关工委直接抓，到市委、县委和各直属单位一把手亲自抓，形成由浅入深、由局部向全面推进的统一行动，出现了省、市、县三级机关联合行动的工作新格局。

（2）形成了真抓实干的浓厚氛围。活动开展以后，省、市、县三级机关抓住主题不放松，突出实践特点，用实事求是的精神来抓住重点，用敢为人先的精神突破难点，用真抓实干的精神抓落实，深入开展实践活动。

（3）形成了你追我赶的发展态势。一是消除思想上一些模糊认识，统一思想。在珠海排头兵实践活动研讨班上，针对当时普遍存在的一些问题，会议从正面回答了先进性教育活动与排头兵实践活动的关系，统一了省、市、县三级工委和三级机关党委书记、专职副书记的认识。二是加强教育培训，进一步树立排头兵观念。省直机关工委分别就如何落实科学发展观、构建和谐社会、加强党的建设三个方面组织了3场大型的专题报告会，省委副书记刘玉浦同志，省人大副主任、省总工会主席汤维英同志，省发改委主任陈善如同志分别作了3次辅导报告，省直机关共有6000多人听课。各市、县（市、区）也分别就三个专题举办了专题报告会。三是加大舆论宣传，营造良好的氛围。《南方日报》、《羊城晚报》、广东电视台、广东电台等新闻媒体都开设了排头兵实践活动专栏，省直机关排头兵实践活动领导小组办公室还在南方新闻网上开设了排头兵专题网页。深圳、珠海、梅州、惠州、阳江等市也在主流媒体上开设了专栏，大篇幅宣传排头兵实践活动情况。

通过在省、市、县三级机关开展的排头兵实践活动，推动了排头兵观念深入人心，推动了符合科学发展观要求的体制机制的建立健全，推动了广东经济社会全面转入科学发展的轨道，同时还推动了先进教育成果的巩固和扩大。

4. 关于“三服务一促进”。

在2007年，广东机关党建继排头兵实践活动之后又开展了“三服务一促进”（服务基层、服务群众、服务大局，促进社会和谐）主题实践活动。作为排头兵实践活动的延伸，活动突出“服务”的理念，以服务促和谐，通过开展民情调研、春风送暖、阳光便民、基层维稳、和谐创建五个方面的行动，扎实服务基层、服务群众、服务大局，促进社会和谐。活动中开展的“春风送暖——万名‘爱心父母’牵手困境儿童行动”和“一万个优质服务窗口”创建活动在全省引起了广泛的关注，在促进社会和谐，服务群众、服务基层、服务大局方面真正收到了实效。

总之，广东机关党建的一个鲜明特色是紧紧围绕中心工作和形势任务，一年确定一个主题，开展主题实践活动。广东机关党建的这一创新实践，找到了新形势下推动机关党建工作的新载体、好途径，实现了机关党建工作与中心工作的有机结合。近年来，主题实践活动卓有成效的开展是广东机关党建谱写新篇的精彩乐章，是广东机关党建工作的一大亮点。

二、纪律教育新品牌

改革开放30年特别是党的十六大以来，广东机关党建在主题实践活动方面一年一个主题，常抓常新。同时，在纪律教育方面，认真落实纪律教育月的各项规定，开展万人评机关活动，也都取得了显著的成绩。在机关党建的各项工作中，突出机关作风建设，纪律教育常抓不懈，则是广东机关党建的又一显著特点。

（一）纪律教育月成为廉政建设新品牌

自20世纪90年代初期以来，为了进一步推进党风廉政建设，使党风廉政建设进一步规范化、制度化，广东开展了一年一个主题的纪律教育月活动。十几年来，纪律教育月活动取得了显著成效，初步构建了具有广东特色的惩治和预防腐败体系。开展纪律教育月活动重点在机关，关键是对各级领导干部特别是一把手的教育。因此，广东各级机关党组织高度重视纪律教育月活动，认真组织，突出主题，创新形式，积累了许多宝贵的经验。

1. 一年一个主题常抓常新。

广东各级机关党的组织高度重视纪律教育月活动，围绕主题，精心实施。2003 年 6 月至 9 月，广东在全省党员干部中开展以“艰苦奋斗、廉洁从政”为主题的纪律教育月活动，各级机关党组织根据统一部署，对教育活动提出明确要求。在成立领导机构时，大多数省直机关的领导小组由一把手任领导小组组长。通过中心组学习会、民主生活会、培训班等形式，学习文件法规，写出心得体会，查摆整改问题。比如，省司法厅认真查摆问题，进行纪律教育“回头看”，巩固纪律教育成果。省公安厅吸取“孙志刚事件”教训，认真查找队伍建设中的突出问题，制定整改措施。省工商局结合机关作风建设年活动，落实《广东省工商行政管理系统“六项禁令”》，出台《广东省工商行政管理系统工作人员八小时工作以外活动管理的规定（试行）》，进一步规范了干部队伍的行为。东莞市政府建立政务公开制、首问责任制、一次性告知制、限时办结制、投诉受理回复制、行政过错责任追究制等六项制度，成立了市机关效能投诉中心，大大提高了行政效率。兴宁市法院开展了向石伟文同志学习活动，干部队伍精神面貌焕然一新，被省高院记“集体二等功”。

2004 年纪律教育月的主题是“为民、务实、清廉”，以学习贯彻《中国共产党党内监督条例（试行）》、《中国共产党纪律处分条例》为主要内容，不断把纪律教育推向纵深。通过纪律教育月各

项活动的开展，广东各级机关党员干部对以上两个条例的学习收到了实效。比如，省司法厅举办处级干部学习会，厅领导在辅导报告中指出本系统存在的22个问题，使与会者深受教育，大家感到这次学习教育“有触电的感觉”。通过纪律教育月各项活动，机关党员干部思想作风有了新气象。省公安厅深入开展“四查”、“四看”、“两摆”活动，及时发现问题、纠正错误。广东海关进行“回答六个问题，开展四个查一查”为主要内容的教育整顿活动，着力治理“红包”和“灰色收入”。韶关市建立“领导干部为民便民服务卡”、“领导干部为群众办好事实事登记卡”、“领导干部进村入户工作评议卡”和“领导干部八小时以外活动登记卡”，有力地促进了为民便民服务和加强领导干部监督活动。

2005年纪律教育月的主题是“自觉接受监督，密切联系群众”，以学习宣传贯彻《建立健全教育、制度、监督并重的惩治和预防腐败体系实施纲要》为重点，与保持共产党员先进性教育活动等有机结合。广东各级机关党的组织在纪律教育月活动期间，紧密结合本地实际，以狠刹“五股歪风”为突破口，大力加强机关作风建设，收到了阶段性的成果。比如，揭阳市在全市纪律教育月动员大会上，宣布对三名违纪违法领导干部的处理决定，引起了社会上强烈的反响，普遍认为市委反腐倡廉是动真的、过硬的。珠海市开展“防治五股风，保持自律好形象”教育活动，要求党员干部树立“党内好党员、单位好职工、家庭好成员、楼里好邻居、社区好公民”的“五好”形象。另外，省直纪工委、团工委组织省直千名青年干部，在广州烈士陵园举行廉政宣誓、签名活动。省公安厅在全省开展公安系统“大接访”活动，全省公安系统领导干部共接访8432起、13900多人次，办结8360起，极大地密切了党群关系、干群关系、警民关系，受到了群众好评。阳江市478名纪检监察干部与2455名党员干部开展谈心活动，起到了提醒和警示作用，进一步促进了机关作风的转变。

2006年纪律教育月的主题是“认真学习贯彻党章，增强拒腐防变能力”。广东各级机关党组织积极组织党员干部认真学习党

章、自觉遵守党章、切实维护党章，普遍举行了党章专题报告会、理论研讨会，江门、阳江等地成立宣讲团，开展万人宣讲党章活动。惠州机关党的组织把反腐倡廉教育融入“万人评机关”、“行风热线”、“评十佳廉政公仆”等党风廉政建设的活动，促进了各级领导机关转变政府职能，保障了群众的知情权、参与权和监督权，化解了社会矛盾，推进了社会和谐，形成了“惠州模式”。“惠州模式”同“省中医院模式”、“廉江模式”一起构成了广东纪律教育月的“三大模式”和“三个典型”，有力地推动了广东全省纪律教育活动的深入开展。

2007年纪律教育月的主题是“加强作风建设，勤政廉政为民”。广东各级机关党组织认真按照有关要求，围绕主题，扎实有效地开展了各项学习教育活动，组织学习中纪委和省纪委规定的学习内容，组织观看警示教育专题片，认真开展廉政文化周活动，继续开展廉政文化网上行活动。特别是各级机关党组织把学习胡锦涛同志“6·25”讲话作为纪律教育学习月的重要内容，坚持用中国特色社会主义理论体系和社会主义核心价值体系武装党员和干部。通过教育学习，筑牢了广大党员干部拒腐防变的思想道德防线，推动了思想作风、工作作风、领导作风、学习作风和生活作风的进一步好转。

“增强党性观念，推进科学发展”是2008年广东纪律教育月的主题。目前，全省各级机关党组织正在围绕主题，创新形式，扎实有效地推进纪律教育月的各项活动。由此可见，十几年来，广东各级机关党组织认真围绕纪律教育月的主题，紧密结合机关党建实际，真正做到了纪律教育警钟长鸣、常抓不懈、常抓常新。

2. 纪律教育方式多姿多彩。

广东省开展纪律教育月十几年来，为了提高教育效果，在纪律教育形式和途径上大胆创新，进行了大量的新尝试。在开发新教材、开辟新阵地、拓宽新领域、创造新方式等方面，都有可圈可点之处。各级机关党的组织为了提高纪律教育针对性、实效性，结合机关党员干部的特点，采用新的形式和途径，大大提高了机关党风

廉政建设的水平。

《青青草》的巡演是创新纪律教育形式的一个典型。《青青草》是以全国模范法官、原梅州市兴宁法院黄陂法庭审判员石伟文为原型，以其生前事迹为素材排演的大型廉政话剧。广东各级机关党组织积极组织党员干部观看《青青草》话剧，使廉政教育在艺术的感染中完成，达到了春风化雨、润物无声的效果。不少党员干部看后都说，纪律教育如果光讲大道理，有时会觉得枯燥，但通过话剧这种群众喜闻乐见的形式反映出来，先进的思想更容易让人接受，人们的心灵更容易受到升华和净化。另外组织观看正面典型专题片《超越平凡》等，使广大党员干部看到了身边的榜样。这些榜样可亲、可信、可学，很好地起到了典型激励的作用。同时，也组织观看负面典型的专题片如《欲壑难填》等，使广大党员干部认识到从领导干部到腐败分子之间并没有天然的屏障，起到了很好的警示作用。

充分利用机关党建网、政府信息网等现代电子媒体开展反腐倡廉教育成为纪律教育形式创新的又一亮点。广州市荔湾区把校园的“红棉廉政网站”链接到省教育厅网站主页供全省中小学校共享。充分利用报纸、电台等新闻媒体开展纪律教育也是重要的方法和途径。《南方日报》开办了“防腐前沿”专栏，半月一期，每期一个专题，干部群众评价说“期期有亮点、有看头”。另外，梅州市开展“廉政客家山歌”征集评选活动，选出100首廉政客家山歌结集出版，掀起了“百首山歌颂廉政”的热潮。河源市充分挖掘利用“颜氏文化”廉政资源，创建“颜氏廉政文化”网页，做大做强本地的廉政文化品牌。云浮市组织市直部分重要部门领导班子成员的家属签订了廉政公约。由此可见，广东各级机关党组织高度重视纪律教育的方式方法问题，为了取得更好的教育效果，进行了大量的创新和实践，积累了宝贵的经验，为进一步加强党风廉政建设奠定了良好的基础。

（二）万人评机关评出新气象

万人评机关是广东机关党建的重要工作和亮点之一。广东各级机关通过开展万人评机关活动，大大提高了机关工作效率，有力地促进了机关作风建设，同时也找到了加强机关纪律教育的有效途径和载体。在开展万人评机关活动中，广东各地机关党的组织创造了许多新鲜经验，万人评机关评出了新气象。

1. 江门——引入ISO开全国先河。

近年来，江门高度重视市直机关作风建设问题，坚持平时检查与集中考核、群众评议与机关互评相结合，把整个考核分为四个环节：基层评议、机关互评、投诉中心评议和考核组考核。为增加群众评议的比重，提高评议的广泛性和群众性，他们组织四市三区的人大代表、政协委员、机关作风建设监督员和外资企业、国有企业、民营企业、个体工商户、学校等社会各界进行评议。对党群部门侧重考核贯彻上级指示、市委决议的情况，对行政机关和事业单位侧重考核服务质量和完成任务情况，对政法机关侧重考核依法行政和优质服务情况。万人评机关活动的开展使机关作风建设全面加强，在各机关形成了比、学、赶、帮、超的良好局面，机关效能大大提高。

特别需要指出的是，江门在开展万人评机关过程中，最大的亮点是政府引入"ISO9001质量管理体系"，实现了机关作风建设由治标到治本的跨越，有效地促进了市直机关标准化、规范化建设，提高了机关服务效率和服务质量。从2003年开始，江门从建立长效机制入手，对市直机关51个部门、单位实施ISO9001质量管理体系。自实施这个管理体系以来，市政府办公室一般文件的办文时间由7~15天压缩到3~5天，并有2/3的文件在当天办结。这个管理体系的实施，有效控制了重大工作差错的出现，达到了提高服务质量、提高服务意识、提高服务效率的目的。广东省委《南方月刊》2006年第12期把江门首开我国地方政府管理先河、全方位导入ISO9001质量管理体系确定为"广东坐标"，给予了高度评价。

2. 东莞——外来人员占参评群众2/3。

万人评机关如何显示地方特色？东莞的实践告诉我们，加强机关作风建设，各地情况千差万别，必须一切从实际出发，体现共性与个性的有机统一，更多地凸显个性特点。东莞市委、市政府把改进机关作风建设作为承诺为民办十件实事之一，确定了除检察院、法院以外的市直副处以上主要窗口办事部门，各镇（街）党委、政府（办事处）和中央、省驻莞单位都是评议对象。评议内容体现群众的知情权、参与权和监督权，主要包括办事效率、服务态度、廉洁勤政和政务公开情况等。

需要强调指出的是，东莞在万人评机关活动中，特别注意体现出真正的民意。从2006年的机关评议来看，共发放一万多份评议表，参与评议的村镇群众代表中外来人员占参评群众的2/3。为了体现出真正的民意，参加评议的市民由全国省市镇人大代表、全国省市政协委员、村镇群众代表、外资企业代表、民营企业代表、机关事业单位代表组成。2006年评议与以往评议相比最大的区别在于体现出了东莞的实际，参与评议的村镇群众代表中明确了本地户籍人口和外来人员的比例是1：2。东莞市在万人评机关活动中，坚持从实际出发，不搞形式主义，特别是注意评议主体的客观性、代表性和权威性。他们认为要体现出评议结果的客观真实，必须听取在东莞生活和工作的外来人员的声音。

3. 潮州——重在深化机关效能建设。

潮州市在全市开展万人评机关活动中，紧紧抓住机关效能建设这个关键，评出了新的气象，促进了机关作风转变，完善了制度体系，使机关效能建设有章可循。潮州在机关作风建设和评议中，先后制定和出台了《潮州市机关工作人员效能责任追究暂行办法》、《潮州市行政效能监察工作暂行规定》等重要文件，建立健全服务承诺制、首问负责制、限时办结制、失职追究制、效能考评制、公示制等各项制度，逐步形成了相对完整的机关效能制度体系。如果说完善制度体系是机关效能建设的基础的话，那么加强效能督察则是机关效能建设的关键。潮州市在机关作风建设和评议中，对市直

单位政务公开、服务质量、依法行政、履行职责、廉政建设和制度执行等情况经常开展督察或不定期暗访。另外，认真核实企业和群众的投诉，对违纪违规行为进行了严肃处理。“几年来共办理企业和群众的投诉358宗，对14个单位作出督查建议，对32名有关责任人给予效能告诫等效能责任处理。各机关和部门认真查摆、解决自身存在的效率低下、办事推诿、资源浪费等问题，改善了政务环境和经济发展环境，促进了潮州经济社会的全面发展。认真开展行风评议，在潮州广播电台开通‘潮州行风热线’，搭建政府与群众沟通的平台，解决了一批群众关注的热点难点问题。”①

4. 珠海——万人评机关越来越完善。

珠海自1999年以来，在全市开展万人评机关活动，开创了全省考评党政机关的先河。因此，万人评机关活动是珠海市机关作风建设活动的一个品牌。在近十年的万人评机关活动中，珠海市各级机关党组织非常注意不断调整和与时俱进。随着活动的开展，考评主题更加明确，考评程序更加公开，考评办法也日趋合理。近年来，珠海以建设服务型机关为目标，立足于争当排头兵，提高机关行政能力；立足于服务群众，提高机关服务水平；立足于加快发展，提高机关办事效率。逐步建立科学、规范、透明、高效的报建制度，为企业和群众办事提供“一站式”服务。推行政府部门代办制度，为重大项目提供行政服务“绿色通道”。建立实时在线电子监察系统，对每一单行政许可业务从登记到办结实行电子监控。在政府系统全面推行ISO9000质量管理体系，明确质量标准、办事路径和岗位职责。总之，珠海在万人评机关活动中，以建设服务型机关为目标，通过采取一系列创新措施，使考评工作年年有创新，有效地提高了机关的工作效率，受到了人民群众的肯定和好评。

5. 惠州——坚持“六抓”树立机关新形象。

惠州市在万人评机关活动中积累了许多经验，涌现了许多先进

---

① 季伟文：《韩水廉潮——潮州市十六大以来反腐倡廉工作回眸》，http://czljwh.chaozhou.gov.cn/.

典型。市社保局坚持“六抓”，树立机关新形象，则是一个突出的典型。自从2002年惠州市开展每年一次万人评机关活动以来，惠州市社保局紧密围绕市委、市政府中心工作，在抓好各项社会保险经办工作的同时，充分依照群众评议意见，坚持以思想建设为重点，以优质服务为主线，努力解决社会保险热点难点问题，全面树立社会保险机关新形象。该局的主要做法是：

（1）抓思想建设，强化队伍素质。该局领导班子充分认识到思想作风建设的重要性，高度重视干部职工政治理论学习和思想教育工作。近年来，通过组织干部职工收看形势报告和反腐倡廉录像片、发放理论学习书籍，组织参加政治理论考试、召开学习讨论会等形式，认真对照“八个坚持、八个反对”，不断提高干部职工政治思想水平。同时通过创“三优”文明窗口和换位思考大讨论等活动，进一步促使干部职工爱岗敬业，切实树立为民服务的宗旨。

（2）抓制度建设，提供制度支撑。近年来，该局从强化机制、规范管理入手，制定和完善了各项规章制度，把推进制度建设贯穿于机关作风建设工作的始终，实现作风建设制度化、规范化和长效化，相继完善和建立了干部职工学习制度、科长咨询值班制度、领导咨询接访制度、信访工作制度、机关作风建设暂行规定及业务操作规程等十几种规章制度。与此同时，该局致力把各项制度落到实处，对制度的执行做到“三到位”，即宣传到位、执行到位和追踪到位，从而保证全体工作人员职责清楚，责任追究及时，为群众办事踏实、明白，避免推诿、扯皮，有效克服了“四难”现象，促进服务质量和效率的提高。

（3）抓服务承诺，提高办事效率。为给参保对象提供更满意的服务，该局按照“依法、高效、服务”的原则，以群众是否满意为标准，向社会公开作出了29项办事服务承诺，并对原有的办事程序作了大幅度的调整和简化，对近年参保群众比较关心的退保、社保关系转移、参保患者住院及转院等11种业务办理手续进行了简化。通过简化相关办事程序，减少企业和参保人员来回跑动，大大缩短了办事时间，真正方便了群众办事、提高办事效率，

受到了参保对象的好评。

（4）抓政务公开，增加办事透明度。该局对政务公开工作非常重视，一直将其作为促进作风建设的窗口常抓不懈。为此，该局成立了领导小组，落实专人负责，并制作对内对外两个公开专栏，及时更新公开栏内信息。目前该局公开栏除办事程序、办事依据、办事机构等十几项内容以外，还包括了内部财务状况、干部任用、车辆使用等较敏感的内容。另外，该局对特定门诊、定点医疗机构及零售药店的审批分别在社保网和报纸上进行公示，对敏感事项实现阳光操作，最大限度地落实参保群众和工作人员的知情权、参与权和监督权。同时，充分发挥政务公开监督小组的职能作用，在三楼业务大厅设置了群众意见箱，向社会公布了投诉电话，自觉接受参保单位和个人的监督，提高了全局依法行政水平和服务水平。

（5）抓民心工程，解决重点、热点问题。为进一步提高该市社会保险统筹层次，有效增强社会保险的支付能力和调剂能力，惠州市委、市政府把社会保险市级统筹工作列为该市八项民心工程之一。根据省市的工作要求，惠州市社保局积极做好社会保险市级统筹各项工作。在市级统筹以后，该局一是及时实施新的管理模式，实现各县区经办机构由市社保经办机构垂直管理模式；二是制定业务操作规范，编印市级统筹文件汇编，开展市级统筹业务培训，确保全市范围内统一社保政策、统一业务流程、统一待遇计发标准；三是及时调整相关政策，特别是大幅提高参保患者住院待遇，让参保群众得到实惠；四是及时做好各项社保基金的请拨和调剂工作，保障全市各项社保待遇的按时足额发放。

（6）抓基础管理，提升服务质量。惠州市社保局在抓好日常经办工作的同时，还注重在创新服务上下功夫，不断完善各项基础服务设施和服务手段，促进服务质量的提高。一是坚持面对面的办公方式，增强办事人员与窗口工作人员的沟通，营造良好的办事氛围；二是加强信息系统建设，在启动惠州社保网站的同时，实现与市内各定点医疗机构的联网，方便患病群众就诊就医；三是抓好全局性的业务培训，以进一步提高工作人员的业务素质，提高机关工作效率和服务水平。经过以上努力，惠州市社保局在万人评机关活动中取得了良好的成绩，受到了惠州市委、市政府的通报表彰。

综上所述，广东机关党建一方面在主题实践活动中大胆创新，成效卓著。另一方面在纪律教育问题上常抓不懈，方法和形式也新意迭出。特别是通过万人评机关，切实转变了机关工作作风，树立了机关新形象。这些重要举措都经过了实践检验，取得了良好的效果，它将是今后进一步加强广东机关党建工作的重要基础和宝贵财富。

三、创建“三型”新机关

改革开放30年特别是党的十六大以来，广东机关党建围绕创建学习型、创新型、服务型机关建设，开展了大量的工作，实现了机关党建的与时俱进。2008年，广东省直工委进一步提出“三创建三促进”主题实践活动，把打造“三型”机关活动进一步推向了新的高潮。创建学习型、创新型、服务型机关，目的是为了促进解放思想、促进改革开放、促进科学发展。新形势下着力抓好“三型”机关建设的主要任务是：创建学习型机关，把科学发展观理论武装与改造主观世界结合起来；创建创新型机关，把科学发展观内涵与争当排头兵结合起来；创建服务型机关，把科学发展软环境要求与群众和基层诉求结合起来。通过创建“三型”机关这个载体，把贯彻落实科学发展观融入机关建设中，融入中心工作和各项业务工作中，融入机关党建的各个层次和环节中。

（一）创建学习型机关，促进思想解放

实现思想解放，首先要靠学习。贯彻落实科学发展观，要知道、了解、熟悉、研究、掌握科学发展观的内涵和理论体系。学习型机关建设是解放思想和贯彻落实科学发展观的第一道门槛。因此，促进思想解放落实科学发展观，必须在打造学习型机关上下功夫。近年来，广东机关党建主要是通过三个方面的工作创建学习型

机关的。[①]

1. 创建学习型党支部。

一般来讲，各级机关党支部都是建立在机关的处室之中。因此，创建学习型机关的关键是创建学习型的党支部。广东各级机关党的组织在创建学习型机关过程中，首先把注意力放到了学习型党支部的构建上。在创建学习型党支部活动中，广东省直机关走在了全省的前列。省直机关有近 11000 个基层党组织，17 万多名共产党员，11 万多名共青团员，40 多万名职工，党员都在党支部中管理和过组织生活，团员和职工也在党支部领导下的行政建制中工作和学习，因此，抓学习型机关首先抓住学习型党支部这个关键。近年来他们采取省直机关工委集中轮训和各单位培训的办法，每年都对党支部书记培训一遍，通过集中培训，把科学发展观理论武装到党的最基层组织，实现中央和基层息息相通。近七年来，省直机关工委和省直各单位培训 7 万多名党支部（总支）书记，同时，还通过“双带”即党支部带团支部、带职工学习的办法，把学习科学发展观理论在人员上全覆盖。省直机关呈现出一批学习型党支部先进典型，比如省委宣传部理论处党支部书记带头刻苦学习，带动了全支部党员学习，形成了“你学我学大家学，一人带动人人学”的良好学习氛围，实现了学习型支部建设的制度化、规范化、常态化，提高了机关建设整体水平，创建学习型党支部成效明显。

2. 建立学习的长效机制。

近年来，广东各级机关党的组织建立健全了党支部书记培训、机关党委办主任（党群工作部负责人）培训、党员和入党积极分子培训等制度，通过举办培训班、召开会议、组织名师专家辅导讲座等方式，集中进行培训。比如，在 2006 年开展的排头兵实践活动中，在珠海和广州举办了市、县（市、区）机关工委书记和省

---

① 参见中共广东省直机关工作委员会：《不断加强“三型”机关建设，争当落实科学发展观的排头兵——省直机关一年一个主题实践活动探索机关党建与中心工作有机结合相互促进的体会》。

直单位机关党委专职副书记（党群工作部负责人）培训班和研讨会，认真学习研究科学发展观等党的创新理论，进一步统一了思想，提高了认识，有力地推动了排头兵实践活动在全省县以上机关统一行动和深入开展。近七年来，仅省直机关工委党校就培训了近6万人次。广东各级机关党的组织高度重视加强学习型机关建设，建立健全学习型机关建设长效机制，把理论学习与业务学习结合起来，把集中学习与个人自学结合起来，把知识学习与技能学习结合起来，把“请进来”与“走出去”结合起来，用制度规范管理，保证了学习的时间、人员、内容和效果，比如，省民族宗教事务委员会、省司法厅、省物价局、广州海洋地质调查局等单位，党组（党委）高度重视，一把手带头学习，及时健全、完善了学习型机关长效机制，努力打造学习型机关。另外，各级机关党的组织还特别注意定期组织大型专题讲座。比如，省直工委根据党的创新理论的发展，紧密配合重大决策决议出台，结合社会普遍关注的热点、难点、焦点问题和重大疑难问题，根据机关实际，每年精心组织、统筹安排3至5个高质量、上档次、针对性强、信息量大的大型专题报告，都收到了良好的效果。

3. 培养学习的先进典型。

在创建学习型机关中，各级机关党的组织始终注意发现学习的先进苗子，坚持悉心培养学习的先进典型，并在广播电台、电视台、网络、报纸等新闻媒体和《跨越》杂志、主题实践活动简报上进行大力宣传。同时，把学习列入先进评比的一项重要内容，实现学习与先进表彰挂钩，通过典型带动，推动全面学习，形成了良好学习氛围。比如，在每年各类先进评选中，省直机关工委坚持把学习型机关作为重要条件之一，并让学习型先进单位和先进个人在各种大会上发言，介绍做法和经验。

（二）创建创新型机关，促进改革开放

创新是一切事物发展进步的不竭动力，也是新的形势对机关党的建设的重要要求。各级党政机关是党的路线方针政策的制定者和

执行者，在建设创新型国家的今天，承担着更多的责任和义务，机关自身首先要成为创新型的组织。广东各级机关党组织在创建创新型机关中主要是思路创新、通过典型推动创新和以工作创新带动创新型机关建设。①

1．思路创新与创新型机关建设相得益彰。

思路创新是整个创新的首要问题，又是关键问题。广东各级机关党的组织把创新发展思路作为衡量创新型机关建设和促进改革开放的重要条件。看出台创新发展思路有多少条，看落实创新发展思路力度大不大，看落实创新发展思路的成效明不明显，从而有力地推动创新发展思路，推动科学发展观的落实。广东近年来通过创新型机关建设，大力推动了各单位工作的思路创新和工作发展。比如，省高级人民法院创新发展思路，有 11 项工作被最高人民法院转化为司法解释或作为决策依据。又比如，省农垦集团公司党委勇于创新发展思路，提出了“以农为本，优化结构，安居乐业”的农业产业化发展思路，使广东农垦发展实力和规模连年上升，面貌焕然一新。另外，每年评选先进都把创新作为衡量机关党建工作优劣的重要条件之一，在同等条件下，创新成果突出的优先选拔。2008 年省直工委出台了一系列评选创新成果的文件，作为“三型”机关建设一项主要内容，结合“七一”评选表彰，共表彰了 54 项创新成果，并通过大会交流等形式在省直机关广泛宣传和推广，产生了积极影响。

2．通过典型示范推动创新型机关建设。

抓什么样的典型关系到党建工作与中心工作、业务工作是否能够有机结合、高度融合的引路问题。广东各级机关党的组织始终注重发现、培养、推广中心工作与业务工作的典型，并把这种典型的推广作为机关党建“分内”的事，作为机关党建推动发展的有力

① 参见中共广东省直机关工作委员会：《不断加强“三型”机关建设，争当落实科学发展观的排头兵——省直机关一年一个主题实践活动探索机关党建与中心工作有机结合相互促进的体会》。

举措。在新闻媒体、在汇报座谈中，在各种观摩、现场会中，让业务创新典型展示形象，回报成绩，介绍体会，使从事业务工作的领导和同志有一个展示能力的机会。在省直机关工委每年抓的各类典型中，业务工作典型占各类典型的一半以上。

3. 工作创新与创新型机关建设相互促进。

近年来广东在推进创新型机关建设中，通过工作创新打造创新型机关，同时，建设创新型机关进一步推动机关工作的创新。广东干部人事制度改革就是一个生动的案例。广东省把引入竞争机制作为干部制度改革的重点，把公开选拔和竞争上岗作为推进干部人事制度改革的突破口，不断拓宽选人用人渠道，增强干部队伍的生机和活力。据统计，1999年下半年以来，全省21个地级以上市的市直机关以及103个县（市、区）进行了竞争上岗试点，3482名科级以上党政干部通过竞争上岗走上了领导岗位。同时，全省还有62个县（市、区）拿出了一定职位面向社会公开选拔，共公开选拔科级以上领导干部727名。广东省在干部制度改革中始终坚持以扩大民主为改革方向，不断加大群众的知情权、参与权、选择权和监督权，扩大党内民主。广东省以打破“铁交椅”为突破口，积极探索干部“能下”的途径。许多地方通过推行试用期制、任期制、聘任制以及待岗制等办法，打破了以往“一纸任命定终身”的弊病。随着全省干部制度改革向纵深推进，全省干部人事制度改革工作出现了新气象，一大批政治坚定、业务熟练的高素质干部走上了领导岗位，干部队伍的整体素质得到明显提高。在全面落实科学发展观的今天，随着创新型机关建设的不断推进，广东干部制度改革继续深化，正在确立“善于科学发展的人上、不会科学发展的人让、阻碍科学发展的人下”的用人导向，按照都市发展区、优化发展区、重点发展区和环境保护区四个功能区的定位，制定新的干部考核评价体系和办法。由此可见，广东干部制度改革等各项工作推进着创新型机关的建设，创新型机关建设反过来又进一步推进机关各项工作的开展，形成了一个生动的相互促进的历史发展过程。

（三）创建服务型机关，促进科学发展

创建服务型机关是建设服务型政府的实际步骤，更是落实科学发展观的重要举措。建设服务型政府需要服务型机关来承载，没有服务型机关的建立，服务型政府也就成了空中楼阁。因此，建设服务型政府、促进科学发展，要求努力打造服务型机关。近年来，广东各级机关党的组织正是着眼于建设服务型政府和实践科学发展观的大局，在打造学习型机关、创新型机关的同时，也在努力打造服务型机关。

1. 大力倡导服务理念。

广东各级机关党的组织要求广大共产党员按照“为民、务实、清廉”要求，把服务基层、服务群众、服务大局、促进科学发展与社会和谐作为机关工作的出发点和落脚点，牢固树立求真务实理念和人民公仆意识，坚持调查研究，一切从实际出发，不唯上、不唯书，只唯实；坚持办实事、务实效、求实绩的政绩观，俯首为民办事，贴心为民解难；坚持脚踏实地地工作，一件一件抓落实；坚持倾听民声，体察民情，了解民意，确保各项方针政策、各项工作部署都从人民的根本利益出发，充分调动群众的积极性和创造性。近几年来，广东各级机关普遍推行行政问责办法、服务承诺制、首问责任制、限时办结制等四项制度，大力倡导依法办事、公正廉明、热情服务、细致周到的文明行政行为，积极推动政府职能转变，进一步增强和提高机关服务人民的意识和能力，“吃、拿、卡、要、报、占”的不良风气大为减少，“门好进、脸好看、话好听、事好办”的优良作风不断增强，共同推进广东的改革开放和科学发展。

2. 大力推动行政审批制度改革和创新。

行政审批制度改革和创新是业务部门的工作，但是机关党组织有责任为推进这项工作创造条件、营造氛围。否则，创建服务型机关就失去了意义，成为毫无价值的口号。因此，广东各级机关党的组织非常注意行政审批制度的改革与创新问题。以省直机关工委为例，他们通过省直机关党建工作引导、推动行政部门重视这项工作，对在这个方面取得的进展和成效，及时总结表彰，树立榜样，给予肯定，营造改革和创新氛围。同时，要求严格执行《行政许可法》，稳步推进行政审批制度改革，有行政审批职权的单位和部门，要公开包括办事项目、内容、时限、程序、结果等所有行政审批事项；要积极利用科技手段，深化改革行政审批的方式方法，根据实际情况，尽量实行网上审核审批；要进一步简化审批手续，实行“一站式”、“一条龙”、“一个窗口进出”的办事方式。省海洋与渔业局为渔民减少5500多万元负担。省建设厅加大行政审批制度改革，2005年7月就设立了对外办公窗口，统一受理行政许可申请事项，在网上还开通了“广东省建设厅行政许可办事一站式服务系统”。后来，又将20项行政许可项目从6个业务处室划出，集中到新成立的行政服务中心统一办理，将受理、审核、审批、发证、监督“五权”分设和集中，实现了审批与监管相对分离，减少了审批环节，为申请人提供更优质更快捷的服务，按时办结率达到100%。[①]

总之，改革开放30年，广东机关党建在加强中改进，在改进中加强，进一步明确了工作思路，确定了工作重点，取得了新的成就，谱写了新的篇章。特别是坚持开展主题实践活动，一年一个主题，使机关党建工作风风火火，成绩斐然。紧紧抓住机关作风建设这个难题，持续开展纪律教育月活动，扎实推进万人评机关活动，取得了良好的效果。全面开展学习型、创新型、服务型的“三型”机关建设，为进一步提高机关工作效能创造了条件。随着形势的变化和发展，面对新的挑战，广东机关党建一定会继续创新，与时俱进，演奏出更加动人的美好乐章。

① 参见中共广东省直机关工作委员会：《不断加强“三型”机关建设，争当落实科学发展观的排头兵——省直机关一年一个主题实践活动探索机关党建与中心工作有机结合相互促进的体会》。

展　望　篇

反思昨天，艰难探索有收获也有遗失：广东党建积累了许多宝贵经验，创造了具有广东特色的党建品牌，发现了一些值得关注的现实问题。

面对今天，继续前行有思考也有启示：创新是政党充满活力的源泉，保持先进性是政党自身建设的核心，为民掌权是执政党建设的根本。

眺望明天，前路迢迢有风雨也有彩虹：风雨中该坚守社会主义价值理性，风雨兼程有赖党与社会良性互动，实现执政党自身现代化可望迎来雨后彩虹。

第九章
广东党建历史总结

党的建设是中国革命和建设取得伟大成就的法宝，同样也是改革开放以来广东省经济和社会发展取得巨大成就的法宝，是广东省经济和社会实现跨越式发展的前提和根本保证。改革开放30年来，中共广东省委带领广东各级党组织和广东人民共同努力，战胜了各种困难，克服了各种障碍，实现了广东经济和社会发展的历史性飞跃。深刻总结这30年来广东省党的建设取得的伟大成就和历史经验，是进一步加强和改进党组织自身建设的需要，也是实现广东省经济和社会可持续发展的需要。

一、广东党建历史经验

广东改革开放30年来所取得的辉煌成就离不开广东各级党组织的正确领导，离不开党组织自身建设的创新与发展。回望改革开放30年来广东党建的光辉历程，值得总结的经验至少有以下几个方面。

（一）实事求是是党建的法宝

党的建设必须围绕党的政治路线和中心工作来进行，这本来是早已定论的历史经验。可是，由于受“文化大革命”中林彪、“四人帮”的影响，全国人民普遍存在着恐“右”症，由此导致党的建设脱离改革开放的生动实践。恐“右”症主要表现为两种情况：

一种是怕人家“右”，天天去反；一种是怕自己“右”，被人家反。于是人们错误地认为，“左”比“右”好，认为“左”保险，“右”危险，因而进一步认为宁“左”勿“右”。[①] 这种错误思想的存在，严重地影响了党的工作重点向以经济建设为中心转移。为了消除这种错误思想的影响，十一届三中全会以后，中共广东省委认真地开展了对真理标准问题的讨论，帮助广大干部群众进一步解放思想，引导他们充分认识改革开放不仅是时代的要求，也是富民强国的必然选择。在这种思想的指导下，中共广东省委认真地平反冤假错案，落实干部政策和华侨政策，充分调动各方面的积极性，为港澳同胞和海外华侨回来投资打下了基础；认真地贯彻落实十一届三中全会提出的各项农村工作政策，提高粮食收购价格，开放农贸市场，放宽自留地等，充分调动农民的积极性；认真地分析广东实际情况，率先向中央领导提出在广东沿海地区划出地方搞出口加工区。

改革开放之初，人们的思想观念仍然处于旧体制和旧观念的束缚之中，对于什么是社会主义，什么是资本主义，如何建设社会主义的问题依然认识不清。国内存在着种种把个体经济、私营经济等同于资本主义经济，把市场经济等同于资本主义，把计划经济等同于社会主义的看法，对社会主义国家应不应该搞改革开放，应不应该发展个体经济和私营经济的争论以及对引进外资等种种问题的争论。面对复杂的形势，面对各种关于姓“资”还是姓“社”的争论，中共广东省委坚持一切从实际出发，理论联系实际，实事求是，对那些确实存在的错误倾向予以整改，对那些有利于发展经济、有利于调动人民积极性的好的政策措施予以鼓励。正如原中共广东省委书记任仲夷同志所说的，“一计不成，再生一计，但要强调计计不离党的政策，计计不离社会主义，计计不离国家、集体、个人三者利益，计计都要促进生产发展。”这对打破当时的思想禁

① 《坚决扫除恐“右”症，切实搞好思想转移》，《南方日报》1979年3月11日，第1版。

锢，促进经济社会发展具有重要的意义。

1984年，中共广东省委又明确提出用足用活中央给予的特殊政策和灵活措施的三条方针：政策规定有许多条，为了办成于国于民都有利的事情，要积极找出对办事有利的政策根据，去扶持、去帮助，而不应找根据去卡；政策规定本身允许灵活的，则应从有利于生产和搞活经济的方面理解，结合实际灵活执行，而不是相反；对于国于民都有利的事，如果从现有文件找不到根据，可以试点，在试点中允许突破现有规定，并及时总结经验。这三条方针成了当时中共广东省委带领广东各级党组织和广东人民按照党中央指示“杀出一条血路”的利剑。而中共广东省委之所以能够制定出这些政策方针，完全是立足于广东实际，从当时广东经济发展的实际出发，从当时党中央对广东提出的发展要求出发，大胆地解放思想，实事求是，为广东经济发展扫除障碍物，为实现广东经济起飞创造了重要前提条件。

正在人们对经济特区议论纷纷之时，邓小平于1984年亲自来到深圳和珠海经济特区，并为深圳、珠海经济特区题词，充分肯定和支持了广东经济特区的探索和实践，为围绕特区而展开的各种纷争作出了权威性的总结，充分肯定了广东在改革开放进程中“摸着石头过河”和“大胆地试，大胆地闯”的精神。

20世纪80年代末90年代初的苏联解体和东欧剧变，我国引起了巨大反响，受此影响，国内“左”的思想再次死灰复燃，给改革开放带来了不少阻力。面对关于社会主义何处去、改革开放何处去的重大问题，中共广东省委始终坚持实事求是的思想路线，敢为人先，敢于实践，得到了党中央和邓小平的高度认可。特别是邓小平于1992年视察南方发表的重要谈话，再次充分肯定了中共广东省委在改革开放中发挥的重要作用，充分肯定了广东经济特区发展的辉煌成就，也明确地向世人指出深圳和珠海等经济特区姓“社”不姓“资”。在谈话中，邓小平明确地指出，“改革开放胆子要大一些，敢于试验，不能像小脚女人一样。看准了的，就大胆地试，大胆地闯。深圳的重要经验就是敢闯。没有一点闯的精神，没有一点‘冒’的精神，没有一股气呀、劲呀，就走不出一条好路，走不出一条新路，就干不出新的事业。”① 邓小平的谈话，打破了长期以来人们将计划经济等同于社会主义，市场经济等同于资本主义的传统观念束缚，彻底解放了人们的思想观念，统一了人们的思想认识，在党内形成了共识，有力地促进了改革开放向前推进。

正是中共广东省委始终坚持解放思想、实事求是的思想路线，立足国情和广东实际，迎难而进，带领广东人民大胆地试，大胆地闯，使广东改革开放闯过一个又一个难关。30 年来改革开放所取得的伟大成就，有力地证明了：实事求是是解放思想的前提和基础，什么时候我们能够做到实事求是，什么时候我们就能够真正地解放思想；什么时候我们能够真正做到解放思想、实事求是，我们的各项工作就能够取得重大突破；什么时候我们能够真正做到解放思想、实事求是，我们的改革就能够顺利推进。正如邓小平所说的：“我们取得的成就，如果有一点经验的话，那就是这几年来重申了毛泽东同志提倡的实事求是的原则。中国革命的成功，是毛泽东同志把马克思列宁主义同中国的实际相结合，走自己的路。现在中国搞建设，也要把马克思列宁主义同中国的实际相结合，走自己的路。”② 原中共广东省委书记林若在回顾广东改革开放 20 年时也曾指出：“如果思想不解放，上面没有说过的话不敢说，过去没有做过的事不敢做，因循守旧，就谈不上改革开放。”“一种新的思想观念、新的改革措施的出现，往往会碰到徘徊观望甚至争论。不解放思想，就树立不起敢闯敢冒的探索精神，就难于闯过一个个改革的难关。”③ 可以说，广东改革开放 30 年所取得的辉煌成绩首先得益于广东各级党组织始终坚持了解放思想、实事求是的思想路线，始终坚持了从实际出发和敢为人先的开拓精神，并为全国做出了表率。这就是广东改革开放最首要的基本经验。

---

① 《邓小平文选》第 3 卷，人民出版社 1993 年版，第 372 页。

② 《邓小平文选》第 3 卷，人民出版社 1993 年版，第 95 页。

③ 林若：《回顾广东改革开放二十年》，《广东社会科学》1999 年第 1 期。

进入2008年以来，广东省各级党组织又一次在全国率先提出了进一步解放思想的口号，并且在党员干部中开展了广泛深入的讨论。省委主要领导提醒全省各级党组织："我们必须认识到，再不解放思想，锐意进取，用改革创新来解决问题，广东排头兵的位置将难以自保，全面实现小康的目标将难以实现！"新一轮思想解放运动的开展，引导广东人民尤其是广大党员干部对改革开放30年来的成败得失进行了深刻的反思，找到了广东的差距和不足，唤醒了广东人的危机意识，明确了广东未来发展的方向，又一次吹响了率先实现小康目标的号角。

（二）巩固党的执政基础是重点

基层党组织是党的全部工作和战斗力的基础，是党联系广大群众的桥梁和纽带，是贯彻执行党的路线方针政策的排头兵。巩固党的执政地位必须首先巩固党的执政基础，必须加强基层党组织建设。正是基于对基层党组织重要地位的认识，2003年3月，中共广东省委九届三次全会通过了《关于实施固本强基工程全面推进党的基层组织建设的决定》。

改革开放和市场经济的快速发展，推动了广东社会的全面进步，增添了新的活力。同时，也暴露了一些新情况和新问题，广东党的基层组织也出现了一些新的变化和亟待解决的问题：有的软弱涣散，不能发挥战斗堡垒作用；有的放松了对党员的教育管理，组织生活不正常；一些基层党组织缺少年轻党员，支部工作缺乏活力；一些党员党性观念淡薄，不能发挥先锋模范作用；一些基层党员干部作风不正，脱离群众。

固本强基工程为基层党组织建设找到了一个有效载体。全面推进党的建设新的伟大工程，必须高度重视并切实做好抓基层、打基础的工作。广东各级党委纷纷行动起来，把固本强基作为"一把手工程"来抓，形成了党委负总责、书记亲自抓、齐抓共管、上下联动的基层党建工作格局。各级党委组织部门都制定了具体的工作方案和组织措施，新闻媒体进行了广泛的宣传报道，有效推动了

固本强基工程的全面实施。

实施固本强基工程的基本要求是抓好基层，打牢基础。而做好这项工作的关键就是加强基层班子建设，完善党员队伍的管理。

农村工作要依靠农村干部带领群众去做，农村干部素质的高低直接影响农村改革和发展的成败。因此，必须选准用好农村干部，全面提高农村基层干部素质。一是要选拔配备好村两委领导班子；二是要选好配强村两委带头人；三是要加强对村干部的教育和培训。为了适应农村改革和发展的要求，提高村干部的综合素质和工作能力，广州市农村换届选举普遍实行“两推一选”的做法，创新了农村干部选拔任用机制。

各地农村在实施固本强基工程的实践中，重点抓了村级领导班子建设和贫困落后村的整改工作。农村老百姓常说：“村子富不富，关键看支部。”一个团结自律的好班子、一个凝聚党心民心的党支部，就能带领群众走上致富路。广东各级党委在实施固本强基工程过程中，重点抓了农村基层两委班子建设。采取“选”、“派”、“挂”等多种形式，选准配强村党支部书记。通过实施固本强基工程，广东农村基层组织建设取得了新进展。据统计，2003年广东全省共排查和整治问题相对突出的镇40个、村458个，一大批涉及群众切身利益的突出问题得到了解决，农村面貌发生可喜变化。农村党员联系村务和联系群众工作责任制不断加强，据各地组织部门统计，参与联系的农村党员达85.8万人，联系农户209.2万户，党群干群关系进一步密切。“千村扶贫”工程成效显著，1320个贫困村的集体经济年纯收入达到3万元以上。省财政拨出5000万元，对村干部“以奖代补”，全省83%行政村的村干部月报酬达300元以上，村干部的待遇有了保障，工作积极性得到进一步提高。

城市社区固本强基工程，重点是建立一家、一站、一中心的三级管理和服务网络。随着城市党员大量向社区转移，社区党组织建设日益成为基层党组织建设的一个重要领域。为了加强对社区党员的管理，充分发挥党员在和谐社区建设中的作用，广州市越秀区率

先建立了“一家、一站、一中心”的三级管理服务网络。“一家”，即在各社区居委会建立寓教育管理于服务之中的“党员之家”，充分利用社区党组织与党员联系密切的特点，以服务为纽带，将社区党员维系、团结在社区党组织周围；及时了解党员的需求，帮助他们解决实际困难，激发党员增强党性的原动力和对组织的归属感；引导党员走出家门走出楼道，积极参与服务群众，建设平安和谐社区的工作。“一站”，即各街道党工委依托社区服务中心建立和完善党员服务站，为各社区党组织和辖内单位党组织开展党内活动提供阵地；为党员提供就业、职业培训、文化学习、信息交流服务；组织社区党员开展丰富多彩的主题实践活动；组建和管理党员义工队伍，为有需要的党员和社区群众提供服务等。“一中心”，即区级建立集政策咨询、业务指导、组织协调、资源整合、党务服务、扶贫解困、教育培训和管理创新等功能于一体的区级党员管理中心，不断拓宽党内服务领域，提高党员管理社会化、规范化和网络化程度，进一步扩大党的基层工作覆盖面。

越秀区的社区党建经验得到了广东省委和广州市委的充分肯定，对全省各地城市社区党组织建设产生了广泛影响，并且取得了良好的效果。

此外，广东省一些主要城市为了实现社区党建资源的优化整合，普遍建立健全了社区党建工作的协调机制。为了强化街道、社区党组织在地区性、社会性、公益性、群众性工作中的组织协调功能，广州、深圳等城市从建立社区党建工作协调机制入手，构建资源共享、优势互补和共驻共建的党建工作格局。

在实施固本强基工程的过程中，党员的先进性得到了充分展现，涌现出一大批身体力行“三个代表”重要思想、执政为民、无私奉献的共产党员。尤其是在抗击“非典”斗争中，医疗卫生战线的基层党组织和共产党员，充分展现了共产党人崭新的精神风貌和高尚品格，展示了以共产党人精神为核心的“抗非”精神，为新时期广东人精神增添了新内涵。胡锦涛总书记在抗击“非典”的关键时刻来到广东视察，对广东实施固本强基工程，给予了充分

肯定，指出“这项工作看得准、抓得好”，并强调：“加强党的建设，必须坚持抓好基层、打牢基础。要坚持把‘三个代表’重要思想体现到基层党建的总体部署中去，落实到基层建设的各个环节中去，并把贯彻落实‘三个代表’重要思想的成效作为检验基层党建工作的根本标准。”曾庆红同志到广东视察工作时，也对固本强基工程给予了高度评价。

（三）阳光下的民主建设是亮点

执政党执掌着国家政权，执政党的党员干部尤其是各级领导干部手中都拥有一定的权力，党员干部的作风关乎执政党的生死存亡。执政党要确保权为民所用，执政党的领导机关和各级领导干部就必须接受人民群众的监督。一是要让权力在阳光下运行。党的十七大报告明确指出：确保权力正确行使，必须让权力在阳光下运行。对权力主体、权力运行的各个环节、有关政策和法律，以及与人民群众利益相关的重大事件都要及时向人民群众通报。任何时候都不要隐瞒事实，不要掩盖真相，要确保群众对公共事务的知情权。二是要为公众评判权力创造条件。人民群众对国家政治生活不仅要有知情权、选择权，而且应该有参与权和监督权。人民群众参与社会政治生活、监督公共权力的一项重要内容就是对公共权力运行是否代表和体现人民的利益进行客观评判。各级党委和政府不能堵塞言路，要创造条件发挥好舆论监督作用，增强监督合力和实效。三是要完善权力体系自身的纠错机制并及时向公众反馈纠错信息。各级人大不仅要进一步完善选举制度和选举程序，还要健全质询和问责制度；各级人民代表大会要授权人大常委会聘请社会审计机构对公共权力部门进行随机抽样审计；要建立和完善引咎辞职、罢免等制度，为不称职干部开辟退出通道。要进一步健全党委和政府的新闻发言人制度，及时向社会公众通报公共权力机关的纠错信息并接受公众的质询。历届广东省委都坚持认为：让权力在阳光下运行、让人民群众参与对公共权力的监督是确保公共权力为公众服务的重要前提。

1. 建立和完善巡视制度。

2004年1月，中共广东省委决定建立巡视机构并将开展巡视工作作为一项政治任务来抓。2月27日，省编委下文设立5个省委巡视组和省委巡视工作办公室，核定35名行政编制和8名事业编制（巡视组组长不占编制）。3月31日，省委常委会议通过了5个巡视组组长、副组长和巡视工作办公室主任的任职决定，其他巡视工作人员陆续到位。4月28日，广东巡视机构正式挂牌。这标志着广东省巡视工作进入一个全新的发展阶段。

巡视机构正式成立后，5月31日，省委派出5个巡视组分赴惠州、江门、梅州、茂名、清远等地开展为期两个月的首次巡视；11月1日，省委派出第二批巡视组对省司法厅、省卫生厅、省工商行政管理局、省地方税务局、省海洋与渔业局等省直机关进行为期近两个月的巡视。这是省委巡视机构正式成立后首次对地级市和省直单位开展巡视。首次巡视达到了预期效果，受到中央、省委的充分肯定和广大干部群众的欢迎，初步打开了广东巡视工作的局面。

广东于2007年制定出台《对省管党政领导班子和领导干部实行“一年一巡视、一年一评议、一年一谈话”制度试行办法》，旨在健全事前监督机制，发挥“廉政保洁”作用，切实加强对省管领导班子和领导干部的有效监督。

一年一巡视。每年对地级以上市和省直重点部门巡视一次。巡视地级以上市的时间一般为一个月左右，省直单位一般为半个月左右。将省委巡视组由现在的5个增加到13个，新增巡视组正副组长常设，工作人员在省直机关抽调，每年定期轮换。

一年一评议。主要了解领导班子和领导干部履行职责情况及领导干部德才表现。评议工作由省纪委、省委组织部具体组织实施，各地各单位党委（党组）协助，既可结合党委全委（扩大）会进行，也可单独组织。评议地级以上市党委、政府领导班子和领导干部时，评议人员应包括同级党委、人大、政府、政协领导班子成员，纪委副书记，党委、政府工作部门主要负责人，县（市、区）

党委、政府主要负责人以及其他需要参加的人员；评议省委、省政府工作部门及省法院、省检察院、省总工会、团省委、省妇联领导班子和领导干部时，评议人员应包括评议对象所在单位全体机关干部，所属下级单位中层以上干部以及其他需要参加的人员。还可通过适当方式吸纳来自基层的党代会代表、人大代表和政协委员参加。评议内容：一是贯彻落实科学发展观，执行党的路线方针政策和上级决策、决定及工作部署情况；二是履行职能，完成工作目标的情况；三是坚持民主集中制，实行民主科学决策，维护班子团结以及处理和协调各方面关系的情况；四是在干部选拔任用工作中执行党和国家有关规定的情况；五是执行党的群众路线，实现、维护、发展人民群众根本利益，解决民生和损害群众利益问题，构建社会主义和谐社会的情况；六是依法行政，履行党风廉政建设责任制和遵守廉洁从政规定的情况。每项目的评议意见分为好、较好、一般、较差4个档次。

一年一谈话。在巡视和评议的基础上，有针对性地开展谈话，通报巡视、评议的有关情况；听取意见和建议；进一步了解核实有关情况和问题；肯定成绩，指出存在问题，提出希望和要求。班子正职由省领导同志负责谈话，副职一般由班子正职负责谈话；各地级以上市党委、政府领导班子其他成员也可由省领导同志进行谈话。根据工作需要，并受省委委托，省纪委、省委组织部负责人和省委巡视组正、副组长可与谈话对象进行谈话。谈话一般个别进行，必要时进行集体谈话。谈话结束后，谈话人填写统一制式的《领导干部谈话情况登记表》。

“一年一巡视、一年一评议、一年一谈话”工作在省委统一领导下，由省纪委、省委组织部负责组织实施。巡视、评议、谈话结果，送省纪委、省委组织部备案，作为领导班子调整和领导干部选拔任用、培养教育、奖励惩戒的重要参考依据。

据统计，仅2007年度广东省委巡视组、巡视办共完成对5个省直机关和13个地级以上市的巡视，巡视期间开展个别谈话3259人次，召开座谈会140个，发放征求意见表5086份，处理信访

2355件次，实地考察504次，发现了个别领导干部的违纪行为线索，解决群众反映的突出问题17件，对13个地级以上市党政班子和199名领导进行了民主评议，充分发挥了巡视监督作用。

2. 重点加强对一把手的监督。

《中国共产党党内监督条例（试行）》第三条指出："党内监督的重点对象是党的各级领导机关和领导干部，特别是各级领导班子主要负责人。"这是对党内监督历史经验和教训的高度总结所得出的正确结论。各级领导班子主要负责人就是俗称的"一把手"。党内监督是对党政部门、企事业单位等我国现行组织单位中的主要领导干部，特别是主要党员领导干部进行的一种监督管理。

我们党实行的是集体领导和个人负责相结合的制度。以前由集体行使的权力，相当大的部分又必然转变为由权力个体来行使。这样，党内民主监督的重点对象就是党的各级领导机关和一把手。还由于一把手在各级领导班子和全局工作中处于核心地位，起着关键作用，肩负全面责任，手握"绝对"权力；由于一把手在很大程度上影响着一个地区经济社会的发展进程，影响着一个地区党风、社会风气乃至整个干部队伍建设的水平，所以一把手必然和必须成为监督对象中的重点。孔子说过："政者，正也。子帅以正，孰敢不正。"政就是正，一把手带头走正道，谁还敢不走正道。实践证明，只有对一把手进行强有力的监督，才能使党内民主监督走向正常化道路。加强对一把手的监督，关乎全局，涉及长远，是"三个代表"的必然要求。

广东省委书记张德江在任时提出要切实加强对一把手的监督。要健全制度，使其滥用权力"不能为"；建立具有强大约束力的事前监督与事后惩罚机制，使其"不敢为"；创建适合国情的以俸养廉、以俸养能的从政制度，使一把手对以权谋私"不必为"；实行领导干部廉政谈话、诫勉谈话、警示谈话和廉政承诺、廉政情况报告、重大事项报告、离任审计等制度，使一把手对腐败"不愿为"。要切实加强政治纪律、组织纪律、经济工作纪律和群众工作纪律的监督。党内监督是党的自我监督，其形式有同级纪委对党委

的专门监督、上级党委对下级的巡视制度以及体现民主集中制原则的各种工作制度等。

2004年2月省纪委第三次全体会议专门提出对一把手的监督问题，提出从筑牢基础、健全制度、严明纪律、抓好外围四个方面加强监督，切实改变对一把手监督不到位的现象。省委从1996年起开展巡视工作，2004年正式成立巡视机构。在深圳宝安区、惠州市等地展开党代表常任制试点，以探索党委接受党代会和全委会监督的有效途径和方式。此外还有党外监督，包括人民政协以协商讨论、批评建议为主要形式的民主监督。为加大反腐倡廉力度，2005年1月，广东省纪委正式提出，要在2007年初步建立起惩治和预防腐败体系的基本框架，到2020年建成完善的反腐败惩防体系。在此前后，广东省相继制定和实施了一些重要的党内法规和行政性规章制度，如《关于违反金融法律法规行为纪律处分暂行规定》等。

广东各级党组织加强对一把手的监督重点抓了以下三个环节：

一查：对一把手的权力经常进行检查。检查权是监督权力的基本构成要素之一。它是指监督主体对监督对象行使的权力进行调查、检查，是为更好地行使知情权等权力所采取的带有强制性和约束力的手段和方式。对一把手的监督，主要是强调对使用权力的监督；强调对一把手的监督，其重点也在加强对一把手权力范围、权力标准、权力运作程序的监督。

广东省主要采取把对一把手的上级监督与下级监督有效地结合起来，特别是强调上级纪检机关对下级一把手的监督以及巡视制度。“巡视”的实质主要是针对一把手的监督。广东新增35个行政编制，组建5个巡视组，对所有的市及重点的厅局开展巡视，重点检查党政一把手的廉洁自律情况。领导干部的家属、子女，能干什么职业、不能干什么职业都有明确规定。这些都是检查的内容。

二控：对重大事项决策权的运作过程实施有效监控。重大事项决策主要包括重大问题的决策、重要干部任免、重要建设项目安排和大额度资金使用等问题。重大事项决策正确与否，对一个地区、

一个单位的建设和改革有着至关重要的作用。因此，必须对重大事项的决策权进行监控，有效防止一把手花钱“一支笔”、用人“一口说”、决策“一手拍”的不正常现象的出现。

广东省委在重大事情上采取的是议事制度。注重发扬党内民主，健全规范党委班子的议事制度，形成一把手只有一票的权力，改变其对大小事都有绝对否决权的不正常现象。

三防：建立起一把手防范的预警体制。在中国现阶段监督机制中，比较注意到事后的监督，但对事前监督重视不够。恰恰是事前监督，可以有效地预防对党和人民的事业造成的损失。多年来，广东各级党组织一直坚持了一把手的述职述廉制度，要求一把手要向干部群众述廉述职。上级机关对主要领导干部的考评，不仅要看GDP，还要评价该单位党的建设情况；要看一把手在群众中的公认程度，还要看他身边的工作人员、家庭成员的表现情况。一把手在一个单位、地方工作不能超过五年，秘书的职位也有若干规定。

一贯具有超前意识的广东，在对一把手实施监督方面，再次走到了全国的前列。

3. 发展基层民主，推动群众有序的政治参与。

执政党的各级组织尤其是领导干部手中都掌握着一定的权力，如果不能正确认识手中的权力，不注意引导群众参与社会政治生活，就容易导致自己由人民的公仆变成人民的主人。为了有效解决这个问题，广东省委要求各级党组织必须把加强党的建设与引导群众参与社会政治生活和公共事务结合起来，实践中也积累了非常宝贵的经验。其中，比较成熟的实践是惠州实施的“四民工作法”。所谓“四民工作法”就是将农村各项公共事务按照“民主提事、民主决事、民主理事、民主监事”的要求纳入制度化的轨道。乡镇党委和村级党组织运用这种制度化手段，引导广大基层群众遵循既定的议事规则和程序，积极参与农村社会公共事务，力求涉及公众利益的重大事项每一个环节都有群众参与，以达到顺应民意、彰显民权、集中民智、凝聚民心和实现民利的目标。

一是顺应了民意。“四民工作法”的实施，搭起了一个党员干

部与群众、群众与群众沟通交流的平台。通过这个平台实现了村中事务的信息公开，所有村民都可以自由、平等地讨论共同关心的问题，有效地促进了村干部工作作风的转变。绝大多数村干部能够心中装着群众，一切为了群众，一切依靠群众，做到掌权不专权，谋利不争利。群众想什么、盼什么，干部就实实在在去干什么；群众缺什么、愁什么，干部就真心实意帮助群众解决什么；群众反对什么、不满意什么，干部就想尽办法去改进什么。干部和群众之间拆掉了“隔心墙”，搭起了“连心桥”，党群关系、干群关系更加融洽。调查显示，群众对农村党员干部的评价有了明显改善，70%以上的群众认为，实施“四民工作法”以后农村党员干部比以前发挥作用更好，党群关系有了明显改善。

二是彰显了民权。农民群众普遍认为，实施“四民工作法”以来，广大村民拥有了更多的话语权，农民群众根据“四民工作法”规定的程序，大胆提事，科学决事，合法理事，有效监事，合法有序地参与农村公共事务管理，民主选举、民主决策、民主管理和民主监督的权力得到进一步落实。不少群众反映，过去是村干部为民作主，现在是村民自己作主，村民的民主权力得到了制度保障。例如，横沥镇周公堂村公路硬底化建设过程中资金缺口15万元，党支部和村委会运用“四民工作法”让村民自主议事、决事，充分行使自己的民主权利，有效调动了村民的积极性和创造性，最后轻而易举地解决了资金缺口问题。

三是集中了民智。“四民工作法”提供了群众说事议事的平台，也开辟了群众决事、处事的有效途径，村民的物质利益和政治诉求有了充分表达的渠道，村民的积极性和创造性能够充分发挥出来。实施“四民工作法”以来，村民群众有什么意见和建议都可以通过这一新的渠道反映出来。党支部和村委会在集中民智的基础上形成的决策更加符合客观实际和群众的愿望，能够有效避免决策失误，卓有成效地开展工作。比如，博罗县罗阳镇鸡麻地村小学教学楼扩建问题，开始因为征地困难而久拖不决，党支部和村委会按照“四民工作法”的要求，及时组织召开村民代表大会进行民主

讨论，形成了符合多数村民群众愿望的意见，使这一老大难问题得到了妥善解决。问卷调查表明，93.9%的村民认为，实施“四民工作法”有利于集中群众的智慧、提高村干部的决策水平。

四是凝聚了民心。农村工作是广大村民大家的事情，必须依靠村民自己的力量来做。农村工作的好坏直接取决于群众的参与程度，取决于村干部能不能凝聚民心。按照“四民工作法”的要求，广大农村党员干部真心对待群众、热心服务群众、诚心帮助群众，急群众之所急，解群众之所难，积极引导群众合情、合理、合法、有序地表达自己的利益诉求，及时疏导群众的情绪，消除群众与群众、群众与干部之间的隔阂，防止矛盾扩大和激化，努力将各种冲突解决在萌芽状态，上上下下形成了谋发展、求稳定、讲和谐的社会风气。“四民工作法”的进一步推广，有效解决了农村社会的各种矛盾，党群、干群关系明显改善，党组织和村委会的凝聚力进一步增强，团结一心建设社会主义新农村的风气在不少农村已经形成，一些长期没有解决好的老大难问题，在实施“四民工作法”过程中得到了妥善解决。

五是实现了民利。农村工作的出发点和归宿在于实现好、维护好、发展好广大农民群众的根本利益，“四民工作法”的着眼点正在于此。实施“四民工作法”以来，广大农村党员干部以维护人民群众根本利益为出发点，尊重农民的民主权利，相信农民的自治能力，依靠农民的智慧和创造精神，注意调动农民群众发展农村经济、维护农村和谐稳定的积极性，及时调整农村经济结构，着力提高农民的收入和生活水平，努力改善村容村貌，按照科学发展观和社会主义新农村建设的要求，有效推动了农村经济和社会的全面协调发展，让广大农民群众充分享受农村改革和发展的成果。近年来，一些县域经济增长接近两位数，创造了改革开放以来最快的增长速度。

“四民工作法”是执政党实现乡村自治的一种新模式。惠州的实践表明，这种做法激发了村民群众参与农村公共事务的热情，不仅推动了农村基层民主政治的健康发展，也是加强对党员干部实施监督的有效途径。中共广东省委充分肯定了惠州的做法，要求全省各地借鉴惠州的经验，卓有成效地推动村民自治的不断完善。

二、广东党建地域特色

改革开放30年来，中共广东省委在党中央的正确领导下，带领广东广大干部群众坚持解放思想，实事求是，敢为人先，大胆突破，带领广东人民真正“杀出了一条血路”，为党的理论创新提供了实践基础，并在实践过程中将党中央的精神与广东地方实际相结合，形成了颇具广东特色的党建经验。

（一）高度重视党组织建设的创新实践

广东是中国的南大门，地处沿海，毗邻港澳，是中国对外开放的窗口。这种独特的地理位置，使广东人易于接受外来文化和外来思想。据史书记载，早在唐朝时期就有相当数量的广东人到海外经商。到了近代，广东人经商的足迹更是遍布天下。正因为这样，使得广东人富有勇于开拓、敢冒风险、踏实肯干、开拓创新的精神。

改革开放伊始，广东人就敏锐地感觉到了中国社会即将发生的变革，并勇敢地突破禁区。按照邓小平和党中央精神，中共广东省委大胆地提出了新的改革思路：广东率先在全国发展商品经济，率先发展非公有制经济，积极发展外资经济，并率先在全国建立起社会主义市场经济体制。在党和政府的宏观调控下，广东充分发挥市场机制的调节作用，并取得重大突破。这种突破主要是所有制方面的突破，通过改革国有大中型企业，建立现代公司制，在全省大力提倡发展外资经济、私营经济和个体经济等多种非公有制经济，使非公有制经济成为社会主义经济的重要组成部分。在资源配置方式上，广东也有重要突破，突出了社会主义市场经济，充分发挥市场的基础性作用，使社会主义市场经济体系逐步完善。在分配制度上，广东大胆改革，实行以按劳分配为主、多种分配方式并存的分配制度，允许土地、资本、技术、管理等生产要素参与分配。这种

分配制度，极大地提高了人们的生产积极性，促进了广东经济社会的迅速发展。

改革是艰难的，历史上的改革没有哪次是一帆风顺，那些敢于第一个吃螃蟹的人总是会受到非议。从20世纪80年代起，内地不少人认为广东搞私有制，不重视党的领导和党的建设。面对各种非议和指责，中共广东省委不是与其正面争论，而是勇敢地立足实践，以行动来修正理论，以实践来丰富理论，将争论的时间用来争分夺秒地大胆实践。正是广东人民始终坚持不争论，大胆地实践，大胆地创新，用自己的成功实践来证明改革开放的合理性和正确性，证明广东党组织的地位和作用。正如后来邓小平在南方谈话中所说的："不争论，是为了争取时间干。一争论就复杂了，把时间都争掉了，什么也干不成。不争论，大胆地试，大胆地闯。农村改革是如此，城市改革也应如此。"[①] 事实证明，尊重实践，创造性地去做好党的工作，才能做好人民群众关心的事情。这是中共广东省委正确领悟党中央精神和邓小平谈话精神得出的重要结论。

为了充分发挥党员干部的先锋模范作用，为了在全社会树立起中国特色社会主义的核心价值观，广东省委倡议在全省党员中开展"理想、责任、能力、形象"教育活动。"理想、责任、能力、形象"教育活动从2004年12月开始，到2007年底结束，用整整三年时间对全省党员进行了一次广泛深入的思想教育。整个活动分为学习教育、主题实践和巩固提高三个阶段。学习教育阶段，主要是为主题实践活动打牢思想基础，为先进性教育活动做好思想准备。主题实践活动是先进性教育活动的重要载体，主要按照中央的部署，结合本地区本部门实际，围绕一个特定主题开展活动，并把"理想、责任、能力、形象"作为先进性教育活动的具体内容，针对自身存在的不足和问题进行分析评议和整改，推动先进性教育活动的继续和深化。巩固提高阶段，主要是建立长效机制，巩固和发展党员教育成果。为了确保教育活动的扎实推进，提高教育效果，

① 《邓小平文选》第3卷，人民出版社1993年版，第374页。

省委不仅组织专门力量编写了“理想、责任、能力、形象”教育通俗教材，还利用驻村干部对农村党员进行普及性教育。

为了进一步完善社区党的组织体系，加强社区党的建设，广州市逢源街党工委创造了开展“双挂”活动的模式，取得了非常好的效果。所谓“双挂”就是社区党组织和非公有制经济组织互派党员干部挂职。街道、社区党组织选派党员干部到非公有制经济企业挂职的主要任务是：第一，帮助企业党组织开展党建工作，包括建立党员学习制度、党员电化教育制度、党支部例会制度等一系列规章制度；第二，建立党员活动室；第三，开展党员资助贫困居民、帮扶困难职工等系列活动；第四，指导企业党组织培养发展优秀员工加入党组织等。非公有制经济组织选派共产党员到街道社区挂职的任务主要是两个方面：一是把企业先进的管理理念和管理方法运用到社区居委会的日常工作中，提高社区的管理水平，如运用电脑、网络进行社区工作管理，帮助社区居委会总结工作规律，梳理经过实践检验的群众工作经验和做法，帮助社区开展各项创先争优活动等。二是到工作艰苦的基层社区，体察社情民意，经受锻炼，增强责任意识和服务社会、服务群众的意识。街道党工委通过开展“双挂”活动这一新的载体，改变了以往街道党工委与非公有制经济企业联系较少和党建工作“一头热（街道党委有责任加强非公有制经济组织的党建工作），一头冷”（非公有制经济企业因不属街道领导，对街道党工委的要求不那么自觉接受）的局面。“双挂”活动对街道社区党组织和非公有制经济党组织双方的工作都有较大的促进作用。目前，逢源街党工委首创的“双挂”活动已经得到广东省委和广州市委的充分肯定，不少城市街道和社区正在向逢源街党工委学习，推广他们的经验和做法。

为了加强非公有制经济领域党组织建设，广东率先成立了全国第一个私营企业协会党委。从1994年年底开始，广东省委就明确要求非公有制经济领域要建立党组织，并且指出：哪里有企业，就在哪里建立党组织；哪里有党组织，就在哪里发展党员。1996年，广州市私营企业协会率先成立了全国第一个私营企业党委。私营企

业协会党委成立以后，非公有制经济领域党的建设开始有组织地推进。2001年7月，全国个体私营经济党建工作研讨会上，广州市私协党委的做法得到了与会代表的一致肯定和好评，被称之为私营企业党建的“广州模式”。针对个体和私营企业的特点，各级党委确立了“围绕经济抓党建，抓好党建促经济”的党建工作思路。为了贯彻省委的意图，各级党委成立了私营企业党建工作领导小组，建立和健全了非公有制企业党建工作的领导机构；同时，各级党组织还制定了加强和改进私营企业党建工作具体措施，保证了非公有制经济领域党建工作顺利推进，并取得了显著效果。

广东改革开放的实践已经表明，市场作用发挥比较充分的地方，经济活力就比较强，党组织建设面临的新情况和新问题也比较多。党的建设必须从实际出发，以改革创新精神研究新情况，解决新问题。

（二）促进党的建设与经济建设良性互动

邓小平在1992年视察南方时谆谆告诫广东党政干部，发展才是硬道理。“我国的经济发展，总要力争隔几年上一个台阶。……比如广东，要上几个台阶，力争用二十年的时间赶上亚洲‘四小龙’。”[①] 历届省委、省政府始终牢记小平同志的嘱托，把发展经济、改善人民生活作为最重要、最紧迫的政治任务。一是无论遇到什么情况，碰到什么困难，不管遭受什么干扰，省委、省政府坚持加快发展不动摇。广东的实践有一个鲜明的特点，就是遵循邓小平的教导，没有把精力用于抽象地争论姓“社”姓“资”，而是坚持小平同志说的“发展才是硬道理”，凡是有利于生产力发展的，就大胆地干。二是保持符合广东实际的一定的发展速度，力争几年上一个台阶。改革开放30年来，广东GDP以年均13.4%的速度增长，经济总量占全国10%以上，综合实力排名全国第一，创造了令世人瞩目的经济奇迹，使广东从一个一穷二白的省份一跃成为全

① 《邓小平文选》第3卷，人民出版社1993年版，第375页。

国的经济大省。三是用发展的办法去解决前进道路上遇到的困难和问题。1998年，广东受到亚洲金融危机的冲击，国投破产、粤海重组，风险资产达1000多亿元，不少人盯着广东，担心广东经济会出大问题。广东省委坚持认为“大发展，小困难，小发展，大困难，不发展，更困难”，引导党员干部“不争论，不埋怨，不刮风，有什么问题解决什么问题”，统一干部群众的思想认识，营造了一种依靠发展来解决前进中的问题的良好环境。正因为经济发展中遇到包括亚洲金融危机在内的种种问题，广东经济结构的优化和产业的升级才有了动力；反过来说，正是广东经济的持续稳定发展，不断增强了广东的抗风险能力和解决自身问题的能力。

广东作为全国经济最发达、最活跃的地区之一，大量流动人口源源不断进入广东寻找就业或者等待就业。总数约2500万流动人口中，大约有20万党员。这些流动人口为广东经济发展作出了重要贡献，他们中间的党员实际上是广东经济发展的骨干力量。如何把流动人员中的党员组织起来，充分发挥他们的作用，是广东党建的一个重大课题。广东各级党组织通过各种方式与这些流动党员建立了联系并且把他们组织起来，有效地发挥了流动党员的作用。南方人才市场是广东流动党员最集中的地方，也是全国人才市场中管理得最好的一个人才市场党组织。截至2007年底，南方人才市场下辖318个流动党员支部，已经正式接转了组织关系的党员10166名，对这些流动党员的管理虽然有种种困难，但南方人才市场每年都能够组织党员开展各种活动，并集中时间进行理论教育和政治学习。南方人才市场的跟踪调查表明，这些流动党员大多数都是各自领域里的骨干，为广东经济发展作出了重要贡献。

广东各级党组织不仅注意围绕经济建设抓党的建设，同时注意在经济发展的同时推动党的建设创新。各地区各部门针对不同领域基层党组织的实际情况，坚持从实际出发，突出重点，整体推进，较好地实现了经济建设与党的建设的良性互动。大量实践表明，凡是经济发展比较好的地方，党组织建设的成效也比较显著，党群关系也比较好。

（三）打造广东党建自己的品牌

广东作为改革开放的前沿和窗口，不仅经济发展走在前面，党的建设也在创新中发展。30 年来，广东党建取得了大量的创新成果：广东第一个在非公有制领域成立党委；南方人才市场是全国最大的流动人员党组织，管理了 10000 多名流动党员；广东率先在社区党组织与驻区单位之间开展“双挂”活动；广东率先在全省范围内实施固本强基工程……下面要介绍的是广东党建的另外两个品牌。

1. 开展“十百千万干部下基层”活动。

为切实加强农村基层党组织建设，巩固党的执政基础，深入推进固本强基工程，根据省委九届五次全会决定，全省从 2005 年起连续三年每年组织 10 名以上省级干部、100 名以上市厅级干部、1000 名以上县处级干部、30000 名以上科级以下干部下基层驻农村，挂钩扶贫和指导农村各项工作。这项活动的开展不仅推动了农村经济社会的全面发展，也锻炼了干部队伍，改善了党群关系，受到了广大群众的普遍好评。

2004 年，中共广东省委九届五次全会决定组织“十百千万”干部下基层驻农村，开展“理想、责任、能力、形象”教育活动。各级党组织高度重视并认真贯彻落实省委的部署，精心组织领导挂点和干部驻村工作，以加强基层领导班子建设为重点，以推动经济发展为第一要务，以解决突出问题为突破口，切实帮助农村基层组织建好班子、带好队伍、理清思路、完善制度，全面提高农村基层党组织的创造力、凝聚力和战斗力，取得了明显的成效。挂点领导结合开展先进性教育活动纷纷下基层到农村，在让基层群众充分感受党和政府的关怀、感受先进性教育温暖的同时，更直接地掌握到村情民意，更深刻地感受到基层困难，更切身地体会到百姓疾苦；广大驻村干部在基层工作中也锻炼了意志，砥砺了品格，提高了素质，赢得了各地干部群众的认可和称赞。

为了更好地指导农村基层党组织开展工作，挂点领导纷纷深入到联系镇和挂钩村调查研究；驻村干部通过深入农户实地调查，全面了解广大农民群众和基层干部的思想动态。各级党委领导班子成员每年都要抽时间到自己挂的点上进行调查研究，指导点上的工作。大多数省市领导的挂点村都成为当地的典型，不仅有效解决富余劳动力的就业问题，发展集体经济，增加农民收入，而且维护了农村的稳定。由于各级领导干部下基层驻农村做出了表率，有效地推动了农村经济的发展和农村党组织建设的创新。

2005年全省村级组织换届选举中，挂点领导和驻村干部积极协助当地党委、政府选好配强村级各类组织尤其是党组织领导班子，有效地提高了基层党组织的凝聚力和战斗力，夯实了党的基层组织基础。广大驻村干部深入群众广泛宣传换届选举的政策、法规，引导村民珍惜自己的民主权利，积极参加投票选举；对两委班子候选人，驻村干部广泛听取党员、干部和群众对候选人的意见，全面考察候选人的政治表现、工作能力及在群众中的威信等，选出党员和群众都满意的村级组织领导班子；对村干部、村民之间的不团结现象，驻村干部主动想办法协调解决各种矛盾纠纷，做好调解员；对整个选举工作实施全程监督，做到一个步骤不少、一项程序不丢，确保选举能够依法进行。

近年来，由于广东大批干部下基层驻点解决群众的实际问题，有效地改善了党员干部的形象，推动了广东经济社会的持续发展。在基层评议机关活动中，得到了基层群众的一致好评，为广东率先基本实现社会主义现代化营造优良的社会环境。

2. 创造国有企业党建的广东模式。

党的十四届三中全会尤其是《公司法》颁布以来，中共广东省委及所属国有企业党组织认真贯彻《公司法》和中共中央《关于进一步加强和改进国有企业党的建设工作的通知》、《中共中央关于国有企业改革和发展若干重大问题的决定》的有关精神，自觉地适应国有企业改革和社会主义市场经济发展的要求，在不断深化国有企业领导体制改革的同时，加强国有企业党组织自身建设，有力地推动和保障了企业改革转制和生产经营各项工作的顺利开

展。广东省委对国有企业党组织自身建设既有宏观要求，又不强求一律，实践中逐步形成了具有广东特色的企业党建模式，其中最有代表性的就是“五羊本田”模式。该公司原党委书记钟瑞洪同志当选为党的十六大代表，并多次受到党和国家领导人的接见。

五羊本田摩托（广州）有限公司是一家中外合资企业，中日双方各占50%的股份，自20世纪90年代初期组建以来，公司内部并没有一个独立的党委工作机构体系，党的工作与相应的行政工作结合在一起，党组织自身建设有声有色。秘书科与党委办公室是同一个机构，人事科与党委组织部是同一个机构，监察室与纪委是同一个机构，工会与党委宣传部是同一个机构。没有独立的党委职能部门，并不等于没有人做党的工作，更不等于党组织就没有地位。恰恰相反，正是这种隐形的组织工作机构体系创造了五羊本田摩托（广州）有限公司党建工作的独特模式，彰显了企业党建工作的生机与活力。

第一，确立党组织的地位是做好合资企业党建工作的重要前提。早在公司筹建初期，中方就把企业党的建设作为一项重要工作来考虑，公司党委为此做了多方面的努力。一是明确党组织是企业发展的脊梁。公司党委认为，企业党组织作为工人阶级的先锋队理应成为企业改革和发展的脊梁，合资企业也不能例外。党委通过扎实的工作和认真的宣传解释，很快就让日方相信党组织是企业改革、发展和稳定的一支重要力量，从而赢得了日方对企业党建工作的理解与支持。二是将企业党委的各项工作职能隐形进入公司相应的管理机构。党委的日常工作主要由秘书科经办；党委的组织人事和干部工作由人事科来承担；党委的纪律检查工作由监察室来做；党委的宣传工作则由工会来安排。三是建立和健全党的工作和生活制度，落实党组织的活动经费。公司党委先后制定了各项会议制度、党委成员分工制度、党内生活制度和民主评议党员制度。党的会议和各项活动主要利用业余时间进行，不占用正常的工作时间，公司每年拨出十几万元专款用于党的会议和各种活动开支，保证了党的工作正常运转。

第二，充分发挥党员的先锋模范作用是巩固企业党组织政治核心地位的基础。公司党委认为，企业党组织的地位是依靠自身的作为来体现的，地位与作为互为条件，党组织没有一定的地位很难发挥作用，但如果作用发挥不好，已经有的地位也可能丧失。正是基于这样一种认识，公司党委十分重视发挥党员的先锋模范作用。首先是注意提高党员素质。按照公司党委要求，公司各级党组织都建立了中心组学习制度，学习内容既有政治理论、政策法规，也有与生产经营相关的专业知识；学习形式既有自学，也有讨论，还有正规培训。同时，党委要求党员学习必须做到三个结合：一是要结合国情和形势，二是要结合企业生产经营实际，三是要结合党员自身思想状况。其次是建立党员公布栏，要求党员带着标志上岗。1995年，公司下属工厂党委最早提出在基层党支部建立党员公布栏的设想，1996年开始试点，得到公司党委的肯定与支持，随后就在整个公司全面推广。所谓党员公布栏，就是将每个党员的姓名、职位和照片公之于众，并附上一句党员自己所喜爱的格言，既可以用于自勉，也便于接受群众的监督。这一做法在党员和职工中都引起了良好的反响。再次是要求党员在岗位上做奉献。按照岗位分类，明确党员所在岗位的职责要求；党组织对党员履行岗位职责的情况定期进行检查和考核，以强化党员的岗位责任和奉献意识。实践表明，五羊本田摩托（广州）有限公司的共产党员确实发挥了先锋模范作用，公司每年评出的优秀员工，党员一直都是占大多数，就连日方管理人员也不得不承认“共产党员是好样的”。

第三，建立一支兼具生产经营和管理能力的党务工作者队伍是发挥企业党组织政治核心作用的关键。企业党组织要充分发挥政治核心作用，这个问题已经不需要讨论。问题在于如何发挥政治核心作用。五羊本田摩托（广州）有限公司党委认为，发挥企业党组织的政治核心作用关键在于建立一支兼具生产经营和管理能力的党务工作者队伍，也就是要培养和造就一支复合多能的党务干部队伍。一是把具有一定党务工作经验的优秀党员干部推荐到公司的各级领导岗位。公司党委不仅推荐最优秀的干部进入公司领导层，而

且党内大量优秀人才担任了公司的中层领导职务，成为企业管理中的骨干。二是要求每个党员都成为党务工作者和思想政治工作者。公司党委不仅要求党员干部要懂经营、善管理，而且要求那些没有担任党内职务的行政领导干部和业务骨干也要学会做党的工作和思想政治工作。公司领导层中，党委书记和总经理交叉任职：党委书记兼副总经理，总经理兼党委副书记。公司中层干部多数也都担当了双重或者多重角色：秘书科长是事实上的党委办公室主任，人事科长是事实上的组织部长，监察室主任是事实上的纪委书记，工会主席则是事实上的宣传部长。正是这样一大批复合多能的党员干部在企业党的工作中发挥了重要作用，创造了广州国有企业党组织建设的特色和品牌。

此外，茂名石化集团党委创造了“三化、三有、三优”（建立党支部标准化、差别化和现代化的“三化”管理模式；建设有能力、有创新、有作为的“三有”党务干部队伍；打造思想优、素质优、业绩优的“三优”党员团队）的企业党建模式，广州电信党委创造了精英主导的企业大党建模式，等等。这些创新实践为国有企业党组织建设积累了大量宝贵经验。

三、广东党建前进中的新课题

我们正处在一个变革的时代，广东作为改革开放的前沿，理应站在这个时代的潮头引领时代潮流。为此，广东在率先基本实现现代化的同时，应该高度关注并努力解决这个变革时代执政党面临的突出现实问题。实事求是地说，近年来广东的发展的确取得了骄人的成绩，但同时也应该注意到现实中存在的一些突出问题。就执政党自身建设而言，目前面临的突出问题主要有以下几个方面：一是党员队伍的流动与重组问题，二是基层党组织的地位变化问题，三是党内权利配置不平衡问题。这些问题虽然在全国具有普遍性，但这些问题的表现形式却有着明显的广东地域特色。各级党委不仅要高度重视这些问题，而且要在实践中进行积极的探索，创造性地解

决这些问题。

（一）党员队伍流动重组的新课题

所谓党员队伍的流动和重组是指大量党员离开原来工作和生活的区域（单位）、离开原来的组织系统，进入新的区域和组织系统。这是市场经济发展过程中必然产生的一种现象。毫无疑问，伴随着人口流动而出现的党员流动为经济和社会发展增添了新的活力，同时也给党的基层组织建设带来了一系列新问题。

1．党员队伍的流动与重组。

随着人口的大量流动，党员队伍也出现了大范围的流动与重组，党员队伍的流动与重组带来的一个突出问题是：部分党员流失。从社会构成来看，流失的党员主要是农民党员和工人党员。大量调查数据表明，农村流入城市和沿海发达地区务工的农民大约接近2亿（其中，广东约占2500万），如果按照1%的比例计算，进城务工的农民党员就有200万（在广东的农民工党员约有25万）。这些农民工党员有的转移了组织关系，有的没有转移组织关系。没有转移组织关系的农民工党员，理论上并没有丧失党员资格，但实际上作为党员的政治身份已经与他的职业身份相分离，其中相当一部分人甚至根本就不愿意暴露自己的党员身份。组织关系已经转出的农民工，其中一部分人的组织关系并没有转入新的党组织，而是装在自己的口袋里，即通常所说的“口袋党员”。组织关系装在口袋里的党员可能有两种情况：一种情况是，目前的工作单位根本就没有党组织，也不知道将组织关系放到哪里去；另一种情况是，虽然所在单位有党组织，但不愿意暴露自己的党员身份。两种情况都表明这些农民党员已经从组织中流失。工人党员队伍中流失的情况更复杂一些，准确的数量也无法统计。我们已经知道的是，国有企业和集体企业的职工总数已经减少了65%。根据笔者多年在组织部门工作的经验，国有企业的党员大约占职工总数的20%～25%。按照这个比例，光是国有企业全国就有近1000万党员流向了社会各个领域。集体企业的党员比例虽然没有国有企业高，但流向社会

的党员至少也在50万以上。我们无法统计流出去的这些国有和集体企业的党员中有多少人实际上已经脱离了党组织，目前可以肯定的是，在那些至今仍然没有建立党组织的新经济组织和新社会组织中，来自公有制企业的党员应该不是一个小数目。随着国有企业改革的深入和“两新”组织的进一步发展，企业流动党员的数量还会继续扩大，在流动中流失的党员恐怕也在所难免。此外，正在流失的还有一部分知识分子党员。如南方人才市场目前就管理着近20万流动人员的档案，这些将档案放在人才市场的流动人员中有案可查的就有10000多名党员。为了加强对这些流动党员的管理，南方人才市场党委专门成立了一个流动党员总支委员会，下设流动党支部318个（一个总支管318个支部已经严重超常规）。此外，还有源源不断的大学毕业生党员将要进入人才市场，等待编入党组织。由于这些党员流动性非常大，组织活动和党员管理都暴露出了许多问题，其中有些人职业变换频繁，很难依时参加党组织的活动。为了保证这些党员不至于长期失去与党组织的联系，南方人才市场党总支专门开辟了网上组织生活园地。这种做法无疑只能部分地解决流动党员的管理问题，始终还是有一些流动党员处于一种非组织状态。另外，据流动党员总支委员会的同志反映，目前已经进入人才市场的流动人员中有一些党员并没有将组织关系转入人才市场，还有一些人的档案是后来重建的，这些重建档案的人员中，有一部分人实际上是共产党员，但档案上却没有记载，对此有些人供认不讳。值得引起关注的是，随着社会自主空间不断扩展，党的威信和党群关系如何将直接影响党员流失的数量。

2. 党组织资源配置的新课题。

党员队伍重组带来的另一个问题是：组织资源配置失去平衡。单一公有制和计划经济条件下，党的组织资源是一种行政化的单位配置，几乎所有的单位都有党组织和党员。改革开放尤其是上个世纪90年代以后，这种情况发生了很大的变化。组织资源配置失衡主要表现在以下几个方面：第一，社区党员快速膨胀。根据广州市一些街道居委会的同志反映，直到上个世纪90年代初，城区居委会还很少有党员，即使有也主要是外地离退休以后回归街道居委会的党员。随着传统社会组织结构的解体，大量人口流向社区的同时，社区党员的数量也迅速膨胀。从广州市社区党组织的变化情况来看，最近10年左右的时间社区党员人数普遍增长了10倍以上。老城区居委会现有党员数量一般都在100人以上，多的已经好几百人甚至上千人，目前还在源源不断流入。聚集在城市社区的党员主要是来自农村和公有制企业的党员，其中相当一部分是退休和下岗的党员。这些党员普遍文化素质偏低，经济上处于弱势状态，而且由于生存问题没有很好解决，很难顾及党组织的工作。社区党员的膨胀严重影响了社区党组织的活力。第二，新经济组织和社会组织党员空白点增多。市场经济的发展和完善必然推动新经济组织和新社会组织的发展，进而推动整个社会结构的重组。可以肯定地说，只要市场规则起作用，每天都会有新的经济组织和社会组织生长起来。这些新生长起来的经济组织和社会组织很难在短时间内就能够建立起党组织和发展新党员，随着新经济组织和新社会组织的不断出现，党员空白点还会有增加的趋势，新社会阶层中党员数量稀缺。以广州市为例，全市100多万新社会阶层人员中，只有党员5921名，仅占从业人员总数的0.6%；天河科技园区约1500家非公有制企业，仅有30个党组织。第三，公务员队伍中党员人数比例越来越高。据广州市有关部门反映，以参照公务员管理的共青团为例，党员在整个机关干部中所占比例高达90%以上。党委部门党员比例比共青团还要高。公务员队伍中党员比例高主要是两个方面的原因：一是党员进入公务员队伍具有明显优势；二是执政党的地位与官阶和权力有内在联系，加之封建官本位观念的影响，使得那些想要当官的人首先就得考虑入党问题。就业调查表明，选择当公务员，仍然是中国人第一位的就业选择。第四，一些领域出现了成批发展党员的现象。由于共产党员就业竞争具有明显的优势，在一些需要就业或者再就业的群体中开始出现成批发展党员的现象。例如，部队战士复员之前大多数人都会要求入党，一些部队党组织基于对战士将来的就业考虑，往往会在战士复员之前大比例发展党

员，也算是对战友的一种关照；又例如，高等院校学生毕业之前也存在类似现象，目的就是方便学生就业。此外，一些新建的商业住宅小区还没有建立党组织，更谈不上开展党的工作，地方党委甚至还没有来得及给予应有的关注。

从以上的分析可以看出，党员队伍大范围重组打破了以往的组织平衡，而新的平衡又没有建立起来。有些区域党员数量过度集中并且还将快速膨胀（如城市社区），另一些领域则出现了党员的空白点（如新经济组织和新社会组织）。这种组织资源配置失衡的现象不仅反映出党的组织结构不合理，而且造成党的工作出现死角，削弱了党对社会的影响力和号召力。

3. 党组织管理的新课题。

党员队伍重组不仅打破了传统的组织体系，也加大了组织管理的难度。据一些基层党委组织部门反映，党员队伍管理方面目前主要存在下列三个问题：

第一，流动党员的思想和工作状况难以掌握。目前，流动党员最集中的主要是以下几个部分：一是农村外出务工经商的党员；二是下岗、离岗，暂时又没有找到工作的党员；三是企业营销人员中的党员；四是毕业生和退伍军人中在人才市场流动的党员。这四部分党员中，有些人甚至已经脱离了党组织或者暂时没有组织归属。即使组织关系还在组织中，其中有相当一部分人与所在党组织的联系也不多，更不用说经常参加组织活动，因而缺乏归属感，组织观念日益淡薄。由于这些人经常处于流动之中，党组织与他们的联系往往存在诸多不便，即使有机会了解他们的情况，也不一定就是真实情况，更谈不上对他们实施严格的组织管理。尽管各级地方党委对流动党员管理问题进行了多方面探索，也积累了一些经验，但我们不得不承认，流动党员仍然是基层组织管理的一个死角，其中相当一部分党员处于一种非组织状态。

第二，城市社区党员膨胀，组织化程度不高。近年来，由于大量人口源源不断地涌入城市社区，社区党员数量也在快速膨胀。然而，进入社区的党员不仅数量快速膨胀，而且素质普遍偏低，经济状况基本上处于弱势状态。据广州市一些社区居委会的同志反映，聚集在社区的党员主要来自四个方面：一是从农村流入城市非公有制单位就业的党员；二是国有企业转制分流和下岗的党员；三是企事业单位的退休党员；四是在社区购房、租房和创业的党员。其中人数最多的是外来农民工党员，其次是离退休党员和下岗分流的党员。前三部分党员普遍文化素质偏低，经济上处于弱势状态；后一部分党员中有些人经济状况比较好，自主性比较强，但组织归属感不足，而且由于事业比较繁忙，往往没顾及党组织的工作。由于社区党员膨胀，加之党务干部人手紧缺，党组织对党员的管理难以到位，这种状况严重影响了社区居委会党组织的活力。

第三，农村党组织管理水平普遍低下，部分党组织甚至处于萎缩状态。由于城乡差距继续扩大，年轻、文化素质较高的农民（包括党员干部）绝大多数离开农村进入了城市，有人戏称：目前留守农村的是“38－61－99”部队，“38”指的是妇女，“61”指的是儿童，“99”指的是老人。也就是说，目前留在农村的基本上只剩下妇女、儿童和老人。可见，留在农村的党员干部大部分年龄偏大，文化偏低，从而导致村级党务干部后继乏人，党员队伍年龄老化，党组织自身建设活力严重不足，管理水平普遍低下。据一些乡镇党委的同志反映，大量党员外流直接导致一部分农村党组织处于萎缩状态，整体素质普遍下降，党员的先锋模范作用很难充分发挥出来。此外，少数农村党员尤其是村干部滥用职权谋取私利，损害了党的形象和威信，有的农村党组织甚至丧失了群众的信任和支持。这种状况反过来又削弱了党组织的整体战斗力，降低了农村党组织的管理水平，进而导致农村党组织作为领导核心的政策定位不仅得不到法律的支撑，自身的实力也严重不足。

（二）基层党组织地位的新变化

基层党组织地位变化是计划经济向市场经济转变的必然结果，但不同类别基层党组织地位变化的时间、条件和路径是不一样的。从党委集体领导下的厂长分工负责制到厂长（经理）负责制，再

到现代企业制度，企业领导体制改革已经走过了20多年的历程。企业党组织也由领导核心变成了政治核心，法律甚至已经将公司制企业的党组织规范在法人治理结构之外。农村土地的使用和经营模式改变以后，可以并需要由农民自己处理的事务越来越多。正是适应这种需要，1988年，国务院颁发《中华人民共和国村民委员会组织法（试行）》，村委会选举和村民自治自此在农村逐步推开。随着村民自治的日益完善，村级党组织的地位正在发生微妙的变化：一是党组织不再对村中事务实行一元化领导；二是村民选举已经将村委会推上前台；三是随着村民自治的逐步规范，村级党组织的领导作用最终将被限定在引导、影响和服务的范围内。自上个世纪80年代中后期开始，事业单位（除多数高等院校之外）普遍实施行政首长负责制。从党委集体领导制到行政首长负责制，这是事业单位领导体制的一次重大变化。党组织不再领导本单位的行政业务工作，也不再决定本单位的重大问题，而主要是通过加强自身建设、发挥党组织的战斗堡垒作用和党员的先锋模范作用、领导本单位的群众组织、做好员工的思想政治工作来保证和监督行政领导正确行使手中的权力。新生长出来的城市社区基层党组织，肯定不是传统体制下政社合一的基层单位党组织的复制品，而是居民自治背景下的政治组织。社区新生党组织的主要任务是两项：一是加强党组织自身建设；二是做好宣传、群众工作，巩固和扩大党的社会基础。分析城市社区基层党组织的生长与变化，有三个新情况值得我们高度关注：第一，原来以单位为基础设立的基层党组织的地位、结构和功能都已经发生了变化，党组织普遍不再领导本单位具体的行政和业务工作；第二，上级党组织与下级党组织之间纵向控制力减弱；第三，同一社区内不同党组织之间的横向联系越来越多。由此可见，主要依靠权力来构筑社区基层党的组织网络已经不太可能，加强社区党组织建设、巩固和扩大党在城市的社会基础对党员尤其是党务干部的党性自觉提出了越来越高的要求。

基层党组织权力弱化、职能转移的客观事实已经对党的自身建设产生了多方面的消极影响：一是削弱了党组织的凝聚力，二是影响了党员参与组织活动的自觉性和主动性，三是淡化了基层党务干部的工作热情。基层党组织自身建设面临动力不足的挑战。

首先，基层党组织角色转换削弱了党组织的凝聚力。基层党组织有没有地位很大程度上是看它有没有凝聚力，一个没有凝聚力的基层党组织很难说有地位。也就是说，凝聚力是地位的一个重要标志，也是战斗力的必要条件。传统体制下的基层党组织是基层单位的领导核心，这种核心领导地位决定了基层党组织具有强大的凝聚力。随着基层单位领导体制改革的逐步推进，党组织的领导核心地位已经或者正在发生变化：企业和大多数事业单位的党组织已经不再是领导核心，农村和城市社区党组织的地位也正在受到基层民主自治的挑战，作为领导核心的政策定位明显得不到法律的支撑，党组织与基层民主自治机构之间的关系正在发生微妙的变化。政策与法律不一致造成的体制性矛盾在农村和城市社区普遍存在，党组织的领导核心地位很难落实，“说话不灵，办事不行”的弱势状态在农村和城市社区党组织中开始出现。地位的变化客观上削弱了基层党组织的凝聚力，进而动摇了党组织的群众基础。基层党组织凝聚力弱化的主要表现是要求入党的群众数量在下降，而且动机世俗化，党组织在群众中的号召力也有所弱化。根据笔者了解的情况，农村和企事业单位素质比较高的非党群众要求入党的比例不高而且有下降的趋势，社区党组织发展党员工作甚至很难开展起来。另一方面，部队和一些高等院校出现“批发党员”的现象，主要是出于方便就业的原因，而这一事实恰恰表明入党有世俗化倾向。

其次，基层党组织角色转换降低了党员的自主性。基层党组织的活力很大程度上来源于党员的自主性，来源于党员对党的工作和活动的自主参与。从近年来党员参与党的工作和活动的总体情况来看，党员的自主性的确有所下降。党员参与党的工作和活动的自主性下降，最直接的原因是基层党组织在党员心目中的重要性发生变化，间接的原因是党组织的角色定位发生变化。基层党组织的地位不那么高了，它在党员心目中也就不那么重要了，党员参与党的工作和活动也开始打折扣。党员自主性下降的主要表现在以下两个方

面：一是参加组织活动的功利性明显增强。继上个世纪 80 年代农民党员参加组织活动补助餐费之后，城市党员组织活动开始以拉出去旅游为时尚，既不发补助费又不去旅游的组织活动和会议已经很难引起党员的兴趣，党员自主组织的义务劳动正在失去原先的内涵，剩下的只是那种慈善的性质。二是承担党的工作的神圣感日益下降。党员对党的工作缺乏神圣感，已经不是个别现象，无论是任务分配还是岗位交流都开始讲价钱。最典型的表现是发达地区和强势岗位的党员不愿意向落后地区和弱势岗位流动，除非事先承诺加薪晋级。

再次，基层党组织角色转换淡化了党务干部的工作热情。基层党组织角色转换最明显的后果是党务干部热情淡化，工作积极性有所下降。上个世纪 80 年代中后期开始，企业党务干部最先暴露出工作热情转淡的迹象，部分企业党务干部开始要求改行，一些年轻、素质较高的党员不愿意从事党务工作，以致造成不少企业党务干部后继乏人。事业单位尤其是实行行政首长负责制的事业单位，党务工作也不再是令人向往的职业，一些不兼任行政职务，也没有行政权力的党务工作岗位已经产生了“轮流坐庄”的现象。农村党组织目前政策上的定位是领导核心，但这种政策上的核心定位与村民自治的法制化趋势实践中存在明显的矛盾，为了解决这一矛盾，地方党委不得不倡导村党支部书记与村委会主任由一个人兼起来。凡是书记不兼村委会主任的地方，如果村委会处于强势，村党支部就没有地位，支部成员的热情明显不足，工作积极性也大受影响。城市社区党组织与农村党组织的情况相类似，政策上的定位也是领导核心，这种政策上的核心定位同样得不到法律的支持，居民自治正在将居委会推向前台。为了解决政策与法律之间的矛盾，协调好居委会与居民区党组织的关系，城区党委也不得不倡导居民区党组织负责人兼居委会主任。根据笔者对广州市部分居民区的调查，目前不兼居委会主任的居民区党组织负责人不足 10%。在这些居民区，只要居委会处于强势，党组织及其负责人就没有地位，他们的工作热情也就有淡化的趋势。如果没有一支高素质且充满热

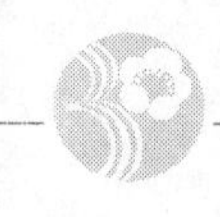

情的党务干部队伍，基层党组织的活力必然大打折扣。

（三）党内权利结构性的新课题

基层党组织由基层单位的行政主体向非行政主体转换，是市场经济和民主政治发展的必然结果。改革开放尤其是上个世纪80年代中期以来，随着市场经济体制的逐步建立和完善，各类基层党组织已经先后经历了角色转换过程：企业正在按照市场化要求建立和完善现代企业制度，党组织已经被规范在法人治理结构之外；随着村民自治的发展和完善，村委会和村级党组织的关系正在发生微妙变化，享有民主选举权的村民正在将村委会推向前台，村级党支部作为领导核心的政策定位难以得到法律的支撑，支持村委会实行村民自治已经成为村级党组织不得不做的选择；事业单位普遍实行了行政首长负责制，即使是实行党委领导下的行政首长负责制（如高等院校），行政领导也逐步成为行政工作的中心；城市社区离退休党员、下岗失业党员、新经济组织和新社会组织中的党员日益增多，居委会党组织作为领导核心的政策定位很难落实，居民自治背景下城市社区基层党组织以一种开放、流动、非行政化（缺少法定权力）的存在方式已经出现。各类基层党组织角色转换的轨迹已经清晰地呈现在我们面前。认真研究基层党组织角色转换对党自身造成的影响，是适应时代发展要求加强党组织自身建设的需要，也是巩固党的执政地位的需要。

基层党组织由基层单位的行政主体向非行政主体转换不仅严重影响了党组织自身的活力，同时还造成整个党的组织系统出现结构性权利配置不平衡，导致党自身面临多方面的挑战。然而，无论是理论工作者还是实际工作者对这一问题的重要性至今仍然认识不足。

基层党组织角色转换的直接后果是基层党组织职能萎缩、权力转移、地位显著下降，进而导致基层党组织与中央和地方各级党组织之间出现权利反差，整个党的组织系统出现结构性不平衡：中央和地方各级党委仍然是各自范围内的领导核心，而基层党组织则已

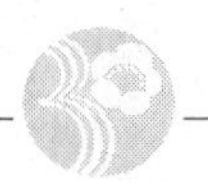

经退居基层单位行政权力边缘，部分基层党组织甚至连参与决策都非常困难。

基层党组织角色转换意味着不同层级党组织所占有的政治权利不平衡。中央和地方各级党委的政治地位至今没有发生变化，仍然处于各自范围内的政治权力中心，主导和控制着各自范围内的全部政治资源；基层党组织则已经逐步从基层单位的权力中心走向了权力边缘，大量政治资源流向了法定的治理机构。企事业单位党组织由决策主体变成监督者和旁观者，最多也只是决策参与者；农村和城市社区党组织虽然政策上的定位仍然是领导核心，但这种政策上的核心定位仅仅是一种主观定位，很难得到法律的支撑。随着基层民主自治的发展和成熟，政策对党组织地位的支撑力度会日益减弱，农村和城市社区党组织作为领导核心所拥有的政治权利不得不向基层民主自治机构转移，政策对农村和城市社区党组织的领导核心定位的支撑最终将难以为继。由于权力转移、职能萎缩，基层党组织原先占有的政治资源大部分已经流失，与中央和地方各级党委相比基层党组织所占有的政治资源已经所剩无几，由此造成基层党组织与中央和地方各级党委所占有的政治资源不平衡。基层党组织政治资源流失必然引起基层党员干部政治态度的变化，影响他们参与政治生活的积极性。

基层党组织地位变化意味着不同层级党组织所控制的经济权利不平衡。中央和地方各级党委不仅仍然主导和控制着各自范围内宏观经济运行的权力，而且从总体上控制着各自范围内的财力和物力；基层党组织对基层单位经济活动的主控能力则大大减弱，尤其是新经济组织和新社会组织对所在单位经济活动的控制能力几乎全部丧失。农村党组织虽然政策上还是领导核心，但对农村经济工作的控制力也大大减弱；企业党组织已经被规范在法人治理结构之外，企业经济活动的控制权已经转移到董事会手里；城市社区所占有的经济资源本来就非常有限，而且法定的控制权掌握在居民自治组织手里；事业单位普遍实行了行政首长负责制，行政首长负责制条件下事业单位党组织也失去了对单位财、物的控制权。基层党组织不仅普遍丧失了对本单位经济活动和财物的控制权，而且党组织的活动经费也受到多方面的限制：企业党组织的活动经费要行政领导批条子；城市社区党组织活动经费不得不向各方面伸手求助；多数农村党组织根本就没有专项活动经费。此外，一些基层单位尤其是企业党务干部与同级行政干部相比，经济待遇明显偏低，而新经济组织和新社会组织中的党务干部根本就没有职位报酬。

基层党组织角色转换意味着不同层级党组织所掌握的人事权利不平衡。中央和地方党组织仍然从总体上控制着各自范围内的社会组织资源，掌握着各自权力范围内的干部任免权，在群众中也具有广泛的影响力和号召力；基层党组织对所在单位社会组织资源的控制力则普遍减弱，除了高等院校之外其余所有基层党组织都没有干部人事任免权：国有企业党组织已经不是法定的权力主体，党管干部的政策规定一直难以落实；新经济组织和新社会组织中的党组织则丧失了对全部社会组织资源的法定控制权；事业单位（除多数高等院校之外）大量组织资源掌握在行政领导手中；农村和城市社区已经实行民主自治，党组织没有也不必要有人事任免权。由于基层党组织不掌握人事权，也就是最根本的组织资源不在自己手里，因而在群众中的影响力和号召力大大减弱。不能有效地动员群众，也不能凝聚党内的优秀人才，基层党组织自身的人力资源也面临日益萎缩的局面。组织资源配置失衡，恐怕是中央和地方各级党委与基层党组织之间最大、最根本的权利反差。

第十章 广东党建的现实昭示

党的建设从来都不是在自我封闭的情况下进行的，它总是和党所处的时代环境紧密相连。改革开放以来，我们党所处的环境、所肩负的使命和任务、党的自身状况，都已经发生了重大变化。十六大报告深刻指出："我们党历经革命、建设和改革，已经从领导人民为夺取全国政权而奋斗的党，成为领导人民掌握全国政权并长期执政的党；已经从受到外部封锁和实行计划经济条件下领导国家建设的党，成为对外开放和发展社会主义市场经济条件下领导国家建设的党。""两个成为"精辟概括了改革开放以来党的自身状况的两个基本特点：第一，中国共产党已经是一个长期执政的党；第二，中国共产党已经是一个在对外开放和发展社会主义市场经济条件下执政的党。它表明：改革开放以来的党的建设，不是一般意义上的党的建设，而是在深刻变化的国际国内背景下的马克思主义执政党的建设。"两个成为"标志着我们党对"党情"的认识更加清醒，对党的历史方位的把握更加准确。深刻理解这两个基本特点，是改革开放条件下加强执政党建设的根本依据。

在这种情况下，我们党作为马克思主义执政党，其自身建设必须解决两个紧密联系的重大课题：一是如何坚持立党为公，执政为民，始终代表中国最广大人民的根本利益，避免脱离群众这个党执政以后的最大危险；二是如何适应当代世界和当代中国的发展变化，始终站在时代前列，与时俱进，开拓创新，不断提高党的执政能力，始终保持党的先进性。能否做到这两点，是衡量执政党建设是否适应时代要求的根本标准。

广东省各级党组织是我们党整个组织体系的重要组成部分，广东省党的建设也是我们整个执政党建设的重要组成部分。广东地处我国改革开放前沿地区，市场经济比较发达，又毗邻港澳，对外开放程度比较高，不仅经济发展速度快，经济总量大，而且体制转轨和社会转型的力度都比较大，社会生活的多样化和流动性的特征尤为明显。广东经济的快速发展和社会的急剧变革使处于改革开放中的广东省各级党组织面临着很多新情况，对广东省党的思想、组织、作风和制度建设提出了很多新挑战。由于广东是中国改革开放的先锋，因此广东省党的建设最先遇到的这些新情况新挑战，对于改革开放中的执政党建设来讲，都是具有前瞻意义的重大课题。而广东省各级党组织为应对这些挑战而进行的富有成效的党的建设的新的实践，对于改革开放中的执政党建设来讲，也是具有重要探索意义的。改革开放以来广东省党的建设30年的生动实践，为我们思考改革开放条件下的执政党建设问题提供了大量新鲜经验，可以从中得出一些有关改革开放条件下执政党建设的深刻启示。

一、创新是执政党充满活力的源泉

所谓创新，就是对旧事物的破除和创造新的事物。创新作为一种创造性的活动，被视为人类本质的最高表现。没有创新，就没有人类的进步。正是基于此，十六大报告深刻指出："创新是一个民族进步的灵魂，是一个国家兴旺发达的不竭动力，也是一个政党永葆生机的源泉。""实践没有止境，创新也没有止境。"十七大报告进一步强调要"以改革创新精神全面推进党的建设新的伟大工程"，指出："中国特色社会主义事业是改革创新的事业。党要站在时代前列带领人民不断开创事业发展新局面，必须以改革创新精神加强自身建设，始终成为中国特色社会主义事业的坚强领导核心。"改革开放以来，我们党所处的时代环境发生了深刻的变化，改革创新成为当今时代最显著的特征，这样的时代背景要求我们在

党的自身建设中必须坚持改革创新精神，以此来回答社会变革对执政党建设提出的一系列新课题。如果我们党在自身建设中缺乏改革创新精神，因循守旧、墨守成规，就必然要落伍甚至被淘汰。从这样的视野来审视执政党建设，就可以得出如下结论：改革创新是改革开放以来执政党建设的内在必然要求，是执政党充满活力的源泉。

广东是中国改革开放的先锋，改革开放以来，广东人以敢为天下先的创新精神，成为中国改革开放先行一步的试验区，在改革创新方面历来走在前头。从创办深圳、珠海经济特区"杀出一条血路"到创造"三来一补"、"筑巢引凤"、"两头在外"、"外引内联"、"借船出海"等发展经济的"广东模式"；从注重经济总量增长到调整发展思路，转变发展方式，为实践科学发展观进行可贵探索，广东通过不断开拓创新引领了中国改革开放的时代潮流。广东之所以能够取得改革开放的巨大成就，成为中国经济最发达地区，既是党中央正确领导的结果，也是广东省各级党组织团结和带领全省人民勇于创新、勇于开拓的结果。原广东省委书记林若同志就对广东成功经验作出了精辟概括和高度评价："广东改革开放成功的主要经验，就是敢想、敢闯、敢干、敢为人先"。[①] 前任广东省委书记张德江同志也高度评价了广东人民的改革创新精神，他指出"广东人民敢为人先，务实进取，经济社会发展取得了举世瞩目的伟大成就，为探索中国特色社会主义道路作出了重大贡献"。[②] 广东省第十次党代会报告也深刻指出：办好广东的事情，必须勇于创新，增强发展的动力和活力。既通过改革创新来打破旧体制的束缚、推动经济社会的发展，又通过改革创新来解决党建面临的新问题，促进党的自身建设，从而使各级党组织始终站在广东改革开放的最前沿，始终成为广东改革开放的坚强领导核心，这就是改革开放以来广东党建30年给予我们最深刻的启示。

---

① 《广东几任省委书记论改革开放》，《南方》2007年第12期。

② 《广东几任省委书记论改革开放》，《南方》2007年第12期。

（一）创新是马克思主义政党的本质特征

以改革创新精神来全面加强党的自身建设，首先是由马克思主义政党的本质特征决定的。我们党自成立以来就始终坚持以马克思主义为指导思想，而马克思主义具有与时俱进的理论品质。这一品质蕴含在马克思主义的实践性、开放性的本质特征之中。实践性是马克思主义与时俱进的根本源泉。实践的观点是马克思主义理论的基石。马克思主义不是远离社会生活和脱离社会实践的书斋理论，而是深深地植根于实践、又在实践中不断发展的活生生的理论。这就从根本上决定了马克思主义与社会现实生活、与具体的历史和时代条件的紧密联系，决定了它的蓬勃生机，也决定了它能够与时俱进、不断创新。开放性则是马克思主义与时俱进的实现方式。马克思主义不是离开世界文明发展大道而产生的一种固步自封的学说，相反，它不断地吸收同时代的社会科学和自然科学中有价值的思想成果。马克思主义也绝不认为自己已经一劳永逸地结束了人类对永恒真理的认识，相反，它认为自己只是通过确立科学的方法论为人们开辟通向客观真理的道路。这就决定了马克思主义永远关注和研究自己时代所提出的最迫切需要解决和回答的重大课题，随时倾听时代的声音、关注实际的变化、吸收新的理论成果，从而也决定了马克思主义不断创新、与时俱进的必然性。马克思主义与时俱进的理论品质决定了马克思主义政党是一个改革创新的政党，其生命力就在于党能够在自身的实践活动中紧跟时代发展的脚步，顺应时代变化的要求，不断调整、充实和创新自己的思想理论，从而始终走在时代前列。改革开放以来我们党所处的时代环境同过去相比发生了许多极其深刻的变化，我们党作为执政党，其自身建设面临着许多新情况新问题。在新情况新问题层出不穷的今天加强执政党建设，要求我们要勇于和善于根据实践的要求进行创新，以改革创新精神推进党的建设。所以，十七大提出的“以改革创新精神加强自身建设”既是对包括改革开放以来广东省党的建设在内的党建历史经验的科学总结，也是今后加强执政党建设总的指导方针。

以改革创新精神来全面加强党的自身建设，同时也是由改革开放以来党所处的执政环境的深刻变化所决定的。十七大深刻指出："党领导的改革开放既给党注入巨大活力，也使党面临许多前所未有的新课题新考验。世情、国情、党情的发展变化，决定了以改革创新精神加强党的建设既十分重要又十分紧迫。"一是世情的变化给党的建设带来了新挑战。改革开放以来尤其是20世纪80年代末90年代初以来，随着冷战结束、经济发展和科技进步，我国面临的国际环境发生了重大变化。随着东欧剧变、苏联解体，世界社会主义运动发生严重曲折，国际力量对比发生深刻变化，霸权主义和强权政治有新的发展，我国面临西方发达国家经济科技军事占优势的巨大压力；和平与发展仍是当今时代的主题，世界多极化和经济全球化的趋势在曲折中发展，既给我国加快发展带来了难得机遇，也给我们带来了严峻挑战；世界科技进步日新月异，知识经济方兴未艾，在政治、经济、文化、军事和社会等领域产生广泛影响，综合国力竞争日趋激烈；社会主义和资本主义在意识形态领域的较量和斗争依然是长期的、复杂的，各种思潮相互激荡，我们将长期面临西方敌对势力西化、分化的政治图谋。国际环境的深刻变化，对我们党执政和党的自身建设都提出了新的挑战。二是国情的变化对党的建设提出了新要求。经过改革开放以来的建设和发展，我国生产力水平有了很大提高，综合国力明显增强，人民生活不断改善，社会主义现代化建设取得巨大成就，从生产力到生产关系、从经济基础到上层建筑都发生了意义深远的重大变化。但我国人口多、底子薄、生产力不发达的状况还没有根本改变，我国仍将处在并将长期处在社会主义初级阶段，社会主要矛盾没有变，改革发展的任务仍然十分艰巨。同时，随着改革开放的深入，我国社会经济成分、组织形式、就业方式、分配方式和利益关系日益多样化，新情况新问题层出不穷，给我国政治、经济、社会和文化生活带来深刻影响，给执政党建设提出新要求。例如，过去在计划经济体制下，党员群众都在一定的单位组织中生活，党的组织和党的领导主要是通过从上到下组织严密的单位和部门来实施的。随着市场经济的发展，在传统单位制之外出现了许多新的经济组织和新的社会组织，社会流动性比过去大大增强。在这种情况下，如何不断扩大党的工作在全社会的凝聚力和影响力，不断巩固党的执政基础，就成为一个必须认真研究解决的重大课题。还比如，由于劳动性质、就业方式、收入分配等条件的变化，不同地区、不同部门、不同职业的群众的具体利益会出现这样那样的差别。在这种情况下，执政党如何更好地代表全体人民的根本利益和统筹兼顾好不同社会群体的具体利益，把各方面的积极性都充分调动起来，为实现共同的目标而奋斗，也是一个关系党的领导能否有效实施和党的执政地位能否巩固的重大课题。总的来讲，随着改革开放的深入，我国经济体制深刻变革，社会结构深刻变动，利益格局深刻调整，思想观念深刻变化，各方面深层次矛盾纷纷暴露，而且日趋错综复杂，改革发展进入关键时期，这就决定了我们党的执政地位的巩固和党的自身建设面临着新考验。三是党情的变化对党的建设提出了新问题。主要表现在党的队伍状况发生重大变化，我们党的队伍正逐步进入一个新老交替的重要转折时刻。到21世纪头十年，“文化大革命”前参加工作的干部基本上要退出各级领导岗位，现在，改革开放以来入党的党员已经超过党员总数的一半，成为党员队伍的主要组成部分，改革开放以来成长起来的大批年轻干部正在走上各级领导岗位。据统计，截至2004年底，全国党员总数为6960.3万名，其中，改革开放以来入党的党员已经达到4609.2万名，占党员总数的66%左右。① 党员队伍的这个重要转折，加上错综复杂的国际国内环境对党在思想、组织、作风、制度和反腐倡廉等各方面提出的新要求，对党的执政能力提出了新挑战，对党的先进性提出了新考验。因此，如何始终坚持“党要管党、从严治党”的原则，使党的理论、路线、纲领、宗旨一代一代继承下去，并不断赋予其新的时代内涵，使党能够始终站在时代前列，永葆党的先进性，这是中国特色社会主义事业能否取得成功的关键，这就要求我们必须以改

① 引自中共中央组织部办公厅信息管理中心公布的数字。

革创新精神来思考改革开放条件下执政党建设这一重大课题。处于中国改革开放试验田的广东省各级党组织，在推进改革开放的实践中最先遇到了改革开放条件下执政党建设这一历史性新课题，面临的新情况新挑战是全方位的。没有可供借鉴的成功经验，一切都要靠自己在实践中探索前进。对此，广东省各级党组织没有徘徊退缩，没有回避挑战，而是紧紧围绕广东改革开放实践中党的建设面临的新情况新挑战，以改革创新精神勇敢承担起探索改革开放条件下执政党建设新路子的历史使命，从坚持解放思想、实事求是的思想路线到围绕经济抓党建、抓好党建促经济，从以科学发展观要求提升党的执政能力到构建城乡统筹基层党建新格局，从加强领导班子建设到在全省共产党员中开展“理想、责任、能力、形象”教育，从固本强基到“十百千万”工程，从构建广东惩治与预防腐败体系到开展阳光述职、阳光点评，从深化干部人事制度到“万人评机关”和“五个力戒”，从推进党内民主建设、增强党组织的生机与活力到创新国有企业、农村、“两新”组织和城市社区的基层党组织建设，改革开放条件下的广东党建30年创造了许多具有广东特色的党建品牌，可谓亮点多多，新办法新路子层出不穷，创新成为贯穿广东党建30年的主旋律，鲜明地体现了“以改革创新精神加强党的建设”的新要求。

（二）关键在党的思想理论创新

在人类社会的所有创新中，理论创新是最具创造性的活动。所谓理论创新，是指人们在社会实践活动中，根据实践的发展和要求，对前人的理论观点通过扬弃和修正进行丰富和发展，对不断出现的新情况新问题作新的理性分析和理论解答，对认识对象或实践对象的本质、规律和发展变化的趋势作新的揭示和预见，对人类历史经验和现实经验作新的理性升华。实践基础上的理论创新是社会发展和变革的先导。

把思想理论建设放在党的建设的首位，不断推动党的思想理论创新，以思想理论创新来推动党的事业的发展，是我们党的建

设一条极为宝贵的经验。党的历史经验证明，要使党和国家的发展不停顿，首先是理论上不能停顿。改革开放以来党和国家面临的新情况新问题层出不穷，迫切要求我们党以马克思主义的理论勇气，总结人民群众的实践经验，在理论上不断扩展新视野，作出新概括。只有这样，党的理论才能发挥引领社会发展和时代变革的先导作用。以改革创新精神加强执政党建设，关键在党的思想理论创新。

首先，只有不断进行思想理论创新，才能保证党始终站在时代前列。改革开放以来，社会在进步，时代在发展。作为马克思主义执政党，要以自己的执政行为，引领和推动社会历史向前发展，必须始终站在时代前列。而思想理论创新，不仅是一个政党是否走在时代前列的标志，也是一个政党能否走在时代前列的根本条件。改革开放意味着我们党面临的环境和任务的变化，意味着我们所要解决问题的变化。尤其是20世纪90年代以来我们所遇到的世界多极化、经济全球化，以及以信息技术为标志的现代科学技术的飞速发展等，都是前人没有遇到的。一个在这种新的时代条件下执政的党，能否敏锐地察觉到这些变化，深刻地认识这些变化，认真地研究这些变化给我们提出的各种新问题新挑战，提出应对思路和办法，直接关系到党在新的时代条件下能否生存和发展。

其次，只有不断进行理论创新，才能使党的宗旨得到真正体现。我们党的生命力的源泉在人民群众之中，只有始终保持党同人民群众的紧密联系，党才能永葆生机。人民群众是社会实践的主体，党要保持同人民群众的血肉联系，就必须使自己的思想理论始终与人民群众的社会实践保持一致，使自己的思想理论随着实践的发展而不断丰富和发展。改革开放以来的历史证明，如果不能在思想理论上与时俱进，根据实践的要求推进理论创新，而是教条地固守某些不合时宜的理论观念，硬是用这些去套人民群众活生生的实践，那么，党的宗旨就无法得到真正的体现，党的工作就无法给群众带来实际利益，党就会在一种不自觉的状态中脱离人民群众，甚至会损害群众利益。一个执政党，要为人民谋

利益，必须时刻了解人民的需求，了解满足人民需求的各种客观条件，并根据这些需求和客观条件来调整自己的理论、路线、纲领和政策。而在这一切调整当中，作为行动指南的思想理论的调整和创新是最关键的。

最后，只有不断进行思想理论创新，才能不断提高党自身的创造力、凝聚力和影响力。党的思想理论是党在群众当中公开树立起来的一面旗帜，党要有强大的创造力、凝聚力和影响力，首先要保证这面旗帜有吸引力和号召力。而思想理论的吸引力和号召力源于实践，只有合乎实践要求的理论，才能指导人们在实践中实现预期的目标，才真正具有力量。党要团结、要进步、要发展，就必须要有为实践所证明、为全党所接受的正确的思想理论。改革开放以来，中国共产党开创的中国特色社会主义事业之所以取得巨大成就，究其原因，最根本的一条就是我们党坚持把马克思主义基本原理与中国实际相结合，勇于根据实践的要求进行理论创新，从而形成了作为当代中国马克思主义的邓小平理论和“三个代表”重要思想。在中国改革发展进入关键阶段，以胡锦涛为总书记的新一届中央领导集体根据国际国内情况的新发展，提出了科学发展观这一重大战略思想，必将为党领导的事业奠定更加坚实的理论基础。

改革开放以来党的理论创新是集中全党智慧的结果，在这其中，广东省各级党组织对经济建设和党的建设的宝贵探索和经验总结，既引领着广东改革开放的实践历程，也是我们党的理论创新的重要来源。“广东是中国改革开放的前沿地、理论创新的热土，改革开放以来我们党许多标志性的理论创新成果都是首次在广东提出的，上世纪70年代末，南粤大地吹响了改革开放的号角，迈开了探索中国特色社会主义道路的第一步；1992年春，邓小平同志在广东发表了著名的南方谈话，要求继续解放思想，推进改革开放；2000年春，江泽民同志在广东提出‘三个代表’重要思想，要求广东增创新优势，更上一层楼，率先基本实现社会主义现代化；2003年春，胡锦涛总书记在广东提出科学发展观的思想，要求广东加快发展、率先发展、协调发展，在全面建设小康社会、加快推进社会主义现代化进程中更好地发挥排头兵作用”。[①] 三个春天，三次重大理论创新，都发轫于广东的土地，这不是偶然的，而是有着其内在的历史逻辑的。它意味着改革开放以来广东省各级党组织团结和带领全省人民勇于创新、敢为人先的伟大实践，不仅将广东从一个偏僻落后的省份，变成国内经济发展的“第一世界”，更重要的是为我们党的重大思想突破与理论创新，提供了宝贵的实践和经验素材，成为党的思想理论创新重要的酝酿沃土。从这个意义上讲，可以说广东各级党组织在改革开放以来党的理论创新中发挥了试验田的独特作用，广东经济建设和党的建设的实践对改革开放的贡献，最重要的不是经济总量的增长，而是党的重大理论创新。

（三）思想理论创新必须坚持解放思想

思想理论创新，对我们党和党所领导的事业具有决定性的意义。那么，如何才能做到根据时代的要求和实践的发展不断进行思想理论创新呢？从包括广东在内的改革开放的历程来看，关键就是要坚持解放思想，这是创新党的思想理论的决定性因素。

邓小平曾尖锐地指出：“一个党，一个国家，一个民族，如果一切从本本出发，思想僵化，迷信盛行，那它就不能前进，它的生机就停止了，就要亡党亡国。”“只有解放思想，坚持实事求是，一切从实际出发，理论联系实际，我们的社会主义现代化建设才能顺利进行，我们党的马列主义、毛泽东思想的理论也才能顺利发展。”[②]这里强调的就是：只有坚持解放思想，才能实现党的思想理论创新，才能以思想理论创新推动党的事业的发展。

我们党作为马克思主义执政党，它的生机与活力就体现在自身的发展和领导国家和社会的发展过程中。而这种发展过程，就是一种理论与实践相结合并不断循环上升的过程。党要对自身所处的客

① 汪洋：《继续解放思想　坚持改革开放　努力争当实践科学发展观的排头兵》，《广州日报》2007年12月28日。

② 《邓小平文选》第2卷，人民出版社1994年版，第143页。

观环境的变化、对自己所面临的任务的变化、对整个世界的变化不断进行新的认识，并在这种认识的基础上提出新的、能够指导党的工作实践的理论。如果因循守旧、故步自封，把自己的思想束缚在条条框框中，那它就不能从对客观实际的研究中总结出规律，提出新的理论，党也就无法前进。中国共产党历来重视正确思想和科学理论的指导作用，把解放思想作为推动事业发展的首要任务。党的历史就是一部思想解放史，党的每一次重大理论创新成果无一不是思想解放的结果。没有思想解放，就没有党的事业的发展。解放思想是对我们党历史经验的高度总结，是党的思想路线的集中体现。

党的十一届三中全会把我国带入了建设中国特色社会主义的新时期和新阶段。新时期、新阶段最显著的特点就是解放思想、改革开放。30 年改革开放史就是一部思想解放史。开展真理标准问题大讨论，抛弃“以阶级斗争为纲”、“两个凡是”等错误理论和实践，把党的工作重心转移到经济建设上来；摆脱姓“社”姓“资”的争论，克服“左”和右的困扰，建立社会主义市场经济体系，等等，无一不是解放思想的结果。没有解放思想，就没有改革开放，就没有中国特色社会主义伟大事业。正是基于此，十七大报告深刻指出：“解放思想是发展中国特色社会主义的一大法宝。”实行改革开放，建设中国特色社会主义，这是一项前无古人的全新事业，遇到的很多新情况新问题，用过去的理论和传统的方法是不可能解决的。在这一进程中，我们面前的未知领域还很多，我们的认识还远远不够。有些是因为我们缺乏经验，有些则是因为我们过去曾经以为完成了认识，形成了一些既有理论和观念，而这些理论和观念经实践证明已经不能适应变化了的实际；还有些本来就是认识上的偏差和错误，需要加以纠正的。对于这些问题，只有在改革开放的实践中坚持解放思想，以实践作为检验认识正确性的唯一标准，勇于创新，站在新的时代高度来认识变化了的世界，用发展了的理论来指导新的实践才能解决。这种按照马克思主义的立场、观点和方法来对现实问题进行研究并提出新理论的过程，就是解放思想的过程。

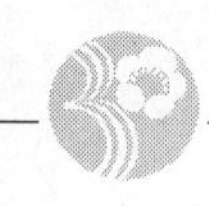

解放思想也是广东改革开放的灵魂。广东既是解放思想、改革开放的先行者，也是解放思想、改革开放最大的受益者；广东改革开放靠解放思想起步，也靠解放思想起飞。靠着解放思想，广东改革开放突破姓“资”姓“社”的束缚，才得以领全国风气之先，抓住机遇发展自己，从一个落后的农业省一跃成为一个经济大省；靠着解放思想，广东在全国率先建立了经济特区，在全国首创了一系列被称为“广东模式”的经验和做法。正如温家宝总理在关于广东改革开放经验讲话中指出的：“30年来，广东以解放思想为先导，以改革开放为动力，引领全国发展潮流，各个方面都取得了举世瞩目的巨大成就。以解放思想引领改革开放，坚持‘不争论，大胆地试，大胆地闯’，不断冲破不合时宜的观念束缚，不断消除阻碍生产力发展的体制障碍，是广东30年来在改革开放和现代化建设实践中积累的弥足珍贵的经验。”同样，也是靠着解放思想，改革开放中的广东党建探索出了“坚定信念，抓灵魂；固本强基，抓基础；能力建设，抓骨干；反腐倡廉，抓作风”等许多新经验，探索出了农村“四民工作法”、国有企业党建的“五羊本田模式”、社区党组织与驻区单位之间的“双挂”活动、“有理想、有责任、有能力、形象好”教育、建立“一家一站一中心”的党内三级管理和服务网络、私营企业党建的“广州模式”等许多新路子，创造性地解决了许多改革开放条件下党的建设面临的新情况新问题。改革开放30年，广东经济社会发展和党的建设取得的每一项成果，都是各级党组织团结和带领人民解放思想的结果；没有解放思想，就没有广东改革开放和现代化建设的今天，就没有广东党建的新局面。广东靠解放思想赢得了发展的先机，然而正是由于先行一步，广东经济转轨和社会转型比国内其他省份早，利益分化更加明显，各种社会矛盾也越显突出并暴露得比较充分，各种利益诉求也越显激烈，由此涉及的深层次因素也不断深化。当前，站在经济社会发展全面转入科学发展轨道的新起点，广东发展既面临着有利条件，也存在着诸多困难和挑战，呈现出一系列新的阶段性特征：经济发展较快，但社会事业和社会管理相对滞后；经济总量大，但发展方

式粗放、结构不合理、创新能力不强的特点没有得到根本改变；城乡区域发展取得了新进步，但发展不够协调、不够平衡的状况有待改善；资源环境保护取得新成绩，但可持续发展的压力依然较大；经济增长速度较快，但民生问题依然突出，等等。针对上述问题，如果不来一次思想大解放，对深层次的因素进行深刻变革，是难以解决广东改革开放进入“深水区”所面临的诸多难题的，也是难以承担“争当实践科学发展观排头兵”的历史使命的。正是在广东处于经济社会发展全面转入科学发展轨道的关键时期，新任省委书记汪洋同志在省委十届二次全会上提出“广东要争当实践科学发展观的排头兵，首先必须争当解放思想的排头兵，把思想从不适应、不利于科学发展的认识中解放出来，以新一轮思想大解放推动新一轮大发展”，要求进一步解放思想，克服“见物不见人”的发展观念，克服骄傲自满的思想，克服狭隘视野，破解发展难题，可谓是号准了破解广东新阶段发展难题、实现科学发展的时代脉搏。广东作为改革开放的先行区、科学发展观的提出地，要以改革开放初期“杀出一条血路”的气魄，通过解放思想，勇于创新，努力在实践科学发展观上闯出一条新路，争当实践科学发展观的排头兵。这不仅是广东实现新一轮大发展的需要，也是广东作为改革开放先行地区较之于全国其他地区的历史责任。这就要求广东省各级党组织要按照“争当实践科学发展观排头兵”的新要求，通过进一步解放思想来创新党的建设，来解决全面贯彻落实科学发展观的新实践中党的建设面临的新课题。一是要以科学发展观为指导围绕党的建设的主题来创新广东党的建设。科学发展观是马克思主义中国化的最新成果，以改革创新精神为动力，在全面贯彻落实科学发展观中加强党的建设，提高党的执政能力，保持党的先进性，是当前党建工作的主题。抓住了这个主题，广东在“争当实践科学发展观排头兵”中创新党的建设才会有正确的方向，才能在把握科学发展规律中不断提高各级党组织领导科学发展的能力，充分发挥各级党组织和领导干部政治核心和骨干带头作用。因此，一定要紧紧抓住这个主题来创新党的建设，要深入研究当前广东党的建设中

存在的不适应、不符合科学发展观要求的思想观念、体制机制和活动方式，要深入探索在推动广东科学发展中加强党的思想、组织、作风、制度和反腐倡廉建设的新办法新路子。二是要围绕党管人才和创新人才工作机制问题来创新广东党的建设。全面贯彻落实科学发展观，关键在人。人才资源是党执政兴国的根本性资源，也是广东“争当实践科学发展观排头兵”的根本性资源。全面贯彻落实科学发展观要求我们把政治上靠得住、工作上有本事、作风上过得硬、发展上有成效的干部选拔到各级领导班子中来，要“让善于科学发展的人上，不会科学发展的人让，阻碍科学发展的人下”。争当实践科学发展观排头兵，要求我们以创新精神解决广东人才工作面临的一系列重大问题：要适应实践科学发展观的要求，深入研究提高广东各级领导班子领导科学发展的能力，建设一支高素质的领导干部队伍；要积极探索建立健全实践科学发展观的评估指标体系、考核指标体系和干部制度体系，促进广东各级领导干部提高领导科学发展的能力；要深入研究以改革创新精神加强广东人才队伍建设，以战略眼光谋划和推进人才工作，统筹抓好各类人才队伍建设；要积极推进广东人才工作机制创新，为推动科学发展提供人才保障，从而实现温家宝总理要求的——要为人才的脱颖而出创造良好的环境，鼓励他们大胆探索、试验和创新，使他们具有独立思考、批判思维和创新的能力，激发他们的创造活力和创业热情，开创人才辈出、人尽其才的新局面。三是要围绕党的基层组织和党员队伍建设这个基础问题来创新广东党的建设。基层党组织是党的全部工作和战斗力的基础。党的工作重心在基层，执政基础在基层，活力源泉也在基层。广东省组织工作会议提出，要把基层党组织建设成为贯彻落实科学发展观的坚强堡垒，这就为加强广东基层党建工作指明了方向，提出了新课题：要紧密结合广东省城市建设和城市管理体制的变化，紧密结合广东省社会生活多样化和流动性的特征，紧密结合当前广东基层党建中面临的党员队伍的流动和重组问题、基层党组织地位变化问题以及由此而带来的党内权力结构不平衡问题，积极探索加强广东基层党组织建设的新途径新办法，以增

强基层党组织活力，推进基层党组织工作机制创新；要紧密结合广东省加快城乡经济社会发展一体化进程、构建城乡经济社会发展一体化新格局的实际，加快构建城乡一体化的广东基层党组织建设新格局，建立健全城乡党的基层组织互帮互助机制，实现基层党建工作的创新发展。只有继续坚持解放思想，继续以改革创新精神来回答全面贯彻落实科学发展观中广东党建面临的新课题，才能为广东争当实践科学发展观排头兵提供思想、组织、作风、制度和能力保证，开创广东党建的新局面。

二、保持先进性是执政党建设的核心

从 2005 年 1 月至 2006 年 6 月，按照党中央和广东省委的部署，广东省各级党组织分三批开展了以实践“三个代表”重要思想为主要内容的保持共产党员先进性教育活动。一年多来，广东省各级党组织认真贯彻胡锦涛总书记提出的“关键在于取得实效”和“成为群众满意工程”的要求，17 万个党组织共 350 多万名共产党员先后接受了先进性教育的洗礼，基本实现了“提高党员素质，加强基层组织，服务人民群众，促进各项工作”的目标要求。先进性教育的成效好不好，关键要看群众满意不满意。广东省先进性教育活动得到了广大党员、群众和社会各界的广泛认同和好评，据广东省抽样调查显示，群众对先进性教育活动的满意率达到了 98.6%，真正成为群众满意工程。以先进性教育活动为契机，广东省还相继在全省共产党员中开展了“理想、责任、能力、形象”教育活动、固本强基工程建设、“十百千万”干部下基层驻农村活动，以及开展机关作风建设年和“三个走在前面”排头兵实践活动。通过这些活动，全省党员队伍的党性修养和先进性意识明显提高，各级党组织的凝聚力、影响力和战斗力明显增强。广东开展先进性教育活动取得了丰硕成果，但这并不是说广东各级党组织以前就没有抓党的先进性建设。先进性是马克思主义政党的根本特征，先进性建设是党的建设的根本任务和永恒主题，从改革开放以来广东党建30年的历程来看，在广东改革开放的全过程中始终保持和体现党的先进性，这始终是广东党的建设的一个核心问题。

（一）执政党建设的核心在于保持党的先进性

一个执政党，总是把巩固自己的执政地位、完成自己的执政使命当作首要目标，而要实现这一目标，执政党必须始终处在引导和带领群众的位置上，必须始终走在时代的前列。这个要求反映到我们党身上，就是党必须始终保持先进性，这是执政党建设的核心问题。

保持党的先进性，首先是由党的工人阶级先锋队性质决定的。政党是由具有特定世界观、特定价值观念和共同理想的人们，为维护和实现本阶级的利益、愿望和要求而自愿组织起来，并以掌握政治权力为目的的政治组织。从这个角度来讲，政党都是由一定的阶级、阶层和集团中那部分率先意识到本阶级利益的人所组成。此外，一个政党为了掌握政权，总是在不损害本阶级和集团根本利益的前提下，千方百计地顺应时代进步潮流，努力满足广大民众的各种利益要求，否则这个政党就会被民众所抛弃。就是说，政党相对它所代表的阶级、阶层或集团而言，总是力求体现出一定的先进性，马克思主义政党更是如此。作为工人阶级的政党，共产党始终代表和反映工人阶级的根本利益，党的先进性首先是由党的阶级性决定的。而且，马克思主义政党不仅有一般政党意义上的先进性，还具有最高意义上的先进性。这是由工人阶级的历史地位和历史使命决定的。马克思、恩格斯深刻揭示了这一点。他们指出，工人阶级是先进生产力的代表者，是当代社会中最进步最有前途的阶级。工人阶级运动既是求得工人阶级自身解放的运动，也是为了其他劳动群众的解放运动，是解放全人类的运动，代表着人类社会发展进步的方向。这就决定了马克思主义政党最高意义上的先进性。中国共产党不仅是为中国工人阶级利益而奋斗的政党，而且是为中国最广大人民的利益而奋斗的政党。党的这种广泛群众性，也是党的先进性的重要体现。正是从这个意义上，胡锦涛总书记深刻指出：先

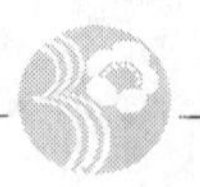

进性是马克思主义政党的根本特征，也是马克思主义政党的生命所系、力量所在；保持马克思主义政党的先进性，历来是马克思主义建党理论中一个带根本性的重大课题。①

保持党的先进性，也是由政党在推动社会前进中所发挥的作用决定的。党的先进性首先体现在党的性质上，这无疑是正确的。但是仅此不够。党的先进性更体现在它的行动上。历史经验证明，一个政党是否具有先进性，归根到底不是看这个党自我认定的性质，而是要看它在推动历史前进中的实际作用。判断一个党是否先进，最主要的是看党的纲领和路线代表什么样的社会发展方向，反映什么人的利益，是不是真正得到广大民众的支持和拥护。作为马克思主义政党的先进性，反映在党的纲领和路线上，就是始终代表工人阶级和广大劳动群众的根本利益，并为实现和维护这个利益而不懈奋斗。过去我们对党的先进性的认识和理解，更多停留在性质层面上，静止地看问题，似乎判断党是不是先进，只要看它的性质、成分就够了。事实上，一个党是不是先进，最终要看它的实际活动，看它是不是真正走在了时代前列。考察政党发展的历史，我们可以看到，能不能站在时代前列，跟上时代发展的潮流，往往决定着一个党的兴衰成败。我们党自十一届三中全会以来，审时度势，果断地结束了“文化大革命”，作出了以经济建设为中心和实行改革开放的重大决策，逐步形成了党在社会主义初级阶段的基本理论、基本路线和基本纲领。它最显著的特点，就在于它牢牢把握国际国内大局，抓住世界进入和平与发展时代的特点，抓住机遇加快发展，迎头赶上时代发展的潮流。因此，一个执政党不管它资格多老，执政时间多长，过去曾经多么强大，如果不能站在时代进步潮流的前列，就不能取得最广大人民群众的拥护，就会丧失先进性，人民最终会把它抛弃。从广东的实践来看，改革开放以来，广东省各级党组织坚持解放思想、实事求是，坚持经济建设和党的建设齐头并

① 胡锦涛：《在新时期保持共产党员先进性专题报告会上的讲话》，《人民日报》2005年1月16日。

进，坚持发挥各级党组织和党员在改革开放中的战斗堡垒作用和先锋模范作用，团结和带领人民共同奋斗，实现了广东经济和社会发展的历史性飞跃，也赢得人民群众的支持和拥护。正是总结了包括广东党建在内的实践经验，党的十六大指出："党的先进性是具体的、历史的，必须放到推动当代中国先进生产力和先进文化的发展中去考察，放到维护和实现最广大人民根本利益的奋斗中去考察，归根到底要看党在推动历史前进中的作用。"这个结论赋予党的先进性以新的科学内涵。

（二）保持党的先进性必须加强先进性建设

党的先进性既不是与生俱来的，也不是一劳永逸的，它是具体的，而不是抽象的；是动态的、与时俱进的，而不是静态的、一成不变的。一个政党过去先进，不等于现在先进；现在先进，不等于永远先进。党的先进性只有通过结合党在不同历史时期的任务和特点来坚持不懈地加强先进性建设才能得以保持和发展。正因为如此，胡锦涛总书记才明确指出：党的先进性建设是马克思主义政党自身建设的根本任务和永恒主题。①

胡锦涛总书记同时还指出："加强党的先进性建设，在执政特别是长期执政的条件下任务更为艰巨"。② 这就意味着，对于执政党来讲，加强先进性建设更加具有紧迫感。执政党如果丧失了先进性，就必然丧失执政地位。执政时间越长，越要加强党的先进性建设。这是因为党在执政前和执政后的不同处境，对党能否保持先进性会产生重大影响。在战争年代，艰苦的条件和残酷的对敌斗争环境，使党始终处在一种强大的外在压力之下，全党上下时刻不敢有丝毫懈怠，从而形成了一种奋发进取的激励机制。同时，这种环境对每个党员都是严峻的考验，经受不住考验，就会被淘汰，从而在

---

① 胡锦涛：《在新时期保持共产党员先进性专题报告会上的讲话》，《人民日报》2005年1月16日。

② 胡锦涛：《在新时期保持共产党员先进性专题报告会上的讲话》，《人民日报》2005年1月16日。

党内形成了一种自动更新机制。由客观环境促成的这两种机制都有利于党不断保持生机和活力。在和平建设时期尤其是在党长期执政和在社会主义市场经济条件下执政的情况下，党所面临的外在压力明显减轻，党员容易产生懈怠情绪；对党员干部考验的主要形式不再是严酷的对敌斗争，而是日常的、比较稳定与平静的工作和生活。各种消极腐朽思想的影响、不合格党员的表现及其造成的不良后果都不再像战争年代那样立竿见影，清理和淘汰都比较困难。这样，党内的激励机制和自动更新机制就有可能趋于弱化，党的生机和活力就可能逐步消减，对保持党的先进性就会造成一系列消极影响。第一，容易出现思想僵化的现象。社会实践是不断发展的，党要始终保持先进性，首先必须使自己的思想认识不断发展，根据实践的要求进行理论创新。而在长期执政的条件下，一些党员由于进取精神衰退，思想上容易受旧的、习惯性思维方式束缚，容易滋长教条主义和经验主义，喜欢固守一些不合时宜的观念和做法，不善于接受新知识、新事物，从而导致思想脱离实际，而思想的僵化必然影响党的各项工作的发展，必然影响党的先进性。第二，增加了脱离群众的危险。执政党的各级领导干部手中都掌握着这样那样的权力，客观上有了依靠权力追求享乐的条件。随着执政时间的延长，一些党员干部的群众观点和群众路线逐渐淡忘，丢掉了艰苦奋斗的优良传统，滋长了官僚主义习气，开始追求名利、地位和金钱，逐渐由人民的公仆变成了凌驾于群众之上的主人，甚至腐败堕落。这些问题如任其发展下去，就有使党走到群众对立面的危险，那也就谈不上先进性了。第三，减缓了新老交替的进程。党内不断进行新老交替和吐故纳新，是保持党的生机和活力必不可少的条件。革命战争年代，严酷的环境和艰苦的条件随时都在考验每一个党员，党内新老交替和吐故纳新的速度是很快的。和平建设时期，特别是在长期执政的情况下，由于种种原因，党内吐故纳新的速度变缓了。干部上去容易下来难，党员进来容易出去难的现象普遍存在。在一些党组织特别是基层党组织中，老党员的比例较大，干部老化的现象比较突出，不发挥作用的党员或不合格的党员的比例增

多。如果干部能上能下、党员能进能出的机制不能及时建立健全起来，势必导致党员干部队伍整体素质下降，进而影响党的生机和活力，影响党的先进性。

正是由于看到了在长期执政条件下，保持党的先进性面临的各种挑战和考验，胡锦涛总书记才第一次在理论上明确提出了“党的先进性建设”这一命题，并且强调指出：加强党的先进性建设，始终是我们党生存、发展、壮大的根本性建设，是加强和改进党的建设的长期任务和永恒课题。① 这就把加强先进性建设置于党的建设的核心地位。

加强先进性建设，需要同实现党的历史任务紧紧联系起来。改革开放以来，广东省各级党组织始终坚持把发展作为第一要务，紧紧围绕经济建设这个中心任务来加强先进性建设。在现阶段，在改革开放进入全面建设小康社会新的发展阶段的时候，就全党而言，先进性就体现在深入贯彻落实科学发展观，建设社会主义市场经济、社会主义民主政治、社会主义先进文化和社会主义和谐社会，建设富强民主文明和谐的社会主义现代化国家和实现最广大人民的根本利益。广东省各级党组织结合这一根本要求，适时赋予先进性以新的时代内涵，把党的先进性最终落实到推动广东建设经济强省、文化大省、法治社会、和谐广东和实现富裕安康的奋斗目标上。广东省委明确指出：要把落实科学发展观作为实践党的先进性的根本要求，切实转化为谋划发展的正确思路、促进发展的政策措施、领导发展的实际能力，落实到富民强省的各项工作中去。在先进性教育活动中，广东省各级党组织坚持围绕中心、服务大局，不是单纯就党建来抓党建，而是把党的建设与广东全面建设小康社会紧密结合起来，既通过先进性教育活动来不断提高党员干部的素质和能力，又通过先进性教育活动不断把党员干部的智慧和力量凝聚到推动科学发展、促进社会和谐上来，广大党员干部的进取精神和

① 胡锦涛：《在新时期保持共产党员先进性专题报告会上的讲话》，《人民日报》2005年1月16日。

内在动力被极大地激发出来，干事创业的意识进一步增强，实现了先进性建设与现代化建设的双赢。

坚持“立党为公、执政为民”是我们党的执政理念，党的全部执政行为和执政党建设包括先进性建设的全部实践，都是为了实现这一执政理念。为此，广东省委明确指出：实践党的先进性，必须牢固树立为人民谋利益的核心价值观。在先进性教育活动中，广东省各级党组织坚持把服务人民群众，解决好群众生产生活中的实际困难和问题作为衡量先进性教育活动取得实效、真正成为群众满意工程的重要标准。广东省各级党组织深入体察群众所思、所盼，坚持边学边做边改，扎实推进“十项民心工程”，以实际成效惠及群众，着力解决群众“一保五难”问题，在扶贫重点县开展免收义务教育阶段学杂费试点，启动“百万农村青年技能培训工程”，积极开展扶贫送温暖活动。制定了广东省集体上访处置办法、群体性事件处置办法、社会矛盾纠纷排查调处工作办法等，明确征地建设项目的三条“红线”，维护了群众利益，促进了社会和谐。教育活动期间，全省为群众办实事好事 214 万件。[①] 通过先进性教育活动，极大增强了党员干部坚持“立党为公、执政为民”和服务基层、服务群众的意识。

党的先进性建设是一个系统工程，它是通过党的思想、组织、作风和制度等各方面建设具体体现出来的。加强党的先进性建设，就是要把党的先进性要求贯穿到党的建设的方方面面，通过带动党的各方面建设来使党的自身状况和执政活动符合先进性的要求。这就要求我们要寓先进性建设于党的各方面建设之中，从而建立起加强先进性建设的长效机制。在先进性教育活动中，广东各级党组织结合实际，制定了加强基层党建、严格党内生活、党员联系群众等方面的制度，提高了党建工作的制度化水平。在全省集中性的先进性教育活动结束之后，广东省委又要求各级党组织要充分运用先进

① 张德江：《在广东省纪念中国共产党成立八十五周年暨保持共产党员先进性教育活动总结大会上的讲话》。

性教育活动的成功经验，在实践中保持和发展党的先进性。一是实践党在思想理论上的先进性，加强理想信念教育；二是实践党在纲领目标上的先进性，全面落实科学发展观；三是实践党在执政宗旨上的先进性，牢固树立为人民谋利益的核心价值观；四是实践党在社会理想上的先进性，促进社会和谐；五是实践党在组织作风建设上的先进性，不断提高治党能力。这就把握住了先进性建设的规律性要求，必将进一步推动广东省党的先进性建设的开展。

（三）加强先进性建设基础在于保持党员先进性

党的先进性体现在党的理论、路线、纲领中，体现在各级党组织的活动中，更体现在党员发挥先锋模范作用的行动中。党的先进性最终要靠党员的先进性来体现，加强先进性建设的基础在于保持党员先进性。

马克思主义经典作家历来重视保持共产党员先进性问题。马克思恩格斯在创建全世界第一个共产党组织——共产主义者同盟时就严格规定了同盟盟员的条件，并特别指出，共产党员不是一般的无产阶级群众，而是无产阶级群众中具有共产主义觉悟的、无所畏惧的和可靠的先进战士。列宁在创建和领导俄国布尔什维克党的过程中也强调，马克思主义政党是由无产阶级先进分子所组成的，党的成员不能同一般群众等量齐观。毛泽东在领导中国革命时强调，保持党和党员的先进性，根本途径是加强马克思主义思想理论教育，首先从思想上入党，把党员教育和锻炼成坚定的共产主义战士。邓小平在改革开放的新的历史条件下，强调所有共产党员都要增强党性，遵守党的章程和纪律。以江泽民同志为核心的党的第三代中央领导集体，坚持党要管党、从严治党的方针，始终把思想建设放在党的建设的首位，多次强调："作为共产党人，放松了学习，思想落后于形势，就会丧失先进性"，有力地促进了党的先进性建设的发展。以胡锦涛同志为总书记的党中央根据党的执政环境的深刻变化，对新时期党员保持先进性提出了新的要求：一是要坚持理想信念，坚定不移地为建设中国特色社会主义而奋斗；二是要坚持勤奋

学习，扎扎实实地提高实践“三个代表”重要思想的本领；三是要坚持党的根本宗旨，始终不渝地做到立党为公、执政为民；四是要坚持勤奋工作，兢兢业业地创造一流的工作业绩；五是要坚持遵守党的纪律，身体力行地维护党的团结统一；六是要坚持“两个务必”，永葆共产党人的政治本色。[①] 这就进一步丰富了党员先进性的内涵。

党的先进性是历史的、具体的，必须放到实现国家富强、民族振兴、社会和谐、人民幸福的具体工作中去衡量。当前对于广大党员来讲，保持先进性就是要在全面建设小康社会的历史进程中，在建设富强民主文明和谐的社会主义现代化国家中切实发挥先锋模范作用。当前对于广东省的党员来讲，保持先进性，就是要按照科学发展观的要求，在建设经济强省、文化大省、法治社会、和谐广东和实现全省人民的富裕安康中始终发挥好先锋模范作用。

结合广东省保持党员先进性教育活动的实践，保持党员先进性主要应体现在以下几个方面：第一，坚定共产主义理想是保持党员先进性的根本。理想是方向和动力，保持党员先进性，首要的、根本的问题是要解决理想信念问题。共产主义理想和信念，是共产党人的根本标志。坚定共产主义理想信念是保持党员先进性的首要的和根本的要求，在现阶段，党员坚定共产主义理想信念，就是要坚定中国特色社会主义道路不动摇，就是要在全面建设小康社会的历史进程中发挥好先锋模范作用，就是要深入贯彻落实科学发展观，构建社会主义和谐社会。第二，增强执政为民责任是保持党员先进性的核心。责任是奉献和使命，对于党员来讲，责任就是牢记“立党为公、执政为民”，把人民的根本利益作为工作的出发点和落脚点。没有责任，就没有使命感和奉献精神，就丝毫没有先进性可言。党员的责任感不是空洞的，而是具体的。要树立居安思危、为党尽心的政治责任感，树立无私奉献、为国尽力的社会责任感，

---

① 胡锦涛：《在新时期保持共产党员先进性专题报告会上的讲话》，《人民日报》2005 年 1 月 16 日。

树立爱岗敬业、为民尽责的工作责任感。第三，提高促进发展能力是保持党员先进性的基础。能力是本领和才干。党员要保持先进性，必须把提高促进发展能力作为基础，要以过硬的本领和才干来更好地履行社会主义现代化建设的责任。当前尤其要善于把科学发展观落实到具体工作中去，坚持走科学发展之路，努力使发展成果惠及最广大人民群众。第四，塑造良好形象是保持党员先进性的归宿。形象是威信和力量。党的形象是党的性质、宗旨、理论和纲领的外在表现，是党在群众中的凝聚力、影响力和感召力的集中体现。党员形象是党的形象的人格化、具体化，直接影响着人民群众对党的价值认同。优化党员个人形象，是树立党的形象的基础，是党在人民群众中有威信、有力量的基础。保持党员先进性，最终落脚点就是塑造和保持党员在人民群众中的良好形象。

三、执政为民是执政党建设的根本

2007 年 5 月 21 日，中国共产党广东省第十次代表大会召开。大会报告总结了省第九次党代会以来取得的工作成就，在谈到取得这些成就的主要体会时，报告强调指出："办好广东的事情，必须注重民生，让发展成果惠及全省人民。我们坚持立党为公、执政为民，坚持发展为了人民、发展依靠人民、发展成果由人民共享。坚持以人为本，从人民群众最关心、最直接、最现实的利益问题入手，着力解决涉及大多数群众利益的问题。"这不仅是对省第九次党代会以来的五年更是对改革开放 30 年以来广东省各级党组织团结和带领全省人民共同奋斗所取得成就的基本经验的正确总结，同时也反映了执政党的一级地方党委对执政理念的深刻认识。

所谓执政理念指的是党执政的指导思想，它是执政党对于执政行为的理性认识，反映的是党在执政过程中的整体态度，它包含三个方面的内容：一是为谁执政？即回答执政党"为谁服务"的问题。这是执政理念中一个管总的问题，它回答执政党执政的本质问题，决定着执政理念的价值取向。二是何为执政？解决的是执政党

执政“做什么”的问题，对它的回答直接决定着执政理念的内容构成。三是怎样执政？它回答的是执政党执政的方式方法问题，解决的是执政党执政“如何做”的问题。对上述三个问题的完整回答，构成完整的执政理念。在执政理念中，最核心的是执政的本质问题，它是执政理念的灵魂所在。任何执政党都要根据自身性质来确定符合其所代表的阶级阶层的根本利益的执政理念，而执政理念一经确定，就对执政党的实践活动产生决定性的价值导向作用。中国共产党是以马克思主义为指导思想、以实现共产主义为最高奋斗目标的政党，自成立之日起，就把自己确定为中国工人阶级先锋队。我们党的性质，决定了我们党的理论和实践都必须以中国工人阶级和最广大人民的根本利益为出发点和落脚点。党执政以后，其执政理念集中体现在对“为谁执政”这一问题的回答上。党的十六届四中全会通过的《中共中央关于加强党的执政能力建设的决定》（以下简称《决定》）科学地总结了党执政的主要经验，其中之一就是“必须坚持立党为公、执政为民，始终保持党同人民群众的血肉联系”，并且明确提出“使党始终成为立党为公、执政为民的执政党”，这就从根本上回答了中国共产党“为谁执政”的问题。“立党为公、执政为民”成为中国共产党人最根本的执政理念，我们党的全部执政行为都是建立在“立党为公、执政为民”之上的。加强执政党建设，最根本的就是要始终坚持“立党为公、执政为民”的执政理念，并使之贯穿于党的全部执政实践之中。改革开放以来，从落后的农业省到成为经济大省，广东实现了经济和社会发展的历史性飞跃，广东老百姓的生活获得显著改善，得到了实惠。这就深刻表明：坚持“立党为公、执政为民”也是贯穿改革开放30年广东党建始终的根本要求。

（一）党长期执政的最大危险

中国共产党执政地位的取得是民心所向的结果，但民心的所向并不是一朝确定便永远不变的，正如党的十六届四中全会《决定》深刻指出的：“党的执政地位不是与生俱来的，也不是一劳永逸的”，这表明，党获得执政地位不容易，而要长期执政更不容易。党的执政地位的巩固，仍然有赖于通过党的执政实践来不断地赢得民心。

对于长期执政的中国共产党来讲，党掌握的执政权力始终是一把双刃剑：一方面，它为实现党的路线纲领、实践党的执政理念创造了更为有利的条件；另一方面，它也使一些党员干部面临着腐败蜕变的危险，从而增加了党的执政风险。对此，中国共产党有着清醒的认识。毛泽东早在从西柏坡动身前往北京时就说：今天是进京赶考的日子。他清醒地认识到，同夺取政权的艰巨程度相比，我们党要执掌好政权更不容易。如何使全党同志经受住执政的考验，防止出现骄傲自满、贪图享乐、脱离群众而导致人亡政息的危险，是我们党面临的全新的历史性课题。为此，在七届二中全会上，毛泽东向全党提出了“两个务必”，要求警惕“糖衣炮弹”的袭击。1956年9月，中国共产党八大明确指出：执政党的地位，使我们党面临新的考验。这个“新考验”就是邓小平在《关于修改党的章程的报告》中指出的：“执政党的地位，很容易使我们同志沾染上官僚主义的习气。脱离实际和脱离群众的危险，对于党的组织和党员来说，不是比过去减少而是比过去增加了。”① 他强调党必须“每天每时都要注意执政党的特点”②，经常警惕脱离实际和脱离群众的危险。改革开放以来，邓小平始终高度关注反对官僚主义和反腐败问题，提出“执政党的党风关系党的生死存亡”。总结历史的经验教训，江泽民在党的十六大报告中深刻指出：“我们党的最大政治优势是密切联系群众，党执政后的最大危险是脱离群众”，强调“党执政的时间越长，越要抓紧自身建设，越要从严要求党员和干部”。③ 进入新世纪以后，中国进入了全面建设小康社会新的发展阶段，面对我们党长期执政出现的新情况新问题，以胡锦涛为

① 《邓小平文选》第1卷，人民出版社1994年版，第214页。

② 《邓小平文选》第1卷，人民出版社1994年版，第304页。

③ 江泽民：《在庆祝中国共产党成立八十周年大会上的讲话》，人民出版社2001年版，第38页。

总书记的新一届中央领导集体对这个问题的认识更加清醒。他在西柏坡学习考察时指出：在新世纪新阶段，我们党要带领人民实现全面建设小康社会的奋斗目标，是这场考试的继续。党要牢记“两个务必”，在这场考试中经受考验，努力交出优异的答卷。[①] 党的十六届四中全会《决定》进一步深刻指出：“深刻汲取世界上一些执政党兴衰成败的经验教训，更加自觉地加强执政能力建设，始终为人民执好政、掌好权。”这就表明：我们党加强执政党建设、不断提高执政能力的根本目的，就是要始终坚持“立党为公、执政为民”的执政理念，始终保持党同人民群众的血肉联系，避免脱离群众这个党长期执政的最大危险，巩固党的执政地位。

中国共产党来自于人民，服务于人民，人民群众的拥护和支持是我们党的力量源泉和胜利之本。今天，我们党的历史方位发生了根本转变，这就给执政党建设提出了一个十分重要的课题，即在长期执政的环境下，共产党如何通过加强执政党建设来不断提高党的执政能力，来持续不断地获得人民群众对执政党的地位和权力的认同。因为共产党执政，表面上反映的是党和国家公共权力的关系，本质上却是党和人民群众的关系。

加强执政党建设，不断提高党的执政能力，就是要始终坚持“立党为公、执政为民”这一执政理念，并通过党的执政实践来维护好、实现好、发展好最广大人民的根本利益，赢得人民群众对我们党执政的支持和拥护。最广大人民越是支持和拥护我们党，我们党的执政能力就越强，执政地位越巩固。加强执政党建设，不断提高党的执政能力，从根本上讲还是要解决人民群众的政治认同感问题。如果执政党建设的结果不是密切了党群关系，而是疏远了群众，失去群众认同，必然是失败和垮台，非但根本谈不上执政能力，甚至连执政地位都有丧失的危险。正是基于这样的认识，党中央一再强调：“加强党的执政能力建设，必须以保持党同人民群众的血肉联系为核心”，这是一个十分重要的论断，它体现了以胡锦

① 《胡锦涛在西柏坡学习考察时的讲话》，《人民日报》2003 年 1 月 3 日。

涛为总书记的新一届中央领导集体在理论上的自觉和政治上的清醒，这就是把密切党群关系作为判断执政党建设和执政能力高低的根本标准，这就从根本上把握住了执政党建设的正确方向。因此，如何使各级党组织和全体党员干部始终坚持“立党为公、执政为民”的执政理念，是改革开放以来我们党包括广东省各级党组织必须经常面对的一个重大考验，是加强执政党建设、提高党的执政能力包括广东在内的地方各级党组织执政能力要解决的一个根本问题。

（二）党执政的本质是为人民执政

我们党作为执政党，其执政理念主要是要回答“为谁执政”，即党的执政权力为谁所用的问题。而这个问题的实质是：党与人民群众究竟是什么样的关系。只有在理论上弄清楚了这个问题，才能正确地回答“为谁执政”的问题。

人民群众是历史的创造者，这是马克思主义唯物史观的一个基本观点。它表明：人民群众是历史的主体，是推动历史前进的决定力量。因此，“为什么人的问题”是马克思主义政党本质的反映和生命的根基。在党的全部实践活动尤其是党的执政行为中，是否相信、依靠和为了群众，是否始终站在最广大人民的立场上，是立党为公还是立党为私，是执政为民还是执政为己，这是人民群众判断它的性质的根本标准。而马克思主义政党的根本立场就在于它始终相信、依靠和为了群众，始终站在最广大人民的立场上。

从“人民群众是历史的创造者”这一马克思主义政党的根本立场出发，邓小平从理论上进一步回答了党与人民群众的关系问题。他说：“工人阶级的政党不是把人民群众当作自己的工具，而是自觉地认定自己是人民群众在特定的历史时期为完成特定的历史任务的一种工具。”① 邓小平讲的，就是关于党的根本观念。简单地说，党是人民的工具，而决不能说人民是党的工具。弄清这一根本观

① 《邓小平文选》第1卷，人民出版社1994年版，第218页。

念，从思想深处确立这一根本观念，非常重要。共产党人的世界观认为：人民群众是历史的创造者，先进的政党只是历史前进的助推器，而不是为人民包打天下的英雄，更不是救世主。共产党是人民的领导者，党的领导作用，从根本上说，就是它能够认清历史发展大趋势，反映人民群众的利益和意志，引导和帮助人民群众组织起来，为自己的利益而奋斗。因此，从本质上说，共产党是人民群众的全心全意的服务者。执政以后，党所处的环境和地位改变了，但是，“党作为人民为实现自己的特定历史任务的工具”这个根本观念不能变。人民是国家的主人，人民是本，“官”不是本，只能是以民为本，决不允许以“官”为本。因此，“共产党执政就是领导和支持人民当家作主”[①]，就是受人民的委托管理国家、管理社会。党的执政权力来自于人民，必须受制于人民、服务于人民，为人民执好政、掌好权。归结起来，这个“党的观念”就是“立党为公、执政为民”的执政理念，它深刻表明：党执政的本质是为人民执政。

由此可见，在执政条件下，党与人民群众关系的核心，就是党受人民的委托，按照人民的意愿执好政，掌好权，就是党必须为人民执政。正是基于这样的认识，胡锦涛总书记深刻地指出：“对于马克思主义执政党来说，坚持立党为公、执政为民，实现好、维护好、发展好最广大人民的根本利益，充分发挥全体人民的积极性来发展先进生产力和先进文化，始终是最紧要的。”“不断实现最广大人民的根本利益是我们党全部奋斗的最高目的。”[②] 正是基于这样的认识，前任省委书记张德江同志明确指出：实践党在执政宗旨上的先进性，必须牢固树立为人民谋利益的核心价值观，坚持尊重社会发展规律与尊重人民历史主体地位的一致性，坚持完成党的各项工作与实现人民利益的一致性，在向群众学习、服务群众的实践

① 江泽民：《全面建设小康社会　开创中国特色社会主义事业新局面》，人民出版社 2002 年版，第 31 页。

② 胡锦涛：《在“三个代表”重要思想理论研讨会上的讲话》，人民出版社 2003 年版，第 16 ~ 17 页。

中获取永葆先进的力量源泉。也正是基于这样的认识，省委书记汪洋同志深刻地指出：全心全意为人民服务是党的根本宗旨，党的一切奋斗和工作都是为了造福人民。这是我们党之所以能够得到广大人民支持和拥护的根本所在。以人为本，是科学发展观的核心。说到底就是走共同富裕道路，促进人的全面发展，让老百姓享受改革发展成果，过上好日子。我们必须认识到，GDP 的增长是改善人民生活的手段，绝不能成为我们发展的目的。科学发展观针对的就是“见物不见人”的发展误区。这些论述科学地回答了党的执政本质问题，即为人民执政、为更好地实现最广大人民的根本利益执政。

（三）党执政的根本目的在于为民谋利

改革开放以来，广东省各级党组织在团结和带领全省人民建设中国特色社会主义的过程中，始终贯穿着一条主线，那就是：坚持为民执政、以民生为重，把提高人民生活水平、解决民生问题摆在重要位置，努力使全省人民共享改革发展的成果。改革开放以来，随着经济的发展，全省人民的生活水平不断提高。据统计，至 2002 年省第九次党代会召开时，全省人民生活水平已经总体进入小康，珠江三角洲地区实现初步富裕。城镇职工社会保险覆盖面扩大，就业局势稳定，教育事业有较大发展，医疗卫生事业继续发展，解决困难群众生产生活问题力度加大，基本实现扶贫“两大会战”目标，加快了脱贫奔康步伐。2003 年 8 月 30 日，广东省委、省政府又发出关于实施《十项民心工程》的通知，要求深入贯彻“三个代表”重要思想，坚持立党为公、执政为民，全面建设小康社会，确保全省人民无饥寒，在全省实施十项民心工程：全民安居工程、扩大与促进就业工程、农民减负增收工程、教育扶贫工程、济困助残工程、外来员工合法权益保护工程、全民安康工程、治污保洁工程、农村饮水工程和城乡防灾减灾工程。2004 年 9 月 28 日，省委九届五次全会通过的《中共广东省委关于贯彻〈中共中央关于加强党的执政能力建设的决定〉的意见》又强调指出：

增强解决群众生产生活问题的能力，实现全省人民的富裕安康。至2007年省第十次党代会召开时，全省城乡居民生活水平明显提高。2006年城镇居民人均可支配收入和农民人均纯收入分别达16016元和5080元，珠三角地区率先达到宽裕型小康水平。统筹城乡就业迈出新步伐，劳动者合法权益得到较好维护，社会保险覆盖面进一步扩大，城乡最低生活保障实现应保尽保，农村“一保五难”逐步解决，扶贫开发取得新成效。省第十次党代会还进一步提出了今后五年“全省实现宽裕型小康，人民生活水平稳步提高”的奋斗目标。从改革开放以来广东省各级党组织关注民生、改善民生的举措中可以引发出对执政党建设一个深层次问题的思考，即执政的目的是什么。作为马克思主义执政党，这个问题的答案只能是：执政的目的在于为民谋利。

共产党要为最大多数人谋利益，这是马克思主义党建学说的一个基本观点。中国共产党从建党开始就申明除了最广大人民的根本利益，没有自己特殊的利益。党的全部任务就是团结和带领人民群众为实现自己的利益而奋斗。所谓“立党为公、执政为民”就是指：在执政条件下，党的一切执政行为，都必须以最广大人民的根本利益为出发点和落脚点。因此，党执政的本质是为人民执政，而为人民执政的根本目的在于运用执政权力为民谋利。中国共产党在自身的执政实践中，都始终坚持人民利益价值观，把实现好、维护好、发展好最广大人民的根本利益作为衡量党的执政行为是非得失的最高标准。

毛泽东在领导中国革命和建设的实践中，坚持一切从人民利益出发，以全心全意为人民服务作为共产党人的最高价值取向，以是否符合人民的最大利益，作为衡量共产党人的一切言行的评价标准。邓小平指出：“中国共产党员的含意或任务，如果用概括的语言来说，只有两句话：全心全意为人民服务，一切以人民利益作为每一个党员的最高准绳。”[①] 在对党的历史方位和执政使命的深刻

① 《邓小平文选》第1卷，人民出版社1994年版，第257页。

思考中，以江泽民为核心的党的第三代中央领导集体提出了“三个代表”重要思想，强调“贯彻‘三个代表’重要思想，本质在坚持执政为民”。十六大以来，以胡锦涛为总书记的新一届中央领导集体，进一步把“三个代表”重要思想的本质概括为“立党为公、执政为民”。党的十六届三中全会又提出了科学发展观，强调“以人为本”，实现全面、协调、可持续的发展，促进经济社会的全面发展和进步。十六届四中全会进一步提出了构建社会主义和谐社会的任务，强调要“促进社会公平正义”、“把最广大人民的根本利益作为党和国家一切工作的出发点和落脚点”。十六届五中全会通过的《中共中央关于制定国民经济和社会发展第十一个五年规划的建议》提出“要按照以人为本的要求，从解决人民群众切身利益的现实问题入手，更加注重经济社会协调发展，更加注重社会公平，使全体人民共享改革发展成果”。党的十六届六中全会通过的《中共中央关于构建社会主义和谐社会若干重大问题的决定》强调要“以解决人民群众最关心、最直接、最现实的利益问题为重点，着力发展社会事业、促进社会公平正义，建设和谐文化、完善社会管理、增强社会创造活力，走共同富裕道路”。党的十七大报告进一步深刻指出：“必须坚持以人为本”，“要始终把实现好、维护好、发展好最广大人民的根本利益作为党和国家一切工作的出发点和落脚点”，“做到发展为了人民、发展依靠人民、发展成果由人民共享”。十七大还第一次提出了“加快推进以改善民生为重点的社会建设”，要求“在经济发展的基础上，更加注重社会建设，着力保障和改善民生”。正是在深入贯彻落实科学发展观的执政实践中，新一届中央领导集体形成了以“以人为本”为核心的人民利益价值观，进一步丰富了对“立党为公、执政为民”的执政理念的认识。

“以人为本”是科学发展观的核心。胡锦涛总书记指出：“坚持以人为本，就是要以实现人的全面发展为目标，从人民群众的根本利益出发谋发展、促发展，不断满足人民群众日益增长的物质文化需求，切实保障人民群众的经济、政治和文化权益，让发展的成

果惠及全体人民”[①]。由此可见，“以人为本”的人民利益价值观和“立党为公、执政为民”的执政理念，两者的本质要求具有一致性，即都要求在实现经济社会全面协调可持续发展中坚持“充分依靠人民、一切为了人民”的原则，实现发展为了人民、发展依靠人民、发展成果由人民共享。在全面建设小康社会的历史进程中，要把“为民谋利”的执政目的贯彻于科学发展的实践中，从人民群众最关心、最迫切需要解决的实际问题入手，转变发展方式，拓宽发展思路、破解发展难题，切实让最广大人民群众共享发展成果，从而达到我们党为民谋利的执政目的。

作为马克思主义执政党，坚持为民谋利的执政目的，要求我们在执政理念和执政实践中必须始终牢记“民生”二字，坚持执政以民生为本，高度关注和不断改善民生。正如胡锦涛总书记多次强调指出的：坚持立党为公、执政为民，必须围绕人民群众最现实、最关心、最直接的利益问题来落实；要坚持权为民所用、情为民所系、利为民所谋，为群众诚心诚意办实事，尽心尽力解难事，坚持不懈做好事；要坚持群众利益无小事，切实帮助群众特别是困难群众解决生产生活中的困难，坚决反对和纠正各种损害群众利益的行为。正是在这样的执政理念和执政实践中，新一届中央领导集体树立了关注民生的执政风格，展现了“亲民、清廉、务实”的执政新形象，赢得广大人民群众和国内外舆论的好评。

2007 年 12 月 25 日，中共广东省委十届二次全会召开。省委书记汪洋同志在《继续解放思想　坚持改革开放　努力争当实践科学发展观的排头兵》的讲话中，一方面肯定了改革开放以来广东发展取得的举世瞩目的成就，另一方面，以“排头兵”标准审视自己，也明确地指出了广东在深入贯彻落实科学发展观中存在的困难和不足，包括广东在解决民生问题、让全省人民共享改革发展的成果方面存在的一些问题。讲话指出：广东经济增长速度较快，但

① 胡锦涛：《在中央人口资源环境工作座谈会上的讲话》，新华社 2004 年 4 月 4 日。

民生问题仍然突出，城乡居民的生活品质有待提升。人民群众的收入增长未能与经济增长水平相同步，一些人民群众最关心、最直接、最现实的利益问题还有待进一步解决。讲话强调：满足人们日益增长的物质和文化生活需要是经济社会发展的根本目的。只要我们的改革创新符合人民群众的根本利益，能够让广东人民生活得更好，就一定是社会主义的，也一定是符合科学发展观要求的。讲话要求在推动经济社会的进步中，要使人民群众得到实实在在的好处，共享改革发展成果：要切实把握好广大人民群众对提高收入水平和保障水平的强烈愿望，改善收入分配关系，逐步提高居民收入在国民收入分配中的比重，建立健全工资正常增长机制，逐步扭转收入分配差距拉大趋势；要不断提高公共福利水平，完善社会救助体系，大力发展慈善事业，改善人居环境，提高居民生活质量和幸福感；要着力解决民生问题，加强社会管理和公共服务，注重发展成果的普惠性。这些论述集中体现了广东省委坚持为民谋利的执政目的，树立关注民生的执政风格，从解决群众最关心、最直接、最现实的利益问题抓起，尽心竭力为人民群众做好事、办实事、解难事的执政新形象，从而受到舆论和群众的普遍好评。改革开放30年来广东党建的实践经验深刻表明：一个执政党，只有在促进经济发展的同时又不断改善民生，努力使最广大人民群众共享改革发展的成果，才算是真正坚持了“立党为公、执政为民”这一根本要求，才能真正体现党的先进性，真正巩固党的执政地位。

第十一章
广东党建的未来思考

由于广东地处改革开放前沿，相对于内地来说，广东各级党组织必然会最先碰到各种新情况和新挑战。正是从这个意义上说，未来广东党建必须也应该走在全国前面，关注并努力解决以下三个问题：一是如何培育中国特色社会主义价值理性问题，二是如何改善执政党与人民群众的关系问题，三是如何创新和完善党的执政方式问题。

一、重塑社会主义价值理性

共产主义是人类社会的美好理想，社会主义是共产主义的第一阶段。正是对未来社会的美好憧憬，曾经鼓舞和激励了一代又一代共产党人，他们的青春和热情是那么紧密地与共产主义理想联系在一起，他们为此而豪迈，豪迈地走过了那些激情燃烧的岁月。然而，今天的人们又似乎太过于现实，对理想的关注显得热情不足，部分人群开始怀疑甚至嘲笑共产主义。如何理性地看待社会上的思想状况？我们今天还能不能找回那一份曾经的豪迈，还能不能理直气壮地讲共产主义理想和中国特色社会主义信念？今天社会上存在的一些令人失望的消极现象是不是与我们丧失了美好理想有内在关联？如何从现实出发加强共产主义理想和中国特色社会主义信念教育？这些都是亟待我们认真反思的现实问题，广东应该为解决这个问题做出表率。

（一）理性把握中国特色社会主义的科学内涵

共产主义（社会主义）不仅是一种未来的社会制度，也是一种科学理论，同时还是一种社会政治运动。以往，我们对共产主义的认识有片面性，过分地强调了作为制度的共产主义，一定程度上忽视了作为理论和实践的共产主义，以至于总是不切实际地去做一些现在根本就做不到的事情。我们记住了《共产党宣言》中关于社会主义就是“把生产资料收归国有”的结论，却忽视了生产力必须高度发达的必要条件；我们记住了那个属于未来的理想，却忽视了从现实到理想需要一个过程。共和国早期对中国如何建设自己的社会主义是缺乏理性的，在生产力水平还十分落后、物质财富还非常贫乏的情况下，我们就试图去建立一个人民公社，几乎把全部生产资料都收归国家和集体所有，同时实行高度集中的计划经济和平均主义的分配方式。结果是连老百姓吃饭的问题都没有解决好，最后还弄出一个“继续革命”来，把大量时间和精力都消耗在“阶级斗争”上，没有好好地去发展经济，尽可能快地增加物质财富。我们总对国人说：资本主义是地狱，只有社会主义才是天堂。可是，东南沿海的老百姓说：你们在天堂待着吧，我们愿意下地狱（十年动乱期间，不少大陆人逃港）。折腾了30年的共和国，最后发现老百姓的温饱问题都没有解决。到这个时候我们才真正意识到，原来马克思讲的社会主义首先和最主要的任务是发展生产力，作为一种先进社会制度的共产主义不是光靠喊口号就可以实现的，更不是从天上掉下来的，她必然经历一个漫长的过程。于是，安徽的农民首先走出了人民公社的误区，开始实行联产承包责任制；四川的工人首先走出了“大锅饭”和平均主义分配方式的误区，真正按照多劳多得的原则，实行计件工资制度，把劳动贡献与劳动者的报酬直接联系起来。一时间，劳动者的积极性像春天复苏的生命一样活起来，劳动生产率几乎是呈几何级数增长，创造了一个又一个经济发展的奇迹。

马克思关于共产主义社会制度的论述，是在分析资本主义内部

矛盾的基础上对未来社会的一种科学构想，是对社会发展的一种规律性认识。因此，共产主义作为一种学说，是一个科学的理论体系，需要我们理性地去认识和把握，尤其需要我们准确把握她的立场、观点和方法，而不是其中的个别结论。片面认识马克思关于所有制的论述，就无法理解今天资本主义的变化，也很难接受发展社会主义市场经济的主张；片面认识马克思关于暴力革命的理论，就无法理解今天的共产党人为什么不再搞阶级斗争，而要一心一意地搞经济建设。应该看到，马克思的某些结论有特定的时代背景和历史局限性；应该看到，资本主义社会的某些积极变化正是社会主义因素的生长，而社会主义的积极变化恰恰是对以往错误的否定。马克思关于工人阶级和劳动者的立场没有错，辩证唯物主义和历史唯物主义的基本观点没有错，马克思认识事物的辩证方法也没有错。

既然实现共产主义是一个历史过程，我们就可以把这一过程称之为共产主义运动，这是我们理解共产主义的又一个视角，是实践的视角。共产主义作为一种运动是一个过程，这个过程不仅是历史的，也是现实的。《共产党宣言》发表标志着共产主义运动的产生，到今天共产主义运动已经经历了150多年。早期的共产主义运动，力量是微弱的，经常遭到资产阶级统治者的迫害和镇压。由于一代又一代共产党人经过艰苦卓绝的宣传发动和英勇斗争，国际共产主义运动的声势不断壮大，力量也越来越强。到20世纪中期产生了一大批社会主义国家，以至于让整个资本主义世界为之恐惧。由于社会主义国家的种种不成熟，由于一些共产党人对社会主义理解的片面性以至错误，苏联东欧一大批社会主义国家走进了死胡同，其他一些社会主义国家也不同程度地犯了这样那样的错误，国际共产主义运动遭到了严重的挫折。然而，这并不意味着共产主义的理想有错，也不意味着共产主义运动的失败。不仅共产主义（社会主义）社会制度仍然是人类向往的理想社会制度，而且大多数国家还有共产党人在为共产主义奋斗，欧洲不少国家的共产党仍然十分有活力，有些国家一直坚持着社会主义的基本原则，民主法制和公平正义这些社会主义的因素还在不断地生长。总之，作为运动的共产主义虽然目前处在低潮，但并没有停息，而且还将继续发展下去。

（二）明确共产主义理想的现实要求

树立共产主义理想的根本要求是准确把握中国特色社会主义的内涵，把握实现共产主义理想的现实要求，立足推进全面建设小康社会的伟大事业。既要从中国的国情出发，又要遵循马克思主义的一些基本原则，适应世界发展潮流。只有弄清了国情和时代背景，我们才知道现在应该干什么，能干什么。今天的中国是社会主义的中国，今天中国的社会主义是初级阶段的社会主义。社会主义中国必须有社会主义的民主、法制、公平和秩序；社会主义初级阶段的中国必须加快发展社会主义经济，必须切实解决中国老百姓的温饱并逐步富裕起来的问题。要按照党的十六大、十七大报告提出的要求，扎扎实实地推进全面建设小康社会的伟大事业，这是实现党的最终目标必须做的事情，也是我们今天应该做也能够做的事情。

首先，要在加快经济发展的同时，尽量做到相对公平。一是经济总量到建党100周年的时候要再翻两番，人均GDP要超过3000美元。要实现这个目标，发展速度就不能低于7%。从近两年经济发展的情况来看，这个目标完全有可能实现。发达地区已经提前实现了这一目标，但也应该为中西部地区早日实现这一目标作贡献。二是经济体制要进一步完善。完善的市场经济体制是有效参与国际竞争的前提，也是进一步加快发展的重要条件。目前，我们的市场经济体制还不够完善，尤其是资本市场、人才市场还没有最终形成，权力干预市场的现象仍然存在。必须进一步转变政府职能，完善现代企业制度，发展社会中介机构，尽快消除不规范的市场行为。三是老百姓的家庭财富要普遍增长。总量的增长并不意味着老百姓家庭财富的普遍增长，更不一定就能够保证社会公平。目前，增长不平衡的现象还比较突出：下岗职工、贫困农民的生活状况还有待进一步改善；东部地区与西部地区、农村与城市之间的差距还比较大。总之，要实现全面建设小康社会的伟大目标，经济方面就

是要在保证发展并力求争取快速发展的前提下，尽量做到相对公平，至少要把贫富差距控制在老百姓能够承受的范围内。为此，必须严格税收征管，确保纳税人尤其是富裕阶层能够依法纳税；必须完善社会保障制度，确保下岗职工、贫困农民和丧失劳动能力的人能够解决温饱问题，并尽快向小康目标迈进。

其次，政治上民主要更充分，法制要更完备，社会秩序要更好。一是要发展社会主义民主。发展社会主义民主关键是要完善基层民主自治制度，真正实现民主选举、民主决策、民主管理和民主监督。要确保村民委员会和居民委员会的选举真正能够体现选举人的意志，确保重大决策能够广泛听取群众的意见，确保基层公共事务管理由群众参与，确保群众能够有效实施对村委会、居委会和基层党组织的监督。为此，必须发展基层社会集体经济，发展基层社会的公共事业和公共需求。二是要完善社会主义法制。法制建设的基础工作是培育群众的公民意识和法制观念，关键问题是实现依法自治。要认真贯彻《中华人民共和国村民委员会组织法》和《中华人民共和国居民委员会组织法》，在强调基层民主自治的同时，真正实现依法治理基层社会的公共事务。要依法保障基层群众的选举权和监督权，依法规范基层党组织和自治组织的权力。三是要维护好社会秩序。我们虽然仍然处在社会主义初级阶段，但初级阶段的社会主义也不能没有和谐，而要实现社会和谐就必须维护社会秩序。从近年的情况来看，广东社会秩序总体上是好的，但也存在不和谐的现象。维护社会秩序是构建“和谐广东”的必要条件，也是加快广东经济社会发展的必要条件。这也是我们现阶段应该努力去做的事情。

再次，文化上要全面普及九年义务教育，建设社会主义的精神文明。普及九年义务教育问题，从理论上说，应该已经实现了。但是，实际情况并非如此。目前，发达地区和富裕农村依靠自己的力量已经实现了九年甚至整个小学和中学的免费教育，但也有一些贫困山区农民和下岗职工的孩子没有充分享受到九年义务教育的优惠政策。各地要尽快出台具体政策措施，落实贫困山区农民和下岗职工子女的义务教育问题。这是建设社会主义新农村的必要条件，也是实现国家整体现代化的重要前提。除了要普及九年义务教育之外，还必须相应发展农村的医疗卫生、体育和文艺事业。要结合农村实际引导和支持农民建立农村的合作医疗制度，建立城市下岗职工和退休人员的医疗保障制度，切实解决好老百姓病不起和看病难的问题；要发展体育和文化事业，活跃群众的文化生活，加快农村的城镇化进程，不断提高人民群众的健康水平和生活质量。

最后，要切实转变经济发展方式，处理好人与自然的关系。要提高国民的环保意识，在开发自然资源的同时，保护好农村的生态环境。环境问题是一个十分重要的问题，也是长期被我们忽视的问题。环境问题主要包括资源和生态两个方面。就全国的情况而言，我们拥有资源的绝对数量并不算少，但由于我们人口多，人均占有资源的数量就相对少了。试想，如果我们的钢铁、石油和煤炭用完了，我们的子孙后代会怎么样？想起来的确是一件非常可怕的事情。中国是一个消耗资源的大国，自身拥有的人均资源又相对不足，这就有一个节约资源和提高资源利用效率的问题。城市发展所需要的资源主要来自于农村。农村资源的开发和利用一定要有计划、讲科学，尤其要注意保护好农村的土地、矿产、森林与河流。要充分认识环境和资源的重要性，处理好人与自然的关系，确保人与自然的和谐发展。为此，党的十七大进一步强调，要转变经济发展方式：从主要依靠投资、出口拉动向依靠消费、投资、出口协调拉动转变，由主要依靠第二产业带动向依靠第一、第二、第三次产业协同带动转变，由主要依靠增加物质资源消耗向主要依靠科技进步、劳动者素质提高、管理创新转变。

（三）引导党员树立中国特色社会主义信念

理想是一种希望，一种期待，一种追求，也就是一种精神支柱。无论是一个人、一个组织，还是一个国家、一个社会，都不能没有希望、期待和追求，不能没有一种健康向上的精神支柱。一个政党没有理想就会垮台，一个党员尤其是领导干部没有理想就会腐

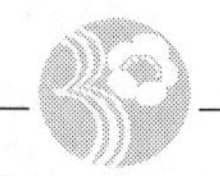

败；一个人没有理想就会“破罐子破摔”。为了从根本上解决党员干部的理想信念问题，从2003年开始，广东省委在全省范围进行了为期三年的理想信念教育，为解决党员干部的理想信念问题进行了有益的探索。

1. 正确认识理想与现实的关系。

树立坚定的理想信念必须处理好理想与现实、长远目标与近期目标的关系。之所以有人不相信共产主义理想，原因主要在于我们没有处理好理想与现实的关系，没有处理好长远目标与近期目标的关系。我们大家都知道，共产党人的最终理想就是要实现共产主义社会制度。但是，共产主义社会制度不会从天上掉下来，必须靠我们一代接一代的人去努力为之奋斗；共产主义也不是现在就能够实现，需要一个很长的过程，我们只能去做今天应该做也能够做的事情。正确处理好理想与现实、长远目标与近期目标的关系，必须把握好三点：第一，必须牢记共产主义理想，牢记我们的最终目标所处的历史方位。记住了最终目标，我们就不会犯方向性错误。第二，必须努力去寻找到达目标那条最近的路。找不到这条最近的路，我们就可能走弯路，甚至犯路线错误。第三，必须搞清楚我们现在所处的位置。所谓搞清楚我们现在所处的位置，也就是要正确认识我们的时代背景和基本国情。我们之所以强调从现实出发、从国情出发，就是强调不要再犯脱离实际、超越现实的错误。搞清楚了我们的现状，就不会脱离实际。我们强调中国的事情要从中国的实际出发，就是这个意思。正确认识理想与现实的关系，必须坚持理论联系实际，努力去做好现在可以而且能够做的事情。总之，既要努力去为实现理想而奋斗，又不至于去做那些现在根本就做不到的事情。从这个意义上说，只要我们今天在为老百姓谋利益，为中国的繁荣富强作贡献，我们就是一个有理想的人，就是在为中国特色社会主义理想而奋斗。

2. 努力纠正理论与实践的偏差。

理论与实践出现偏差是造成一些人理想信念动摇的一个重要原因。比如，我们理论上说党员干部是人民的公仆，实际工作中我们就必须按照公仆的要求去做，否则老百姓就会怀疑公仆是假的。又比如，理论上说我们“代表中国最广大人民的根本利益”，实际工作中我们就必须时时处处把人民群众的利益放在第一位，就必须对人民负责。如果我们理论上说一套，实际上做的是另一套，群众就不会相信我们的理论，也不会相信我们的理想。

就目前中国的国情而言，实现共产主义的远大理想，首先必须实现全面建设小康社会的近期目标，必须努力发展中国特色社会主义。问题不在于我们目前离全面小康的要求还有差距，关键是我们在迈向全面小康目标的过程中理论与实践不能背离。比如说，我们要代表中国最广大人民的根本利益，就必须做到相对公平：必须让富人规规矩矩交税；必须解决下岗职工、贫困农民和丧失劳动能力者的温饱问题。这两方面的事情我们目前都还做得不到位，这是导致部分党员信念动摇的现实原因，我们必须想办法尽快解决。一是要严格税收征管。要尽快开征遗产税，健全个人消费税，并逐步完善相关制度和法律，充分发挥税收政策的杠杆作用，调节一部分人的过高收入。二是要健全社会保障制度。可以把增加的税收部分用于解决低收入者的温饱问题，还可以引导发展社会公共福利和慈善事业，引导和鼓励富人去救助穷人，鼓励富裕地区支援贫困地区。要积极采取措施尽量缩小贫富差距，至少要把“基尼系数”控制在0.4以内。当然，我们也不要光发牢骚，应该意识到我们每一个人都有责任。党的政策取向并没有错，应该相信党和政府能够处理好效率与公平的关系。问题主要在于政策滞后和执行政策不到位，我们每一个共产党员都应该为实现社会相对公平做好自己分内的事情。又比如说，我们要让人民当家作主，就必须发展社会主义民主，就必须努力完善基层的民主选举、民主决策、民主管理和民主监督，必须确保公共权力的规范运行。这方面的工作没切实做好，也是造成一些共产党员信念动摇的一个重要原因。关于民主问题，理论（政策）与实践发展也不平衡。民主理论很清楚，有些政策也很到位。问题在于我们的实践跟不上，国民尤其是农民的民主意识发育不成熟。我们必须培育国民的民主意识，引导他们主动正确

地行使自己的民主权利。当然，发展社会主义民主还有体制问题，这需要我们理性把握并逐步去解决，我们也正在努力解决这方面的问题。再比如说，我们要构建和谐社会，就必须完善法制，维护社会秩序，努力创造安居乐业的环境。我们的法制还不太完善，我们的社会治安还不太好。一方面，我们要努力想办法去维护社会秩序，为群众创造一个安定的工作和生活环境；另一方面，要主动向群众做好解释工作，要引导群众正确看待我们的国情，积极参与社会治理，为构建和谐社会做好各自力所能及的事情。还比如说，我们讲干部是人民的公仆，就必须要求干部尽心尽力为群众办好事、办实事，就必须承担为民分忧解困的责任。然而，我们一些干部包括一些领导干部，主仆关系并没有摆正，对此，人民很不满意。

3. 切实抓好中国特色社会主义理想信念教育。

江泽民同志指出：我们共产党人的根本政治信仰是社会主义和共产主义，这是任何时候都不能丝毫动摇的。一个共产党员特别是领导干部，如果在思想上动摇了这些根本的东西，就动摇了共产党人的根本政治立场，也就在事实上背叛了自己的政治身份。坚定党员干部的社会主义理想信念，必须强化对党员干部进行理想信念教育，必须将过去单向的灌输式教育转变为双向的沟通式教育，必须理性地认识和处理好以下三个关系。

一是主体与对象的关系。这里所说的主体和对象是指参与教育过程的教育者和受教育者。教育活动从来都是教育者与教育对象双向互动的过程，即使是灌输式教育，如果没有教育对象的最终认可，其教育效果也难以想象。因此，任何教育都应该是主体与对象双方互相影响、互相作用的过程。无论是教育者还是接受教育的人，他们都是能动的、有思想和感情的人，他们之间作为主体和对象的不同角色定位是相对的，不是绝对的、一成不变的。传统的党员教育往往把主体和对象的角色定位绝对化，一定程度上忽视了对象的能动作用。事实上，没有谁天生就只是教育别人，也没有谁注定只能接受别人的教育。教育者同时也应该接受教育，而教育对象在特定条件下也可能成为教育者。把教育对象仅仅看成是被动的受体，这样的教育不可能产生好的效果。领导干部不应该把自己视为天生的教育者，应该看到自己也需要接受教育；特定环境下的教育者要正确处理自己与教育对象的关系，重视并发挥好双方的互动作用，尊重党员群众的主体地位，主动接受党员群众的教育和监督，引导党员群众主动积极地参与教育活动，尤其要重视党员群众的自我教育。在社会环境越来越宽松，党员的主体意识日益增强的情况下，正确处理教育主体与教育对象的关系显得尤为重要。

二是内容与形式的关系。内容与形式既对立又统一，二者之间是一种辩证关系，没有内容的形式根本就不存在，没有形式的内容也毫无意义。可见，内容与形式互为条件，不能只重视一个方面而忽视另一个方面。内容的重要性是不言而喻的，教育必须选择健康的内容，但形式也不能忽视，没有适当的形式，再好的内容也发挥不了作用。内容要健康，形式要与内容相适应，要符合时代要求。教育效果好不好不仅有内容的问题，也与形式密切相关。把人教坏可能是内容的错；而没有把人教好则主要是形式有问题。问题在于，作为一种党组织的活动，没有人会拿一些不健康的内容去教育党员，却很可能有人使用不适当的形式去进行党员教育。所以，从一定意义上说，影响党员教育效果主要原因是教育形式。从近年来党员教育的实践看，我们往往是过多地关注内容，在一定程度上忽视了教育形式，这是造成教育效果不佳的一个重要原因。要真正搞好党员教育，必须正确处理好内容与形式之间的关系，不仅要关注内容是否健康，而且要关注形式是否与内容、对象、环境相适应，尤其要联系教育对象的思想实际。从目前的社会背景和党员的思想实际出发，注重形式创新可能更有利于改善党员教育的实际效果。

三是动机与效果的关系。动机讲的是做事情的一种愿望和出发点，效果讲的是做一件事情的实际结果。动机与效果既对立又统一，二者也是一种辩证关系。就党员思想教育而言，教育者希望党员成为什么样的人，这是动机；党员接受教育之后实际上变成了什么样的人，这是效果。教育者固然要有良好的动机，要希望党员成为工人阶级的先锋战士，充分发挥先锋模范作用；同时，教育者必

须重视如何引导党员正确理解和把握教育内容，必须重视教育对党员的思想和行为产生的实际效果。动机不良，效果不可能好；但动机好，效果也不一定好。党员教育作为一种政治性的社会活动，教育者的动机通常都是好的，都希望党员能够成为群众的表率。但是，好动机不一定有好效果，希望通过教育使党员成为群众的表率与党员实际上能否成为群众的表率是两码事。所以，我们不仅要关注教育动机，更要关注教育效果。不讲效果的教育是没有价值的教育，天天讲社会主义理想，可就是没有人相信你的理想。这样的教育搞得越多越劳民伤财。正确处理好动机与效果的关系，必须坚持动机与效果并重，把效果作为衡量党员教育好坏的客观标准。

二、促进党与社会的良性互动

任何政党尤其是执政党，要扩大影响并巩固自身的地位必须实现党与社会的良性互动。一方面，党的思想、路线及政策主张必须体现多数社会成员的利益和愿望，赢得社会的广泛认同与支持；另一方面，社会成员能够自主、有序参与社会政治生活和公共事务，自觉维护执政党的权威。这是一种双向的互动，也是一种良性的互动。作为执政党来说，实现这种互动不是要不要执政的问题，而是如何执政的问题；作为社会公众来说，不是要不要参与的问题，而是愿不愿意参与和如何参与的问题。广东省委认为，推动执政党与社会的良性互动是改善执政党与人民群众关系、巩固党的执政地位的重要环节。

（一）必须坚持执政为民的价值选择

为谁执政的问题是判断一个执政党是否先进的根本价值尺度，也是公众是否认可并接受执政党领导的一个至关重要的问题。执政党必须明确人民群众是历史的主体，是历史发展的决定力量，执政党的制度定格、政策安排和行为选择只有体现人民的意愿、代表人民的利益，才能得到人民的认可。因此，执政党要实现与公众社会

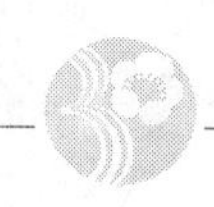

的良性互动，必须坚持执政为民的价值理念，思想理论要符合时代发展要求和公众的价值追求，制度定位要确保公共权力为公众服务，政策安排要代表最广大人民的根本利益。

第一，思想理论必须符合时代潮流和公众的价值追求。一个先进的政党应该是引领时代潮流的政党，一个引领时代潮流的政党应该有适应时代发展要求和公众价值追求的思想理论。马克思主义作为人类社会最进步的理论，她不仅开创了一个时代，也代表了人类社会普遍的价值追求。中国共产党选择马克思主义作为自己的指导思想符合时代发展潮流，也符合中国人民的价值追求。但是马克思主义在中国的实现形式必须与中国的国情相适应，必须符合中国老百姓现阶段的价值追求。我们已经进入了一个社会主义时代，中国的老百姓已经接受了社会主义的价值理想，我们没有理由不尊重老百姓的这种选择。同时，我们必须清醒地认识到，中国的社会主义是在生产力水平十分落后，封建传统习惯势力非常强大的背景下起步的，我们不能忽视中国的这个基本国情，不能不考虑到社会主义的中国特色。党的十七大强调建设中国特色社会主义，正适应社会主义的时代潮流和中国老百姓现阶段的价值追求。要引导人们树立中国特色社会主义信念，必须从实际出发，认真总结我国社会主义的历史经验，不断推动马克思主义理论的创新与发展。

第二，制度设置必须确保公众的利益和愿望表达顺畅。国民是一个国家的主体，也是这个国家的主人，制度安排必须确立国民的主体地位并有利于充分发挥国民的主动性，这是公共权力为公众服务的重要保证。一方面，制度设计必须为公众意志的表达提供顺畅的渠道。只有让公众意志得到充分表达，社会才能充满活力，政策选择才能最大限度地避免失误。制度安排要有利于公众意志的表达，不仅要有公众代表进入权力机关，而且要确保进入权力机关的公众代表独立自主表达公众愿望。也就是说，制度设置必须有利于消除公众意志表达的一切障碍，这是确保公众利益得以实现的重要前提。另一方面，制度运行必须有利于规范公共权力主体的行为。只有规范公共权力主体的行为，权力运行才不至于违背公众的意

志，权力与责任才可能实现统一，权力主体的使命感和责任意识才可能生长起来。公众有了充分表达自己利益和愿望的渠道，公共权力主体的违规行为就能够得到有效的监督和制约，公共权力为公众服务才有制度保障，公民作为主体参与社会政治生活才会有意义；权力主体的责任意识增强了，权力运行的效率就会显著提高，公共权力为公众服务就不再是一句口号，公民参与社会政治生活才会有积极性，反过来又会推动制度的良性运转。

第三，政策选择必须代表最广大人民的根本利益。党的路线政策得到社会的普遍认同是实现党与社会良性互动的重要条件。政策的合理性必须以制度的正义性为前提，但有了代表正义的制度不一定就有合理的政策来实现这种正义。执政党的路线政策能否得到社会的普遍认同，直接取决于党的路线政策是不是体现多数社会成员的利益和愿望。一方面，执政党必须有高尚、合理的价值目标，必须立党为公、执政为民。执政党的价值目标不够高尚，就不可能代表多数社会成员的利益，就得不到多数社会成员的认同与支持；执政党的价值目标不够合理，即使这种目标能够反映多数人的利益，但实际上却无法实现，因而也得不到多数人的认同与支持。另一方面，执政党必须有科学的思想路线、开明的政策主张和强有力的组织措施。思想路线不科学，方向就不明确，就不能把握好大局；政策主张片面，就难免顾此失彼，工作就不会有效能；组织措施不得力，就不可能充分集中民智，也不可能有效地动员和整合民众的力量，也很难有效地利用社会资源。也就是说，当公众的利益和愿望表达出来之后，实现公众的利益和愿望还需要有相应的政策。执政党的政策选择是否合理，直接取决于执政水平和党员干部素质的高低，取决于执政党自身建设的水平。

（二）必须造就一支高素质的党员干部队伍

实现党与社会的良性互动，必须确保党能够适应并引领时代潮流，始终保持自身的先进性。保持执政党自身的先进性，不仅是动员群众参与现代化建设的需要，也是确保公共权力为公众服务，进

而确保公众认可并接受执政党领导的重要条件。保持执政党自身的先进性关键是要造就一支高素质的党员干部队伍。

政党政治的实践表明，精英主导是世界各国政党尤其是执政党共同选择的组织定位模式。先进的政党不仅要有高素质的党员，同时要有高素质的干部队伍。因此，造就高素质的党员干部队伍，建立由精英主导的组织定位模式是扩大执政党社会影响、增强执政党活力的需要；建立由精英主导的组织定位模式是改善执政党与社会公众关系的重要条件；建立由精英主导的组织定位模式是巩固党的执政基础的客观要求。为此，必须按照高标准来发展党员、选拔干部。既要有严格的职业标准，也要有动态的时代标准，要真正把那些有使命感、有能力、有奉献精神的党内精英充实到各级领导班子和领导岗位上来。这是保持党的先进性、巩固执政党基础的一项根本措施。执政党与社会的良性互动实际上是执政党的党员干部与社会公众之间的一种互动。就执政党而言，这种互动是通过党员干部来实现的。一方面，执政党的党员干部要能够有效地动员和组织群众；另一方面，广大群众要能够自觉参与这种互动。现代化建设需要全民参与，动员广大民众参与现代化建设是执政党不可推卸的责任。但是，公众参与的主动性和参与的效率，直接取决于执政党的执政水平和党员干部的表率作用。没有一支高素质、能够发挥表率作用并且具有号召力和感染力的党员干部队伍，就不可能把群众有效组织起来，更不可能充分调动广大群众的积极性和创造性。因此，执政党必须从多方面提高党员干部队伍的素质，确保他们能够成为时代的先锋和群众的表率。执政党的党员干部要有崇高的政治理想，有理想才会有号召力；执政党的党员干部要有强烈的责任意识，有责任才会有公信力；执政党的党员干部要有卓越的工作能力，有能力才会有统驭力；执政党的党员干部要有良好的道德品质，有道德才会有感染力。

造就一支高素质的党员干部队伍，最重要的是要造就一支高素质的领导干部队伍。执政党对国家政权的控制是通过自己的干部队伍来实现的，因而执政党干部尤其是领导干部处于公众瞩目的地

位。领导干部能不能得到社会公众的认可，是实现党与社会良性互动的先决条件。可见，领导干部手中的权力不仅要合法，而且要合理，要为公众所接受。也就是说，实现党与社会良性互动，必须首先实现执政党合法权力合理化，而要实现执政党合法权力合理化，就必须造就一支高素质的干部队伍，尤其要造就一支高素质的领导干部队伍。所谓合法权力合理化，主要是指领导干部的素质问题。执政党与社会的互动，一定程度上是执政党领导集团与社会的互动。执政党的领导集团是由领导干部组成的，高素质的领导干部是优秀领导集团产生的基础。没有得到公众认可的高素质领导干部，优秀领导集团就不可能形成，执政党与社会的良性互动就是一句空话。高素质的领导干部应该是能够代表人民群众利益的领导干部，高素质的领导干部应该是具有战略思维并能够引领时代潮流的领导干部，高素质的领导干部应该是勤政廉洁、有奉献精神的领导干部。执政党的权力只有掌握在这样的领导干部手里，合法的执政地位才具有事实上的合理性，群众才信得过，才会自觉接受执政党的领导并积极维护执政党的权威。造就高素质的领导干部不仅有选拔和使用的问题，同时还有一个培养教育的问题。因此，必须按照公众利益要求改革干部制度。一是要拓宽干部选拔任用渠道，二是要推进干部工作的民主化进程，三是要强化对领导干部的监督和制约。

（三）必须引导公众有序参与社会政治生活

公众自觉、有序地参与社会政治生活是实现党与社会良性互动的标志，也是衡量执政党执政水平的一个重要的客观标准。执政党与社会的良性互动不仅取决于执政党及其领袖的公信力和社会影响，同时取决于公众对社会政治生活自觉而又有序的参与。公众能否自觉、有序地参与社会政治生活既有一个公众的政治素养问题，也有执政党的执政能力以及整个社会的制度化水准问题。人民群众是历史的主体，是经济发展和政治进步的决定量，没有群众的自主参与，政治进步就是一句空话。现代政治学普遍认为，发达的经济

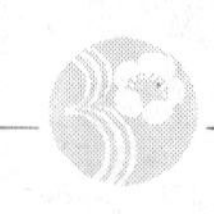

不一定有民主的政治，但落后的经济绝对不可能产生现代意义上的民主政治。既然公众对政治生活的自主参与取决于公众的政治素质和整个社会的经济政治发展水平，那么，推动公众自觉有序地参与政治生活就必须在推动经济发展的同时，提高公众的政治素质和整个社会的制度化水准。

社会公众作为政治主体不仅有一个主动参与的问题，同时还有一个怎么参与的问题。执政党既要调动群众主动参与社会政治生活的积极性，又要为群众有序参与社会政治生活创造物质条件、制度条件和文化条件。

首先，要加快经济发展，为公民社会的生长准备充足的物质条件。唯物主义历史观认为，人们的生活方式直接决定他们的行为方式，进而影响和决定整个社会的制度化水准。然而，改善人们的生活方式必须首先改善社会的物质条件，必须加快经济发展，进而推动社会文化的进步。正是从这个意义上说，一个社会的政治文明程度最终取决于这个社会的经济和文化发展水平。也就是说，公众对政治参与的积极性、主动性和参与水平，最终取决于中国经济的发展状况。按照这个思路，中国经济的快速发展必然伴随着中国公民社会的健康生长和民主政治的快速发展。

其次，要提高公众素质，培育民主政治的合格主体。公民的自主参与是民主政治发展和完善的先决条件，也是执政党与社会良性互动的重要标志。公民社会的成长是一个自然的历史过程，执政党在这个过程中的主观能动性就在于，适应社会发展的需要，为公民社会的生长创造条件，为提高公民素质去开发和利用教育资源。一是要向公众宣传现代民主政治的基本知识，让公众了解人类政治发展的历史进程；二是要稳步推进基层社会的民主自治，让公众在自治实践中不断提高公民意识；三是要加大国民教育投入，努力提高国民受教育程度，为公民意识的生长奠定文化基础。总之，执政党必须积极创造条件，提高国民的主体意识和政治参与意识。

再次，要提高社会的制度化水准，依靠制度来保证公民有序地参与社会政治生活。党与社会的互动是一种双向的动态关系，这种

关系不仅要求执政党主动去联系社会、联系群众，同时要求社会公众能够主动去联系执政党。社会公众能不能主动去联系执政党，不仅取决于社会的物质和文化条件，更重要的是执政党的制度设计能不能调动社会公众的积极性和主动性。一方面，公众愿望的表达要有制度保证，执政党领袖的选择要从制度上体现公众意志。另一方面，执政党的行为必须进入公众社野，执政党控制的公共权力必须在阳光下运行，必须确保公众对执政党的监督、制约。因此，执政党要适应公众社会的要求不断推动制度变革与创新，不断提高执政水平，开发执政资源，这不仅是实现党与社会良性互动的需要，也是巩固执政党地位的需要。

三、实现执政党自身的现代化

政党是历史的产物，一个适应时代需要而产生的政党其存在和发展的全部意义就在于解决时代提出的课题，肩负起历史赋予的伟大使命。在世界性的现代化浪潮面前，政党只有顺乎潮流，适应社会现代化进程的需要，适时调整自身的结构和运作方式，才能更科学、更有效地影响政权和政治的运作。政党现代化是通过政党的价值观念、组织构成和行为模式体现出来的一种时代风貌，是政党适应时代发展要求不断调整自身的组织结构、功能定位和运作方式的动态过程，也是政党适应社会环境不断完善自身的过程。英国工党、日本自民党和墨西哥革命制度党等政党早在20世纪60年代就明确提出了政党现代化问题。世界政党发展的历史经验也表明，一个政党如果不重视或者不善于加强自身建设，就很难适应时代的要求，政党的运作就有可能因失去科学控制而偏离正确的轨道，政党的固有职能就得不到有效发挥，其生存和发展就必然受到挑战。由此可见，政党现代化已经成为当今世界各国政党自身建设过程中面临的共同课题。广东各级党组织应该为实现执政党自身现代化进行前瞻性探索，为改革和完善党的执政方式作出自己应有的贡献。

（一）政党现代化的基本内涵

政党现代化是一个历史范畴，这一范畴内在地包含了以下几个基本要点。第一，政党现代化是一个与时俱进的动态过程。政党现代化是一个具有突出时代特征的命题，它不是一个静止的目标，而是一个永无止境的自我更新过程。研究和推动政党现代化，必须关注时代的发展变化，紧跟时代潮流，尤其要关注和跟踪世界政治文明的潮流。没有与时俱进的创新精神，实现政党现代化就只能是一句空话。第二，政党现代化是政治现代化的题中应有之义，也是社会现代化的必然要求。政党现代化属于上层建筑的范畴，是整个人类社会政治现代化的一个重要组成部分，是由经济基础决定的。正是生产力的发展推动了生产关系的变革，进而推动了整个上层建筑包括政党自身的变革。正确把握政党现代化的历史进程必须关注生产力的发展和生产关系的变革，关注社会物质生活条件的改善。也就是说，必须适应社会现代化尤其是政治现代化的客观要求，推动政党的现代化进程。第三，政党现代化作为一种时代风貌是通过政党的价值观念、组织构成和行为模式以及相应的功能体现出来的一个综合指标体系。政党现代化作为一种时代风貌是通过发挥自身的功能体现出来的，是政党决策功能、组织功能和执政方式的现代化，是政党运作的制度化、规范化和科学化。推动政党的现代化进程必须更新政党的思想观念、改善政党的组织结构、调整政党的行为模式，必须适应时代发展要求全面加强党的自身建设。第四，政党现代化必须关注并主动适应政党自身的生存环境。政党总是在一定的社会历史条件下存在和发展的，政党的现代化与政党赖以生存的社会环境尤其是社会物质生活条件以及与此相适应的观念环境密切相关，关注政党的生存与发展、关注政党的现代化进程，必须关注政党所处的社会环境，必须在推动社会变革、改善社会物质生活条件的同时促进政党与社会的良性互动。

（二）政党价值观念的现代化

任何执政党的稳固执政都离不开意识形态工作。意识形态工作的核心任务就是将执政党的价值、观念与理想有效地传递给社会成员，并转化成一种政治认同。中国共产党以马列主义、毛泽东思想、邓小平理论和“三个代表”重要思想作为意识形态的核心和灵魂，并发挥对社会意识形态的整合功能。随着改革开放和市场经济的发展，党的价值体系要赋予新的时代内容。在价值认同上，不仅要反映工人阶级传统的优秀价值理念，还要反映新兴社会阶层中出现的先进价值理念；在价值取向上，要以“三个代表”重要思想为指导，不断推进社会主义物质文明、政治文明和精神文明建设；在价值评价上，要建立层次化和立体化的价值评价机制，对市场经济中出现的积极的个人价值实现方式和有利于社会发展的价值评价标准，加以提倡和保护。

1. 用马克思主义中国化最新成果武装全党、教育人民。

新世纪新阶段，经济体制深刻变革，社会结构深刻变动，利益格局深刻调整，思想观念深刻变化。如何用马克思主义中国化最新成果武装全党、教育人民，引领整合各种社会思潮，至为关键。马克思主义作为人类历史上最科学、最先进、最严密的思想体系，是人们认识世界、改造世界的强大思想武器，是我们立党立国的根本指导思想，是全党全国各族人民的共同精神支柱。毛泽东思想、邓小平理论、“三个代表”重要思想是马克思主义基本原理同中国具体实际相结合的产物，是中国化的马克思主义。在当代中国，坚持马克思主义的指导地位，就是要把马克思列宁主义、毛泽东思想、邓小平理论和“三个代表”重要思想作为党和国家长期坚持的指导思想，坚持以科学发展观统领经济社会发展全局，坚持用发展着的马克思主义武装全党、教育人民，引领人们的思想和行为，形成强有力的精神支柱和精神力量，坚持用发展着的马克思主义指导改革开放和现代化建设实践。

2. 用中国特色社会主义共同理想凝聚力量。

当前，既是黄金发展期，也是矛盾凸显期，用共同理想凝聚全党全国各族人民的力量，愈显重要。这个共同理想，就是在中国共产党领导下，走中国特色社会主义道路，实现中华民族的伟大复兴。中国特色社会主义共同理想，把党在社会主义初级阶段的目标、国家的发展、民族的振兴与个人的幸福紧密联系在一起，把各阶层、各群体的共同愿望有机结合在一起，集中体现了工人、农民、知识分子和其他劳动者、建设者、爱国者的利益和愿望，能够得到广泛的社会认同，有着很强的包容性，具有强大的感召力、亲和力和凝聚力，是引领和激励我们团结奋斗的巨大精神力量。

3. 用民族精神和时代精神鼓舞斗志。

五千多年的文明历史，中华民族形成了以爱国主义为核心的团结统一、爱好和平、勤劳勇敢、自强不息的伟大民族精神。改革开放以来，中华民族又形成了以改革创新为核心的解放思想、求真务实、锐意改革、开拓创新的时代精神。民族精神和时代精神相互交融，深深熔铸在中华民族的生命力、创造力和凝聚力之中，深深熔铸在社会主义核心价值体系之中，使中华民族能够以昂扬向上的精神状态自立于世界民族之林。以爱国主义为核心的民族精神和以改革创新为核心的时代精神，反映了中国共产党的价值体系是一个面向时代、立足现实，与中华民族优秀传统文化承接、与社会主义先进文化一致的体系。

4. 用社会主义荣辱观引领风尚。

以“八荣八耻”为主要内容的社会主义荣辱观，明确了当代中国社会最基本的价值取向和行为准则，涵盖了人生态度、社会风尚的方方面面，体现了社会主义基本道德规范的本质要求，是中华民族传统美德、优秀革命道德与时代要求的有机结合。社会主义荣辱观作为引领社会风尚的一面旗帜，指明了社会主义市场经济条件下应当坚持和提倡什么、反对和抵制什么，为全体社会成员判断行为得失、分清是非曲直、辨明善恶美丑、作出道德选择、确定价值取向，提供了基本准绳。必须大力倡导和弘扬社会主义荣辱观，使之家喻户晓、人人践行。宣传思想战线要坚持用社会主义荣辱观引

领风尚，既尊重差异、包容多样，又有力抵制各种错误和腐朽思想的影响，促进良好社会风尚与和谐人际关系的形成，推动全社会形成知荣辱、讲正气、树新风的文明道德风尚。

（三）政党组织管理的现代化

一个政党的组织制度建设水平，直接影响到该党在执政中的生命力、凝聚力和战斗力。邓小平曾深刻指出："我们过去发生的各种错误，固然与某些领导人的思想、作风有关，但是组织制度、工作制度方面的问题更重要。这些方面的制度好可以使坏人无法任意横行，制度不好可以使好人无法充分做好事，甚至会走向反面。""不是说个人没有责任，而是说领导制度、组织制度问题更带有根本性、全局性、稳定性和长期性。这种制度问题，关系到党和国家是否改变颜色，必须引起全党的高度重视。"① 这说明组织制度建设担负着向党的其他各项建设提供实现机制和实现方式的功能。只有组织制度健全并不断完善，执政党才有可能迈出自身现代化的关键性一步。

1．尊重党员的主体地位。

改革开放前，由于单一的公有制和计划经济条件下的单位体系与党的组织体系高度一致，党员不仅是党组织的一分子，同时也是所属单位的一员，因而既要接受党组织的管理，又要接受单位行政权力的控制。在这种情况下，作为个体的党员自主性严重不足，党内民主实际上被掩盖在行政管制之下。随着市场经济的不断发展和完善，单位体系逐步瓦解，新经济组织和新社会组织在市场的培育下快速生长起来，基层社会的自主空间越来越大，个人活动的社会环境也越来越宽松。单位体制的逐步瓦解导致大量单位人转变为社会人，党员作为一种政治角色也开始摆脱行政权力的控制，自主性明显增强。随着基层党组织行政化角色定位逐步向非行政化角色定位转变，党组织对党员的行政化控制日益减弱，对主体意识明显增

① 《邓小平文选》第2卷，人民出版社1994年版，第333页。

强的党员如何加强组织管理已经成为基层组织建设迫切需要解决的一个重大现实问题。基层党组织建设的大量实践表明，改善党员的组织管理必须充分发扬党内民主，尊重党员的主体地位。一是要规范完善基层党组织的选举，让那些真正有威信的党内精英来主持基层党组织的管理工作，这是党员自觉接受组织管理的重要条件；二是要赋予党员大会或党员代表大会罢免党内不称职干部的权力，这是及时改善党的领导，确保党组织正常运作的重要手段；三是党内的重大行动或者重要决策之前必须充分听取党员群众的意见，这是避免决策失误，提高工作效率的重要保证。总之，只有尊重党员的主体地位，才能调动党员的积极性；只有尊重党员的主体地位，才能把合格的管理者推向管理岗位；只有尊重党员的主体地位，才能避免管理失误，提高管理效能。

2. 健全党的民主集中制。

民主集中制是马克思主义认识论和群众路线在党的生活和组织建设中的运用，体现了民主与集中的辩证统一，它是我们党的根本组织制度，规范了党内生活的基本准则，能够最大限度地集中全党的智慧和力量，发挥全党的创造性和积极性，增强党的凝聚力和战斗力。只有坚持民主集中制才能把全党组织成一个统一的整体，把全体党员和党的各级组织紧密地结合在一起，从而使党成为一个有组织的战斗部队；只有坚持民主集中制才能正确处理党内的各种关系和矛盾，巩固党的团结和统一。只有坚持民主集中制才能充分调动全党的积极性，防止个人独裁和少数人决定重大问题的现象出现，保证党的决策的科学性和执行的正确性，不断提高党的领导水平和执政水平。民主集中制是我们党生存和发展的制度保证，是经过实践证明科学、有效、合理的制度。在改革开放和建设社会主义市场经济条件下，仍需要坚持民主集中制，这是不容否定的。与此同时，我们也应看到，在新形势下，我们党传统的民主集中制正面临着前所未有的挑战。

3. 利用网络技术实施城乡一体化动态管理。

大量党员处于流动状态，已经成为客观事实。改变这一事实无

疑是不切实际的，放弃对流动党员的管理则是对党的不负责任。从近年来各地实践探索的经验来看，最有效的办法就是利用网络和信息技术，通过建立网络党组织对流动党员实施网上管理。地方党委组织部门可以设立网络党委，有流动党员的基层单位可以设立网络支部或联合支部。各单位为流动党员个人建立网上档案，包括个人履历、组织隶属关系、目前职业、E-mail地址等情况；组织部门和网上党委掌握流动党员的总体情况，提出网上组织管理的原则要求。对流动党员实施网上管理必须解决以下几个问题：一是内容。网上党委可以就组织活动内容设立若干个专栏，如政策宣传、形势报告、思想交流和理论探讨等。二是要求。网上党委每半年举行一次集体活动，具体安排可以专门设计；网上党支部每两个月组织一次思想交流，具体时间和要求可以提前一个月在网上发通知；流动党员每月至少一次自觉上网浏览有关信息，党员之间也可以约定时间上网交流思想和有关信息。三是技术操作。可以定期组织流动党员参加电脑操作技能培训，也可以有意识地将文化程度低的党员与文化程度高的党员编入同一个学习小组，以便他们互帮互学。四是管理方式。要为流动党员进入网站设计系统提示；给流动党员发放IC卡，以便在流动中确认党员资格；流动党员每参加一次网上组织活动，电脑要能够自动将有关情况存入管理系统，有关党组织可随时调用和查看流动党员的最新个人资料，包括参加活动和接受教育的相关情况；采用积分制办法，每位流动党员参加网上活动的情况都可以量化计分，并设立积分排行榜，年终总得分情况可作为评选“流动党员之星”和“最佳网上党支部”的重要依据。

（四）政党执政方式的现代化

执政方式是关系一个政党执政成败与否的关键因素。随着社会主义市场经济体制的进一步完善和政治改革进程的深入发展，党的传统执政方式越来越不适应新形势新任务的要求，迫切要求推进党的执政方式的现代化。当前，推进党的执政方式现代化的重点应是实现科学执政、民主执政、依法执政、间接执政。

一是实施科学执政。中共十一届三中全会提出发扬民主、加强法制，一方面贯彻民主集中制和干部"四化"方针，实现了决策主体由个人到集体、由重经验到重知识的转变，一方面通过改革，初步建立了深入了解民情、充分反映民意、广泛集中民智、切实珍惜民力的决策机制，并将继续推进决策的科学化、民主化、制度化和程序化。这标志着党的执政方式有了深刻的、历史性的变革。应该看到，这一转变过程至今没有全部彻底完成，实现科学执政要求我们做到：围绕"党委统揽全局、协调各方"的总的原则，在党章的基础上，处理好党的领导与党员、党的中央与地方、党的各级领导组织之间的相互制衡的关系；肯定党在宪法和法律范围内活动是处理党和国家法律生活的基本准则；借鉴法治的一些基本原则和基本精神（如民主原则、制衡原则、平等原则等）来加强党组织的自身建设；建立健全党内民主监督制度和决策失误责任追究制度等。

二是实施民主执政。通过民主而实现执政，这是世界文明的总的趋势，是执政党的共性。民主执政的特点是：党的主张要通过人民代表大会及其常务委员会的法定程序变为国家意志，进而实现党对国家政权的领导。具体来说，第一，是通过人大制定法律实现对国家的法律领导。这就要求中国共产党应全心全意为人民服务，取得人民的高度信任并使其党员进入国家权力机关。其后，通过法定程序使党的意志表现为国家的意志，上升为法律，并通过法律这一共同的规则来实现对国家（从权力配置角度来看，通过法律实现对行政权和司法权的控制是执政地位的最主要的表现）、社会和所有社会主体的领导，真正树立起法律的权威。第二，是通过人大组成政府实现对国家的行政领导。第三，是通过人大组成法院实现对国家的司法领导。在我国，人民当家作主主要是通过全国人民代表大会和地方各级人民代表大会实现的，因此，党领导和支持人民当家作主、管理国家，最重要的就是加强人民代表大会制度建设，充分发挥国家权力机关的作用。这样做的好处是：第一，党的主张不仅仅是党的，而且变成了国家和人民的意志，把党的主张和人民的

意志统一了起来，不是党代替人民当家作主，而是由人民自己当家作主，如果党的主张实行的结果不成功，也不会将责任归咎于执政党，不会影响党的执政地位；第二，党虽然有执好政的主观愿望，但党的主张不一定都正确，经过人民代表大会及其常务委员会的审议修正，可以减少党的主张的差错失误，贯彻实践是检验真理的唯一标准的原则，在实践中完善党的主张；第三，党的主张变成人民代表大会或人大常委会的决定，就使号召性、建议性的东西变成了强制性的东西，有利于贯彻执行。

三是实施依法执政。党必须在宪法和法律的范围内活动，这是执政党实现党的领导必须遵循的一条重要原则。依法治政应该包括三层含义：(1) 党必须把自己的意志经法定程序转化为国家意志；(2) 党必须在宪法和法律范围内活动；(3) 党必须利用其执政的地位维护并确保宪法和法律的绝对权威。实施依法执政，第一，应该树立依法执政意识。依法执政意识就是按照法定的执政权限和执政程序进行执政活动的自觉意识，这种自觉意识主要是一种守法意识，具体而言，依法执政意识包括依法定权限执政的自觉意识、依法定程序执政的自觉意识、自觉接受法律监督的意识。第二，党依法执政，应该用宪法性法律规定执政权限。一般说来，党的执政权主要包括建议权、推荐权、监督权。用宪法性法律将执政权的内容明确而具体地规定下来，不仅可以规范党的执政活动，使其纳入法制的轨道，而且还会因将宪法惯例性权力变为明确的法定权力，使其行使有了更高法律权威的保障。第三，党依法执政，还应该建构执政程序规则。政治协商程序、人大审议程序、民主监督程序等执政程序只有用宪法性法律确定下来，才具有法律的效力，才能做到人所共知，真正的执政程序规则才能建构起来，并为其获得良好的实施提供有效的法律保障。第四，党依法执政，还应该完善监督执政行为的法律制度。这一套法律制度应该包括法律监督的内容、法律监督主体的权力和党的违宪行为的追究等内容。第五，党依法执政，还应该与“以德治国”联系起来。法治和德治各自具有不同的功能和作用，法治以其权威性和强制性规范人们的行为，德治以

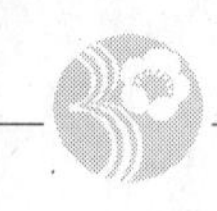

其教化性和劝导性提高人的思想觉悟。法治属于政治建设，属于政治文明；德治属于思想建设，属于精神文明。二者相辅相成，相互促进。我们只有把法治建设与道德建设紧密结合起来，把依法治国与以德治国结合起来，才能把我们的国家治理好。

实施科学执政、民主执政、依法执政实际上是要求逐步实现间接执政。十一届三中全会以后，国内外政治、经济条件发生了巨大的改变，主要体现在党内民主开始健康发展，国家政治生活逐渐恢复正常；社会经济成分、组织形式、就业方式、利益关系和分配方式日益呈现出多样化，计划经济向市场经济逐渐转变。这样的一种环境要求党的执政方式逐渐由“直接”向“间接”转变。这种新的执政方式的主要特征在于党组织和行政机关的职能分开。马克思主义经典理论告诉我们，政党只是“阶级的一翼”，而议会（代表大会）则是全民的代表。我们党与国家权力机关——人大及其常委会的关系是：党是领导核心，而人大及其常委会是权力中心。党同政权机关的性质不同，职能不同，组织形式和工作方式也不同，党不能代替人大行使国家权力。我们党的任务是对所有国家机关实行总的领导，而不包办一切，代行国家政权机关的职能。党对国家的领导，主要是政治思想的领导，方针政策的领导，重大原则的领导和组织领导。党的政治领导、思想领导、组织领导，要通过政治原则、政治方向、重大决策的领导和思想政治工作，向政权机关推荐重要干部等来实现。间接执政这种执政方式体现在党委同人民代表大会、政府、政协以及社会文化组织的关系上。人民代表大会是由全体选民选举产生的、由人民代表组成的最高权力机关。人民政府是由人民代表大会选举产生的行政执行机关。人民政协是统一战线组织。按照总揽全局、协调各方的原则，党规范党委与人大、政府、政协以及人民团体的关系，支持人大依法履行国家权力机关的职能，经过法定程序，使党的主张成为国家意志，使党组织推选的人选成为国家政权机关的领导人员，并对他们进行监督；支持政府履行法定职能，依法行政；支持政协围绕团结和民主两大主题履行职能；加强对工会、共青团和妇联等人民团体的领导，支持他们依

照法律和各自章程开展工作，更好地成为党联系广大人民群众的桥梁和纽带。而党对社会文化组织的领导主要是通过党委宣传部门对这些机构的直接领导管理来实现的，党的基层组织在这些单位和部门中发挥政治核心作用。

广东改革开放30年来，经济社会发展取得了全方位、令人瞩目的成就，多项经济指标排在全国前列，多项政治改革开了全国的先河。这些成绩的取得离不开广东各级党组织的正确领导，离不开广大共产党员的先锋模范作用。我们不应该忘记：持续数年的"固本强基"工程为广东的改革和发展奠定了坚实的组织基础；我们不应该忘记：在全省广泛开展的"理想、责任、能力、形象"教育，坚定了广东人建设中国特色社会主义的理想信念，振奋了广东人的精神；我们不应该忘记：广东先后派出几十万机关干部下基层、驻农村，不仅锻炼了一大批党员干部，也推动了社会主义新农村建设的历史进程；我们尤其不应该忘记：广东的共产党员在抗"非典"、抗冰雪、抗地震灾害中冲锋陷阵、忘我战斗的出色表现。过去30年足以令广东人自豪，站在这样一个令人自豪的起点上，广东各级党组织又一次举起了解放思想的大旗，按照科学发展观的要求着手描绘新的、更加壮丽的蓝图。

参考文献

《列宁全集》第42卷，人民出版社1987年版。

《毛泽东选集》第1、2、3、4卷，人民出版社1991年版。

《邓小平文选》第1、2卷，人民出版社1994年版。

《邓小平文选》第3卷，人民出版社1993年版。

《刘少奇选集》上卷，人民出版社1981年版。

江泽民：《论党的建设》，中央文献出版社2001年版。

江泽民：《在庆祝中国共产党成立八十周年大会上的讲话》，人民出版社2001年版。

江泽民：《论中国特色社会主义》，中央文献出版社2002年版。

胡锦涛：《在“三个代表”重要思想理论研讨会上的讲话》，人民出版社2003年版。

胡锦涛：《在新时期保持共产党员先进性专题报告会上的讲话》，《人民日报》2005年1月16日。

胡锦涛：《在中央人口资源环境工作座谈会上的讲话》，新华社2004年4月4日。

《胡锦涛在西柏坡学习考察时的讲话》，《人民日报》2003年1月3日。

胡锦涛：《在纪念毛泽东同志诞辰110周年座谈会上的讲话》，《广州日报》2003年12月27日。

中共中央文献研究室编：《三中全会以来重要文献选编》（上、

下），人民出版社 1982 年版。

中共中央文献研究室编：《十三大以来重要文献选编》，人民出版社 1993 年版。

中共中央文献研究室编：《十四大以来重要文献选编》，人民出版社 1996 年版。

中共中央文献研究室编：《十五大以来重要文献选编》，人民出版社 2000 年版。

中华人民共和国教育部编：《“三个代表”重要思想概论》，中国人民大学出版社 2003 年版。

吴树清主编：《邓小平理论和“三个代表”重要思想概论》，高等教育出版社 2003 年版。

王顺生主编：《毛泽东思想概论》，高等教育出版社 1999 年版。

中共广东省委党史研究室：《中国共产党广东历史大事记》(1949. 10—2004. 9)，广东人民出版社 2005 年版。

中共广东省纪律检查委员会、广东省检察厅编：《广东纪检监察志》(1950—1995)，广东人民出版社 1999 年版。

中国广东省委办公厅编：《中央对广东工作指示汇编》（1979 年—1982 年）。

《任仲夷论丛》第 2 卷，广东人民出版社 2000 年版。

广东党建学会编：《实践与探索——广东党建学会成立十周年纪念论文选编》，广东人民出版社 1993 年版。

汪洋：《继续解放思想　坚持改革开放　努力争当实践科学发展观的排头兵》，《广州日报》2007 年 12 月 28 日。

王长江：《政党现代化论》，浙江人民出版社 2004 年版。

《争创三友一好争当时代先锋获奖作品》，南方日报出版社 2005 年版。

周淑真、刘先传主编：《政党关系与执政能力建设》，中国统一战线理论研究会政党理论北京研究基地，华文出版社 2008 年版。

李慎明主编：《执政党的经验教训》，社会科学文献出版社

2008 年版。

刘宗洪：《执政党建设的新视野》，上海三联书店 2007 年版。

唐晓清、牟广东、段冰冰：《执政党拒腐防变机制研究 》，辽宁人民出版社 2007 年版。

王邦佐等著：《执政党与社会整合》，上海人民出版社 2007 年版。

魏芙蓉、于新恒、庞雅莉著：《执政党与民主政治》，吉林大学出版社 2007 年版。

李建华等著：《执政与善政》，人民出版社 2006 年版。

陈祥骥等著：《中国执政党运行机制创新研究》，宁夏人民出版社 2006 年版。

蔡长水、卢先福主编：《党的先进性与执政党建设》，中共中央党校出版社 2005 年版。

权伟太著：《执政党论》，中共党史出版社 2004 年版。

陈学峰著：《和谐社会与执政党的建设》，人民出版社 2006 年版。

［美］安东尼 · M. 奥勒姆：《政治社会学导论——对政治实体的社会学分析》，浙江人民出版社 1989 年版。

［美］萨托利：《政党与政党制度》，韦伯文化事业出版社 2000 年版。

后　记

本书是广东省哲学社会科学“十一五”规划2007年度规划特别委托项目子课题的研究成果，也是《广东改革开放30年研究丛书》之一。广东作为中国改革开放的先行区，广东党建30年正是进入新时期以来中国共产党思想建设、组织建设、作风建设的一个缩影和见证。

广东党建30年的探索与发展，凝集着广东省委历届领导班子的集体智慧，凝集着全省各级基层党组织及全体共产党员的集体智慧。本书力图以历史为线索，从点到面，进行纵向考察；以实践为基础，从宏观到微观，进行横向梳理；以发展为面向，从经验到理性，进行理论升华。

本课题始终得到广东省委及有关领导部门及专家的鼎力支持。广东省委组织部的有关领导及研究人员为课题的圆满完成给予了极大的支持和鼓励：郑轲同志在百忙中亲临指导课题研究，给我们提出了方向性的重要指导意见；有关专家为我们提供了大量无比珍贵的研究资料，并对初稿进行认真、细致审阅，提出了极其宝贵的修改意见；广东省委党校党史党建教研部、广州市委党校党史党建教研部等单位及有关专家倾力合作，保证了课题的顺利进行。在此我们表示最诚挚的感谢！

《党建工程的排头兵——广东党的建设30年》一书，是中山大学、广东省委党校、广州市委党校有关党史党建研究专家通力合作的产物。具体分工如下：

本书大纲制定、组稿、统稿、定稿由李萍教授、王丽荣教授承担。

本课题下设三个子课题，子课题负责人具体承担三个篇章的组稿、修改工作。

历程篇：王丽荣教授；实践篇：杨建伟教授；展望篇：吴鹏教授。

各章撰写人员是：沈成飞（第一章），柳媛（第二章），夏银萍（第三章），汪晓红（第四章），黄玲（第五章），杨杰（第六章），毕德（第七、八章），吴鹏、张振平（第九章），武三中（第十章），吴鹏、徐容雅（第十一章）。陈丽红、袁静为本书收集、整理了文献资料。

研究广东党的建设30年，是我省政治生活中一项富有重大历史意义和现实意义的大课题。由于时间和水平的关系，我们的成果还有许多需要进一步完善的地方。我们愿意向各个领域的专家、学者以及广大读者求教，不断学习，继续前行。

作　者
2008年7月